Un sentiment divin

Signatures

_____	DE
_____	À
_____	AUTEUR

Un
sentiment
divin

IMPRIME au CANADA

COPYRIGHT © 1995 par
André Mathieu

Dépôt légal:
Bibliothèque nationale du Canada
Bibliothèque nationale du Québec

ISBN 2-9803287-2-3

André Mathieu

Un sentiment divin

André Mathieu, éditeur
4, Charles-Beauchesne #202
Victoriaville, Qc
G6P 9A6

Mais il reste à jamais au fond du coeur de l'homme
Deux sentiments divins, plus forts que le trépas :
L'amour, la liberté, dieux qui ne mourront pas !
Lamartine

1

Midi venait. Un peu partout dans l'immense salle à manger du centre sportif, des adultes encore jeunes occupaient des tables. D'aucuns arrivaient tout juste, d'autres avaient passé leur avant-midi à frapper des balles de toutes sortes pour tromper leur ennui et se garder en forme afin que leur vie soit plus longue encore...

Tout en ce lieu de santé physique respirait le luxe et le bonheur matérialiste. Épicure sur sa monture avait passé par là en tirant à droite et à gauche avec son revolver magique. Moquette à motifs en forme de fer à cheval. Sculptures Remington. Lustres en abondance. Plantes luxuriantes. Brillances lumineuses. Cristal. Et des cuirs de qualité. Et des fers forgés très coûteux.

D'un côté se trouvaient les courts de tennis, tous occupés par des femmes. C'était l'heure où les hommes travaillent à gagner sur d'autres terrains et en frappant pour les faire rebondir, non point sur des balles, mais sur des billets de banque ou des marchandises à créer ou à s'échanger.

Cuisses basanées, visages bon teint qui brillent de perles de sueur, cheveux attachés avec un art sportif capable de rendre le désordre ordonné, petits uniformes blancs agrémentés de lignes aux couleurs de l'arc-en-ciel : de belles femmes rendues plus attirantes par l'énergie dégagée présente partout et presque visible dans ses ondes toutes en courbes, placotaient et ergotaient.

Parmi elles, un pro de tennis en train de livrer sa leçon à une joueuse qui n'a pas ça dans le poignet et ne l'aura jamais. L'homme lui vend de la sécurité enrobée de conseils et il lui parle des grandes parmi les grandes, King, Evert, Navratilova, Sabatini... Il sait tout d'elles, les a toutes vues de près aux Internationaux de Montréal ou d'ailleurs...

D'un autre côté, on peut voir les comptoirs déjà animés de la cafétéria. Des cuisiniers et leurs aides y sont grandement affairés. On y porte des chaudrons profonds qui contiennent des mets variés et vitaminés. Puis il y a un bar où un éclairage sombre met en lumière le visage érotique, énergique, électrique, d'une femme qui subjugue par son regard assuré et sa poitrine rassurante dont l'opulence et l'évidence magnétisent.

Entre la cafétéria et les courts se trouve un salon long et vitré qui contient beaucoup des éléments d'un véritable safari visuel. Des têtes empaillées de bêtes africaines voisinent des tableaux de grand prix tandis que des paravents à rembourrage épais, aux incrustations de pierres séparent des fauteuils de velours vert à pattes chippendale.

L'oeil ne cesse de découvrir ces choses; et pour les voir de près, il faut faire partie d'un Club qui louera l'espace à bon prix. Et alors on pourra lire parmi de nombreuses inscriptions gravées sur des bois noirs et rares ou des plaques, celle-ci de Baudelaire: "Ici, tout n'est qu'ordre et beauté, luxe, calme et volupté."

Près du court numéro un, sont attablées trois jeunes femmes au coeur de leur beauté sensuelle et de leur trentaine. Sylvie, brunette réservée, aime bien la compagnie de ses amies et elle les y rejoint trois fois par semaine pour jouer au tennis au coeur de l'avant-midi, prendre le repas du midi et surtout jaser de tout ce qu'on a déjà et de tout ce qu'on désire encore. Lui fait face une personne à cheveux roux et courts; journaliste à la pige dont le mari est architecte, elle s'appelle Francine et vit dans une fort belle maison. Et Carole, la troisième du groupe, est blonde et emportée. Et excitée. Mariée à un contracteur qui passe beaucoup de temps en Floride pour ses affaires. Pas d'enfants. Maigrichonne.

Trois mousquetaires au féminin qui achèvent leur repas et attendent leur quatrième comparse, Gina, la plus jeune d'entre elles, personne d'ascendance espagnole, être physique et sensuel dont les formes rebondissent plus encore que des balles de tennis flambant neuves.

La voilà qui arrive après un certain retard causé par les soins qu'exige son abondante chevelure. Elle s'est fabriqué une sorte de panier de cheveux à force de pinces et de tentatives répétées.

C'est sur une belle ripousse qu'elle se présente à ses amies avec une nouvelle époustouflante.

– Ça y est, les filles, il s'en vient, il s'en vient enfin...

– Qui ça donc ? questionna Carole avec de grands yeux ronds.

– Notre beau, charmant et unique François, dit-elle en tirant sa lourde chaise et y prenant place.

– François ?...

– François d'Amours, qui d'autre ?

– Comment ça se fait que tu sais ça mais que tu n'en as pas parlé tout à l'heure quand on jouait au tennis ? demanda Francine avec le doute dans des paupières circonflexes à la Diane Keaton.

– Je l'ai entendu à la radio en bas et j'ai même vu la nouvelle sur le journal... C'est vrai, vrai, vrai... dit-elle, le souffle toujours écourté.

– Quel journal ? demanda Francine qui connaissait pourtant le contenu de son hebdo qui, lui, n'en disait rien cette semaine.

– Le Matin.

– Incroyable ! lança Carole.

– Gina ne ment jamais, déclara Francine.

– Et tu nous apprends ça à la fin du repas ? dit Sylvie qui ne semblait pas très impressionnée.

– Quoi de mieux qu'un bel homme au dessert ?

– Mets-en ! dit Sylvie.

– Mets-en, mets-en ! enchérit Francine.

– Ben moi, j'suis tout à l'envers, avoua Carole qui frissonnait et secouait ses mains au-dessus de la table pour mieux s'exprimer.

– Ah! moi, soupira Gina, si je connaissais l'amour éternel avec un aussi beau chanteur, ce serait le bonheur total pour toujours.

– De nous quatre, t'es la plus heureuse en ménage puisque ton ami et toi vivez séparément.

– Deux amours valent mieux qu'un... Non, mais supposons que notre homme se transforme tout à coup en François D'Amours... On peut toujours avoir des fantasmes si ça reste des phantasmes tandis que les hommes, pour eux, des fois, ça tourne à la réalité, leurs petites idées d'infidélité bien cachées...

Carole croisa ses mains sous son menton, coudes sur la table.

— Moi, je pense au beau petit nid douillet que je préparerais pour lui et pour loger tous nos beaux secrets. Ah!...

— Vivre notre intimité loin dans le bois, à l'abri de la civilisation qui cherche toujours à nous voler nos gars...

A son tour, Sylvie fut emportée par l'enthousiasme qui baignait la table et elle déclara :

— Les Françaises sont généreuses de nous envoyer leur plus grande vedette. On pourrait aussi bien le garder avec nous autres...

Gina commenta :

— C'est vrai... elles ont envoyé Maurice Chevalier à nos grands-mères, Tino Rossi, Yves Montand et Luis Mariano à nos mères...

— Sans compter Georges Guétary, glissa Francine avec un de ses rires à un seul éclat vif.

— Savez-vous, il me vient une idée, dit Carole.

— Toi, une idée ? taquina Francine.

Gina déclara, l'oeil brillant :

— Pour parler en homme, surtout en politicien comme mon ami, on dirait que ça sent le défi, ton idée.

La conversation fut tout à coup interrompue par l'arrivée de la serveuse, femme petite comme une puce, pétillante et frétillante. Son geste demanda si on désirait autre chose. Francine parla la première :

— C'était bon, mais pour moi, c'est suffisant.

— Une crème glacée, un morceau de gâteau ?

Sylvie répondit:

— Merci, notre conversation est déjà pas mal sucrée.

— Un café peut-être ?

— Oui, un café, dit Gina.

Francine que la curiosité travaillait demanda à Carole :

— C'est quoi, ton idée prometteuse ?

Carole regarda ses amies l'une après l'autre, suggérant à chacune de s'émerveiller tout comme elle, et annonça, le regard généreux :

— Un fan-club.

— Un fan-club ? dit Francine.

— Un fan-club ! constata Sylvie.

— Un fan-club, répéta Carole.

— Bonne idée ! lança Gina.

— Carole, dit Francine, je vois au-dessus de ta tête un petit globe avec une lumière dedans.

— Enfin une bonne idée pour passer le temps, s'exclama Sylvie qui but alors une mince gorgée d'eau.

Gina se montra pourtant sceptique :

— On peut toujours rêver, mes soeurs, mais comment faire ? Plonger dans ça au petit bonheur la chance ?...

— C'est pour ça qu'il faudrait en parler au plus coupant, répondit Carole.

— Parlons-en, dit Francine. Dans quatre cerveaux de femme, on peut tout trouver, absolument tout et un peu plus... Suffit de se mettre à réfléchir un peu...

Carole reprit :

— C'est pas si compliqué que ça en a l'air, les filles. Faut tout d'abord obtenir l'adresse de notre cher François...

— Où c'est qu'on va prendre ça ? demanda Gina. Rien que là, on va s'enfarger dans les fers à cheval du tapis.

Sylvie jeta sur le ton de l'évidence :

— Sois pas si pessimiste ! C'est simple, voyons, par l'agence qui organise la tournée.

— C'est qui, cette agence-là ? demanda Francine.

— On téléphone à la télévision, dit Sylvie. Ils vont nous donner tous les renseignements nécessaires, eux autres, j'en suis certaine.

Gina demeura sceptique.

— Même si on a ça, on va-t-il écrire à sa petite maman là-bas en France ?

Carole reprit :

— Non, mais à son agent pour obtenir sa bénédiction et son autorisation.

Francine fit une moue approbatrice.

— C'est clair comme de l'eau de roche, simple et facile.

— Mais la promotion, comment on va la faire ?

— Communiqués de presse...

— Tous les médias sont à genoux devant les vedettes, dit Francine. Ils ont même du mal à parler d'autre chose.

Sylvie montra de l'excitation :

– Tant mieux pour nous et notre projet dans ce cas-là. Mais il nous faudrait un petit budget pour répondre aux lettres qu'on va nous envoyer d'un peu partout. Le temps, bien sûr, on va pas le compter, mais les timbres, ça coûte les yeux de la tête...

Gina :

– Pour ça, on va se faire noyer de courrier.

Carole :

– Ben moi, je n'aurais pas peur de me faire quelques petites dettes pour une super vedette comme lui. Imagine, juste lui parler... Hum... rien que d'y penser, ça me bouleverse le Canayen...

Francine parla avec emphase :

– Cache ce fantasme que je ne saurais voir...

Gina se leva à moitié sur sa chaise et lança les bras au ciel pour dire :

– Mon Dieu, j'ai un orgasme cérébral. Quand il viendra ici, il ne pourra pas ne pas nous embrasser. J'en tremble : regardez mes mains, mes yeux, mes lèvres. Touchez mon front, il est déjà bourré de fièvre...

Francine lui dit en soufflant à mi-voix :

– Gina, voici la serveuse qui revient avec ton café. On va lui demander son avis...

Sylvie fit la moue :

– Une serveuse, c'est pas trop fiable, ça connaît pas le dictionnaire, hein !

– Faudrait peut-être pas se fier trop à son air ! dit Carole.

– C'est son coeur qu'on va faire parler, pas son esprit, fit Gina en reprenant sa place.

– En espérant que ça ne coûtera pas plus cher, dit Sylvie.

Francine prit l'initiative de ce qu'elle avait elle-même proposé:

– Votre nom, c'est quoi, mademoiselle. On vous a jamais vue ici...

La jeune fille montra son insigne en disant :

– C'est écrit là... Nathalie...

– Nathalie qui ?

– Loiselle.

– Et quel est ton âge ?

– Dix-huit ans et chaque année, ça s'améliore, fit-elle, pince-sans-rire.

— Aimes-tu la musique ?

— Qui n'aime pas la musique ?

— Un peu ? Pas mal ?

— Je l'adore. J'en écoute tout le temps, même que je m'endors avec mes écouteurs sur les oreilles. Tous les genres. Classique, western, rock, jazz...

— Et ta chanteuse préférée ?

— Céline Dion, fit Nathalie sans l'ombre d'une hésitation.

Sylvie commenta :

— La pauvre fille, elle ne s'appartient plus. Ballottée à droite, charriée à gauche...

— C'est la rançon de la gloire, opina Francine.

Carole poursuivit l'interrogatoire :

— Et parmi les chanteurs populaires, ton meilleur, ça serait-il comme pour nous quatre, François D'Amours ?

— Le meilleur, dit Francine pour mieux suggérer la réponse.

— Le plus brillant, enchérit Gina.

— Le plus séduisant, dit Carole, l'oeil luisant.

— Beau comme un coeur, dit Francine.

— Super sexy, ajouta Gina.

— Et célibataire, paraît-il, reprit Carole.

La serveuse regardait l'une et l'autre tour à tour, elle pensa à ses pourboires et dit :

— Vous voulez une idée franche ?

— Parle librement, c'est le fond de ton idée qu'on veut, mentit Francine qui réclamait sans le dire une opinion favorable.

Nathalie regarda au loin et soupira :

— Pour moi, François D'Amours, c'est d'abord la France, la belle France que je n'ai jamais vue mais que j'imagine; notre chère grand-mère-patrie aux beaux cheveux blancs et aux belles rides noires... Ah! que je souffre de le savoir si loin et de le sentir si près... de mon coeur.

Francine dit à ses amies en confidence :

— Je vous l'avais bien dit qu'une idée valable et typique du petit monde ordinaire viendrait de sa bouche naïve...

Nathalie posa son cabaret sur une table voisine puis grimpa

sur une chaise et lança, théâtrale et magnifique :

– Le beau François D'Amours, c'est mon Amérique à moi. Mon chevalier d'Espagne, mon prince d'Italie... mon Canada... Je l'aime, j'en rêve... le jour, le soir, la nuit... Quand j'entends sa chanson *Un sentiment divin*, mon âme plonge dans une mer d'euphorie, d'extase, de rêverie, et il devient la moitié de moi et quasiment les deux tiers. Je suis alors sa souveraine et j'en fais mon roi. Je nous imagine sous un saule pleureur; je suis sa Joséphine et lui, mon fier empereur. A l'abri de tous les malheurs, on se regarde les yeux dans les yeux durant des heures. Si on vivait dans la Grèce antique, il ne s'appellerait pas D'Amours mais Hercule. Il est mon Caruso, mon Pavarotti, mon Sacco, mon Vanzetti. Quand pour me livrer tout entière à mon admiration de lui, je mets mon pyjama et que je regarde du cinéma à la télévision, je le trouve encore meilleur que Kevin Costner dans le personnage du flamboyant général Custer. Le regard de Sitting Bull me rappelle celui si déterminé de François. L'image de mon héros, je la rencontre partout et elle me métamorphose en sa chose sensuelle. Je suis sa Mae West, il est mon Joe Louis. Il a l'esprit de Cyrano dans le corps de Valentino. Il est mon Mozart, mon Patrick Norman, mon Beethoven, mon Debussy. Il est mon Einstein, je suis sa Marie Curie. Je rêve parfois même d'être son Éva Braun, sa Nicole Brown-Simpson...

Les quatre amies s'exclamèrent à voix mêlées :

– Minute, ce n'est plus un rêve, ça tourne au cauchemar...

– Mes amies, on oublie tout quand on aime une star. Adorer, c'est disparaître, se fondre dans l'autre, c'est abdiquer sa propre personnalité, c'est accepter tout sans conditions et ne jamais critiquer.

– Ça, c'est pas mal vrai ! dit Carole. Continue !

La serveuse roula des hanches un moment puis elle poursuivit sur sa lancée :

– Quand je me sens sportive, il devient mon Gretzky, mon Maurice Richard, mon Babe Ruth. Michael Jackson est un nain à côté de François. Il est mon Lucifer, je suis sa diablesse et que ça ne vous blesse surtout pas, mais il me fait me sentir plus canadienne car il se transforme en Chrétien quand je me mue en son Aline. Quant à ce pauvre Roch Voisine, il ne fait pas le poids à côté de François. Les grands soirs d'orage, je le vois rôder sous ma fenêtre, me récitant son Vaisseau d'or ou se transformant en chauve-souris qui vient se poser sur ma gorge oh! mon Nelligan, oh! mon Dracula ! François, c'est mon adrénalyne, mon carburant, ma gazoline, c'est une lumière, un Dieu de la terre capable de commander aux ouragans de mon âme pour en faire par un simple sourire des tornades de désirs.

Un peu partout, des voix se firent entendre même si la plupart des gens n'avaient rien saisi et se laissaient emporter par l'effet-spectacle :

— Bravo ! Bravo !

Nathalie fut un salut à la Sarah Bernhardt et s'applaudit elle-même. Puis elle descendit de sa chaise et commença à desservir la salle tout en jetant un oeil inquisiteur au loin.

Sylvie s'exclama dans une joyeuse conviction :

— Cette tirade nous grandit. Heureusement qu'en ce bas monde, les modèles à imiter sont nombreux. Malgré la splendeur de plusieurs, nous resterons fidèles au plus grand parmi les grands et nous allons lui trouver des fanatiques par milliers au Québec.

— Tu me surprends, Sylvie, toi toujours si calme, dit Francine en se reculant la tête comme pour la mieux jauger.

— C'est vrai qu'elle est réservée de coutume, approuva Gina.

Et Francine reprit :

— La meilleure façon pour les gens ordinaires d'oublier qu'ils vivent des vies plates, c'est de s'identifier aux vedettes et c'est pour ça qu'on les encense et qu'on les adore...

Nathalie l'interrompit :

— Si vous voulez m'excuser, je ne vais pas m'attarder; voici venir mon patron, monsieur Planters.

Carole s'exprima sur un ton de certitude :

— C'est un personnage exemplaire : millionnaire et pourtant, il se rend à chacune des tables tous les midis et tous les soirs pour saluer la clientèle. C'est sans doute pour ça qu'il est devenu aussi riche.

La serveuse se montra narquoise :

— C'est en léchant le petit monde qu'on s'élève au-dessus, surtout si on les triche un peu sur les bords...

L'homme d'affaires, propriétaire du centre, personnage dans la cinquantaine mais sans aucun cheveu blanc ni le moindre sourire, mince et cravaté, arriva sur les lieux tandis que la serveuse s'éloignait dans une autre direction pour ne pas croiser ses reproches.

– Mesdames, c'est toujours un plaisir de vous voir. Laissez-moi vous dire que ce soir, je dis bien ce soir et pas ce midi, l'une d'entre vous aura droit à un repas gratuit, oui, oui, tout à fait gratuit.

– Hein! les filles, qu'est-ce que vous dites de ça ? lança l'une.

– C'est notre journée, on dirait...

Planters jeta un geste et un regard de côté en disant :

– Je me suis rendu compte que ma serveuse a l'air d'aimer passablement ce que disent ces dames.

Francine échappa des mots qu'elle jugea de trop une fois qu'ils avaient été dits :

– C'est peut-être quelqu'un de trop émotif pour travailler dans un centre sportif...

– Sans indiscrétion, qu'est-ce qui, dans votre conversation, l'aurait expédiée dans une pareille exaltation ?

– On a appris une grande nouvelle, dit Gina.

Carole poursuivit pour elle :

– La superstar François D'Amours vient...

– Nous voir au Québec, coupa Planters à son tour. Oui, je sais, mais est-ce une raison pour grimper sur une chaise et se lancer dans des palabres comme elle l'a fait ?

– C'est dur de ne pas avoir l'esprit à la fête quand on apprend que très bientôt, sa plus grande idole va venir nous visiter et fouler notre sol de ses pieds sacrés, traverser nos soirs comme une étoile filante... Une femme, vous savez, est bien plus vibrante qu'un homme...

– Madame Francine, vous, une journaliste, tenir des propos pareils concernant une vedette quelconque... vous me surprenez, là, vraiment.

– Pour vous, c'est une vedette comme une autre mais pour mademoiselle Loiselle...

– J'avoue que les femmes, vous me dépassez là-dessus...

– C'est ça, dit Sylvie, on en met trop ou alors pas assez.

Deux hommes dans la vingtaine passèrent et se dirigèrent vers l'escalier menant au sous-sol où se trouvaient les vestiaires et les douches. Ils saluèrent Planters du geste et du sourire. L'homme leur répondit puis il dit aux quatre amies :

– Vous voyez que les beaux garçons sont partout et qu'il y en a autant ici à Saint-Eustache qu'à Paris ou ailleurs.

– Peut-être, mais c'est pas des vedettes, eux ! répliqua Gina.

– Tout de même, François D'Amours... Pourquoi l'encenser plus qu'un autre ? Si c'était Johnny Mathis, je ne dis pas. Un vrai artiste, lui, pas une simple image avec un filet de voix. Si vous me parliez de Dick Rivers. Si vous me parliez des Platters...

Les filles jetaient des onomatopées de désolation de plus en plus pointues à chaque nom qu'il citait. Carole le semonça :

– Que vous êtes passé de mode, monsieur Planters. On pourrait même pas remplir une salle avec ces vieux noms-là !

– L'heure est au nouveau rock, enchérit Sylvie.

– Vos vedettes, ce qu'elles chantent est bien trop facile, ajouta Carole. Leurs chansons que tout le monde se rappelle ne sont pas assez compliquées et profondes. De nos jours, il faut un peu imiter le chant du coq avec beaucoup de cris et de gutturales pour que le monde vous prenne au sérieux et vous juge à votre vraie mesure.

– Pardonnez-moi de vous dire, mesdames, que cela me choque. Et jamais vous n'entendrez ici d'autre musique que celle de ma jeunesse ou encore du classique.

– Prenez au moins le temps d'écouter François, supplia Gina.

– Et si vous n'en faites pas votre choix premier, peut-être que vous apprendrez à l'aimer un peu... un petit peu...

Le ton de Francine était espiègle et quémandeur.

Planters joua le jeu :

– Ouais, ouais, je veux bien essayer mais c'est rien que parce qu'il est votre vedette préférée, hein ! Bon appétit ! Et bienvenue tous les jours ici ? Vous êtes mes clientes préférées.

Francine l'empêcha de s'en aller :

– Hey, partez pas, monsieur Planters. Vous, un connaisseur, un millionnaire, n'auriez-vous pas quelques conseils à nous donner ? Parce que nous autres, on veut lancer un fan-club pour supporter notre idole...

– Laissez-moi vous dire une bonne chose : vous n'allez pas devenir riches à ce jeu-là.

Des paroles sonnant moins creux qu'elles n'auraient dû sortirent de la bouche de Carole :

– Notre fortune à nous se situe bien au-delà d'un compte à la banque et de biens matériels, ce sont les plaisirs plus impondérables mais combien plus grands que le coeur procure à ceux qui les cultivent.

Planters sourit pour une rare fois mais c'était pour exprimer du sarcasme empreint de paternalisme.

– Vous m'en direz tant ! Jouissance, argent, confort, vous pensez que tout ça n'est pas important ? Les sports, la nourriture, la bonne chère, les belles voitures de luxe : bon pour les pas bons ? Regardez ce lustre au-dessus de l'escalier : combien pensez-vous qu'il coûte ? Il est là pour votre plaisir, celui de vos yeux. Le bonheur terrestre, ce n'est pas pour les quêteux et la preuve, c'est que personne ne veut l'être. Le bonheur, c'est pour les sens et quand on l'oublie, c'est parce qu'on est déjà comblé.

– Nous reprochez-vous de rechercher aussi d'autres formes de plaisir ? demanda Francine.

– Non, pas du tout, je vous taquine. Moi aussi, j'aime les héros et j'adore les héroïnes...

– Et on en revient à la case départ. Vous qui avez le sens de l'organisation, nous aiderez-vous par vos conseils à lancer un fan-club pour François. Quelle serait votre recette, à vous, qui avez lancé des douzaines d'affaires qui ont toutes réussi ? Une conférence de presse peut-être, j'ai l'habitude, moi...

– Dans un cas comme celui-là, pourquoi ne pas tenter d'y mettre le paquet ? Ce que la télévision veut, le peuple le veut. Misez sur elle. Par exemple, madame Latache tient chaque mois une émission consacrée à une vedette, pourquoi ne pas en profiter ? Tiens, vous pourriez même demander qu'on enregistre l'émission avec François D'Amours comme cadeau du mois, ici même au Centre sportif.

Les quatre amies s'échangèrent des regards émerveillés.

– Fallait y penser ! s'exclama Francine.

– Formidable ! ajouta Carole. Et François ensuite n'aura plus qu'à se mettre à table comme on dit, quand il arrivera. Parce que les couverts seront déjà mis...

– Non, il faut attendre qu'il arrive. Qu'il soit là afin de nous aider à vendre le fan-club au grand public. En même temps qu'il serait la vedette de l'émission, nous, on lancerait le Club. Ce serait le plus beau cadeau jamais fait par madame Latache à son public téléspectateur.

— Mieux que Vanessa Paradis ou que Julien Clerc en tout cas, dit Sylvie.

— Évidemment ! dit Gina. Et pas mal mieux aussi que Cabrel, Barzotti ou Charlebois et sans la moindre comparaison avec Claude Dubois...

Planters trouvait que cette conversation avait assez duré. Et s'il s'était attardé c'est que la salle n'était pas très remplie. Mais il avait du travail en quantité sur son bureau et il voulut couper court :

— Moi, je téléphonerais dès aujourd'hui à Télé-Star, à la réalisatrice ou aux recherchistes de l'émission. Je vous prête même le salon des artistes si vous décidez de le faire. Je suis à mon bureau. Venez prendre la clef...

Il n'y croyait pas du tout et c'était une façon de les prendre aux mots. La réponse de Francine le questionna un peu pourtant.

— On y va dès que le repas sera terminé. Et soyez là !

2

Francine fut déléguée par ses collègues pour se rendre au bureau de Planters y prendre la clef du long salon des artistes. Mais le personnage, à ce qu'il semblait, ne l'avait pas encore réintégré. La réceptionniste du Centre qui travaillait à quelques pas seulement lui dit d'entrer quand même dans la pièce où elle pourrait attendre le grand patron le temps qu'il faudrait.

La jeune femme accepta et elle prit place sur une chaise droite rembourrée dans cet espace étroit plutôt dépouillé par comparaison à toutes les autres pièces du Centre. L'essentiel de la décoration était constitué de plaques célébrant quelque événement important de la vie de Planters : ouverture du Centre, homme d'affaires de l'année, supporteur émérite d'une cause humanitaire etc.

Un livre d'or laissé ouvert à sa dernière page portait les noms de Gilles Vigneault et Claude Léveillée, des têtes connues qui à l'occasion venaient au Centre s'y reposer de l'inspiration accaparante que leur procurait le voisinage des Mohawks de la région de Kanesatake.

Francine feuilleta vers le passé du livre. D'autres noms de vedettes locales y figuraient : Reine Malo, Marc Gélinas, Claude Blanchard et, incroyable! Céline Dion. Elle s'arrêta, remit le livre à la page marquée d'un signet de velours bleu et croisa les bras. Le moment était propice à une réflexion vagabonde qui l'entraîna dans la vie de ses compagnes. Gina qui commençait à se différencier des trois autres. Son sang espagnol en était moins responsable sans doute que sa récente séparation d'avec un homme qui pourtant continuait d'être son ami et son amant. Prendre du recul, disait-elle. Faire un pas en arrière pour en faire deux en avant ensuite. Et Carole, quasiment la plus esseulée de toutes et pourtant qui était toujours mariée à un contracteur qui passait le plus clair de son temps en Floride où elle refusait de s'installer pour le moment. Ni Gina ni elle n'avaient encore d'enfants. Était-ce pour cette raison que leurs couples ne se soudaient pas comme celui de Sylvie et Raymond ou le sien qu'elle partageait avec Gilles ?

L'amitié des quatre femmes restait intacte car elle servait de source d'idées et d'émotions abreuvant chacune dans la poursuite du chemin plutôt agréable de sa vie. Mais sans trop se le dire, on avait ressenti une sorte de lassitude depuis quelque temps. Au fond, chacune obtenait trop ce qu'elle désirait et le piment se faisait de plus en plus rare. On rêvait d'une folle aventure dans le style de celle ayant poussé Thelma et Louise jusqu'au fond du gouffre avec, cependant, l'intention et la certitude de pouvoir s'arrêter avant, car si on avait le goût du piquant, on ne voulait quand même pas s'y embrocher.

Prendre un beau risque sans devoir y investir trop de courage: voilà ce qu'elles étaient en train de définir à force d'échanges de rires, de silences, de phrases et d'attitudes.

— Je vous voyais feuilleter le livre d'or, vous avez dû y voir plusieurs grands noms ?

— Quelques-uns.

— Je les ai comptés : avec celui de Vigneault, il y en a maintenant cinquante-neuf. C'est une belle collection, vous ne trouvez pas ?

— Ça rehausse le prestige d'un établissement qui en avait déjà beaucoup dès son ouverture par sa richesse et sa beauté.

— Et son luxe, dit Planters qui s'asseyait en frottant sa main droite avec son autre.

Il soupira :

— Petit problème d'arthrite, on dirait. Ça fait un mois et je trouve ça détestable. A part mon opération pour la vésicule biliaire, je n'ai jamais été malade et je n'ai pas envie de l'être. Bon, vous venez pour la clef du salon des artistes ?

— C'est ça !

— Avez-vous décidé d'essayer d'obtenir l'enregistrement de

l'émission ici ? Madame Latache est déjà venue et vous trouverez sa signature quelque part dans le livre d'or. Elle fut bien impressionnée de sorte que vous pourriez bien réussir votre coup si ça devait s'arranger avec le gérant de François D'Amours. Je pourrais même passer un coup de fil à Télé-Star si vous le souhaitez. Nous pourrions aller chercher et reconduire madame Latache, et bien sûr le chanteur, en limousine, ou si on préfère dans ma voiture antique. Quatre inconnues qui veulent lancer un fan-club, c'est bien beau, mais avec du piston —et mes limousines en ont— c'est bien mieux encore. Qu'en dites-vous ?

– D'accord sur toute la ligne. Je savais bien que vous pourriez y faire quelque chose.

– De rien !

Et Planters se pencha pour ouvrir le dernier tiroir de son bureau dont il fit surgir la clef requise qu'il tendit à sa visiteuse.

– Prenez le temps que vous voulez; le salon n'était pas réservée. Mais il l'est pour ce soir. Un bureau d'avocats dont fait partie mon frère jumeau que vous connaissez peut-être.

Francine hésita :

– Non...

– Il vient souvent ici mais les gens le prennent pour moi sauf quand nous sommes ensemble, ce que j'évite. Un bon garçon du côté de la loi et pas très riche. Mais honnête...

La jeune femme se leva et remercia :

– Au nom des autres mais surtout de François...

– La télévision, c'est le gros pognon, oubliez pas ça !

– On fait ça pour le plaisir !

– Vous en manquerez pas non plus !

Et elle quitta, se sentant balayée du regard par le personnage dont la réputation de coureur de jupons était tout aussi bien établie que celle que lui avaient valu ces transactions douteuses qui l'avaient mis sur le chemin de la fortune au début de sa carrière dans les affaires.

Un crochet par le bar lui permit d'emporter aussi avec elle quatre digestifs bien étoffés qui serviraient à célébrer la fondation officieuse du fan-club de même que leur victoire si les résultats escomptés dans leur démarche auprès de Télé-Star devaient être couronnés de succès.

– On va laisser le temps à monsieur Planters de loger quelques appels téléphoniques à Télé-Star pour nous seconder dans notre projet... ou comme il dit pour nous pistonner...

Après avoir annoncé cela, Francine porta un toast à François :

– A notre vedette préférée et à son fan-club !

La pièce dans laquelle on se trouvait était longue mais étroite et très chargée de meubles, paravents, sculptures, animaux empaillés dont une grande chouette et un guépard ramenés par Planters de safaris anciens. D'imposantes peintures couvraient le mur arrière et l'éclairage sombre donnait à l'ensemble un aspect un peu bizarre et inquiétant qui ne répondait pas tout à fait à la pensée de Baudelaire gravée sur une plaque de métal doré.

Mais l'heure était au plaisir, à l'espérance, à la fantaisie.

– Ton mari, il va dire quoi, de te voir agir comme une jeune fille ? demanda Sylvie à Francine.

– La même chose que le tien va te dire probablement.

– Ça fait dix fois qu'ils nous disent d'aller au bout de nos fantasmes, on va les surprendre ?

Il y eut un éclat de rire.

Planters vint porter un bout de papier sur lequel il avait inscrit un numéro de téléphone.

– J'ai plaidé votre cause qui est aussi un peu la mienne, et l'assemblée de production commençait justement. Ça veut dire que vous pourrez appeler à Télé-Star dans une heure et obtenir très probablement confirmation... J'ai parlé à la réalisatrice que je connais et ça regardait bien bien... Madame Latache sera emballée, j'en suis certain...

– Formidable ! s'écrièrent les filles toutes ensemble.

– Ça vaut une bonne consommation aux frais de la maison, dit Planters. Je vous envoie une serveuse ou vous pouvez aller vous-même vous faire servir au bar. Je vais les avertir...

Elles s'y rendirent sans tarder. Planters circula tout en surveillant la porte du salon. Il s'y trouvait des objets plus rares que les voleurs. Quand les amies y retournèrent, il regagna son bureau.

On trinqua et on s'amusa. Francine consultait sa montre à toutes les dix minutes avec au coeur la hâte de téléphoner à Télé-Star. Déjà la magie de la télévision agissait en elle et d'une façon différente que cette fascination exercée sur son coeur et son esprit par l'image de François D'Amours, superstar internationale.

— Si tu n'appelles pas, c'est moi qui le ferai, dit Carole à travers leurs rires que commençaient à engriser les vapeurs de l'alcool.

Elle se sentait aussi impatiente de savoir que les trois autres.

L'appel fut logé au coeur de l'après-midi et Francine s'isola de ses compagnes vu que l'appareil se trouvait un peu plus loin dans une encoignure sur un guéridon.

— Les filles, je fais un voeu pour que ça marche ! dit Carole en fermant les yeux.

— C'est connu : quand on veut quelque chose fort, ça se passe. A plus forte raison si c'est quatre femmes.

Tout le devant du salon était vitré et de là, on pouvait donc voir ce qui se passait sur le court numéro un. Une femme petite, trapue, joyeuse et brune y tenait tête à un partenaire un peu ventru. Les filles s'intéressèrent au match.

— Ils jouent tous les après-midis et elle le bat deux fois sur trois et à chaque fois, le gars jette sa raquette au bout de son bras dans la toile du fond, dit l'une.

Pas une des trois ne voulait entendre ce qui se disait au téléphone de crainte de souffrir et on préférait attendre le résultat global qui se pourrait lire sur le visage de Francine. Elle finit enfin et revint vers les autres, l'air soucieux. C'était sûrement raté à en juger par son air.

Elle s'assit sur un divan tandis qu'on scrutait le moindre muscle de sa face.

— Ouais, j'ai une nouvelle à vous apprendre... Ça marche !

— Non ! dirent les trois autres ensemble tandis que sur le court de tennis, une raquette volait de ses propres ailes...

— L'affaire est dans le sac !

— Conte-nous ça vite ! s'écria Carole qui se pencha vers l'avant, prête à boire tous les mots venus.

— Il paraît que l'arrivée prochaine de François cause tout un émoi à Télé-Star et nous autres, on tombe pile. On va prendre notre idée d'émission avec lancement du fan-club et on va probablement faire l'enregistrement ici. En tout cas, il paraît que l'idée plaît au plus haut point à madame Latache.

— Super ! dit Carole.

– Super, super ! enchérit Gina.

– Ça veut dire qu'on va l'avoir à nous autres quasiment une heure, ajouta Sylvie...

– Ça pourrait être difficile, ça, se désola Francine. Tout est orchestré d'avance autour de ces gens-là. Rappelez-vous les films qu'ils ont faits durant les tournées d'Elvis. Pas grand moyen de les approcher, ces vedettes-là.

– Si y'en a qui auront une chance, c'est bien nous autres, dit Carole.

– En tout cas, j'espère qu'on va l'avoir un peu à nous quatre en dehors des caméras, dit Gina en battant les paupières, sinon son fan-club hein !...

Francine but ce qui restait dans son verre et elle se mit à rire.

– Ceux qui diront qu'on n'est pas capable de jouer sur son destin peuvent toujours se rhabiller. Carole, c'est de ta faute, tout ce plaisir qui va nous arriver.

L'interpellée semblait partie dans une autre réflexion. Elle s'adressa à Sylvie :

– Chérie, pousse un peu ta carcasse que je puisse m'asseoir avec vous autres sur le divan. J'ai encore une idée. Pour une blonde pas intelligente, c'est pas mal dans une même journée, vous trouvez pas... Bon... Ah! j'ose pas la dire, l'idée... parce que c'est pas mal osé justement...

– Elle veut encore nous laisser tomber, protesta Sylvie. Ce qu'on commence à dire, on finit de le dire.

– O.K.! d'abord ! Etant donné que le destin nous donne rendez-vous, on devrait en profiter pour accomplir ensemble un exploit super... quelque chose d'exceptionnel...

– Et tu penses à quoi au juste ? demanda Francine.

– On devrait faire comme lors des initiations d'étudiants... s'emparer de la personne de François pour quelques heures...

– Oh! oh!, fit Francine.

– Ayoye! papa! ajouta Sylvie.

– Aïe, aïe, aïe, papa pis maman! dit Gina. On risquerait de se retrouver en prison le lendemain matin et d'y passer au moins quelques mois de notre vie. Moi, rien que l'idée de la prison, ça m'a toujours fait paniquer...

Sylvie en remit :

– Un enlèvement, c'est au moins deux ans.

Carole hocha la tête.

– Pas si on sait y mettre la main, les filles. Pas si on sait s'y prendre. En tant qu'invitées sur le plateau et fondatrices du fan-club de François, on serait les personnes les moins soupçonnables, pas vrai ? Et si on enlève notre bonhomme après nous être déguisées, qu'est-ce que vous dites de ça, hein ?

Le visage de Francine s'éclaira :

– Et pourquoi pas en techniciens ?... Et puis non, trop difficile de cacher notre féminité ? Parce que j'imagine qu'on va emprunter l'identité de gars, hein, les filles !

– Ça serait peut-être mieux en gardes du corps.

– Il a déjà les siens...

Une fois de plus, celle du groupe possédant la plus maigre réputation pour ses idées brillantes, vint à la rescousse de son propre projet :

– Quand va prendre fin le talk-show de madame Latache, on va s'habiller en policiers... pas en policières, là, mais en policiers à moustaches. Un : cachons des uniformes dans les toilettes. Souliers, pantalons, veste, ceinture et revolvers jouets, et casquettes. Deux : on disparaît en douce après l'entrevue pour aller changer d'allure et ensuite revenir avec la mission officielle de protéger notre homme que nous emmènerons avec nous... On va se pratiquer d'avance comme si c'était une pièce de théâtre. Tout sera minuté. Les imprévus seront prévus. Si on se fait prendre, on n'aura qu'à dire que c'était un bon tour qu'on voulait lui jouer pour mieux lancer notre fan-club. Qui ne nous le pardonnera pas, lui, le premier ? Que pensez-vous de ça, mes soeurs ?

Francine applaudit.

– Du vrai génie... jusque là... mais après, qu'est-ce qu'on fait si tout a marché comme prévu ? On l'emmène où ? On fait quoi avec lui ?

Carole fit un clin d'oeil.

– Imaginez... selon votre fantaisie...

Gina lança, l'oeil enflammé :

– Je vais le lutiner sur la banquette de l'auto... Et toi, Sylvie ?

– Moi, je l'obligerai à me chanter une sérénade.

– Quant à moi, dit Francine, je me contenterai d'une ballade.

Sa chanson indienne fera bien mon affaire; il est encore meilleur
là-dedans que dans Un sentiment divin...

– Et toi, Carole, la plus vicieuse de nous quatre, que vas-tu lui
faire ?

Elle se racla la gorge, regarda au loin et fit patienter ses con-
soeurs avant de jeter, la voix sûre, une phrase énigmatique :

– Je vous laisse deviner à quoi je pense...

On voulut en savoir plus.

– Lui faire l'amour en québécois ? questionna Gina.

– Le viol est un délit tout à fait mineur s'il est commis par
une femme, déclara Francine.

– Surtout si ça se passe entre gens qui se connaissent... fit
Sylvie.

– Quel homme ne rêve pas de se faire prendre par la force par
une femme pas trop monstrueuse ?

– Force de femme est force tendre !

Carole ne les écoutait guère et elle s'en excusa :

– Tout en vous écoutant, je ne vous écoute pas... je veux dire
que je pense à autre chose... ben pas tout à fait... Je me demandais... si tout va bien au cours de l'enlèvement et qu'il ne nous
reconnaît pas... parce qu'il nous aura vues sur le plateau et peut-
être parlé... s'il ne faudrait pas prolonger sa présence avec nous
quatre, histoire d'apprivoiser un peu le bonhomme, de l'apaiser.
Peut-être l'emmener dans le nord à notre chalet... un peu comme
les filles dans le film de 9 à 5. Sauf que nous autres, ce sera pour
le dorloter, pas pour le maganer...

– C'est vrai parce que l'agneau ne se laissera pas tondre facile-
ment si on le garde une heure seulement et dans l'obscurité d'une
fourgonnette.

– T'es prête, Sylvie, à fournir ton véhicule ?

– A certaines conditions dont on reparlera...

A la base, il faut deux choses pour que notre plan fonctionne.
Le secret et le serment. Ou si vous voulez le serment quant au
secret. Et ensuite on fera un pacte sur les grandes lignes de la
conduite à suivre tout au cours de l'opération... Celles qui sont
d'accord, levez la main.

Quatre mains approuvèrent et Francine poursuivit :

– Frappons nos verres en guise de serment prêté. On jure donc

30

le secret sur cette histoire. Et on s'arrête sitôt qu'un obstacle majeur se présente... Personne au monde ne doit savoir, ni maintenant, ni plus tard, ni jamais ou on est bonnes pour la prison et surtout, on va passer pour des maudites folles. Choquons nos verres en disant quatre fois le mot secret...

— Secret !

— Secret !

— Secret !

— Secret !

Et les cristaux tintèrent...

— Attention à mes verres, murmura Planters dans son bureau.

Il avait des écouteurs sur les oreilles et n'avait pas perdu un seul mot de la conversation. Toutes les pièces du centre, surtout ce salon long, étaient truffées de micros cachés et, prétextant l'écoute de musique classique, il surveillait qui il voulait quand il le désirait.

Il exulta un moment et se mit à chantonner en se levant à moitié de son fauteuil :

— Bravo! les filles, bravo! La publicité que ça va faire au Centre partout au Québec, aux États et dans le monde, ça vaudra un million de dollars... que dis-je, deux millions, trois... Ah! que je vous aime, vous autres !... A moins que vos paroles ne soient que des paroles en l'air comme bien des paroles de femmes...

Il reprit sa place.

— Mais il faut des uniformes de policier, les petites, dépêchez-vous de penser à ça ! Où allez-vous les prendre ? Les voler dans un poste de police ? Impossible ! Ça ne se vend pas couramment dans les magasins, ça... Les louer ? On vous attraperait... Parlez-en, mais parlez-en ! C'est ça, la base !

Il se remit à l'écoute. Suivirent des banalités mais rien quant aux uniformes. Il maugréa :

— Réglez ça, les fillettes, réglez ça, c'est fondamental !

— Bon, les filles, dit Carole, on s'en va ? Prochaine réunion quand ?

— Moi, demain, je ne peux pas venir, dit Gina. De toute façon, suffit que personne ne change d'idée, hein !

— Les uniformes, les maudits uniformes, ne cessait de siffler

Planters entre ses dents.

Il jeta les écouteurs sur le bureau et négligea même de refermer le tiroir de son bureau contenant l'appareil d'écoute sur lequel il était branché, et il accourut au long salon. Une des filles faisait coulisser la grande porte vitrée quand il y parvint en disant :

— Mesdames, j'ai le coeur sur la main aujourd'hui et je vous ai commandé un autre digestif...

— Ah! merci bien, c'est pas de refus, hein, les filles, dit l'une.

Il s'appuya au rebord de la porte et les examina de pied en cap en disant :

— Vous avez de beaux uniformes vraiment...

Sylvie souffla à l'oreille de Francine :

— Le vieux cochon, il nous mesure les 'jos' avec ses gros yeux cachés derrière ses verres foncés...

Planters reprit :

— Des uniformes de police comme ça...

Il se frappa la tête et reprit :

— Qu'est-ce que je dis là, uniformes de police... je veux dire uniformes de tennis, pas uniformes de police, voyons donc!... Uniformes de police, mais qu'est-ce que j'ai donc dans la tête aujourd'hui?... Bon, j'ai perdu le fil... En tout cas, prenez tout le temps qu'il vous faut, le salon est pas réservé avant ce soir et c'est pour un groupe de policiers en uniforme...

— Ah! je pensais que c'étaient des avocats avec votre frère jumeau comme président du groupe... dit Francine.

— Je me suis trompé de salon... Ici, je pense que c'est des policiers de Saint-Eustache... En fait, j'ai pas ça du tout dans la tête...

— Avec tout ce que vous avez à penser...

— Justement ! Bon, bon après-midi, là !

Et il retourna à son bureau où il se remit aussitôt les écouteurs sur la tête.

— Il nous zieute, le bonhomme, hein ! dit Gina.

— Si ça peut lui faire plaisir, commenta Francine. Et à nous, ça n'ôte rien du tout.

Elles reprirent place sur le divan et fauteuils où elles se trouvaient auparavant, dans une sorte de cercle délimité sur le plancher par une peau de bête ayant tout l'air de celle d'un tigre. Vint la serveuse à travers leurs échanges de banalités. Puis la patience de l'homme qui écoutait et son effort pour leur suggérer 'subliminalement' de discuter des uniformes furent exaucés.

— Les filles, si on se déguise en policières...

— En policiers, rectifia Carole.

— Justement, reprit Francine, il va falloir des uniformes...

— C'est vrai, dit Carole, faudrait penser à ça au plus sacrant.

Planters se frotta les mains d'aise en murmurant :

— Bravo ! Continuez, les fillettes, continuez !

— Ça se vend pas dans les grands magasins, ces uniformes-là.

— Y'a des magasins spécialisés à Montréal... On leur dira que c'est pour faire du théâtre...

— Bonne idée, mais on voudra nos noms..

— Et si on passe à la télévision à madame Latache, des gens du magasin pourront nous reconnaître quand on va revoir tout ça à l'écran après l'enlèvement...

— Pis c'est la même chose si on va à une maison de location... En réalité, bien pire encore...

— Ne me dites pas qu'on va s'enfarger sur un détail pareil.

Planters se frotta anxieusement les mains.

— Non, ne me dites pas que vous allez vous enfarger sur un si petit détail...

— On pourrait peut-être demander une suggestion à monsieur Planters ?

— Es-tu folle, Sylvie, il découvrirait le pot aux roses dès que l'enlèvement aura lieu et ensuite, s'il ne nous fait pas arrêter pour ne pas nous perdre comme clientes, il nous fera changer et voudra coucher avec nous quatre...

— Séparément et toutes ensemble...

Planters plissa les paupières...

— Quelle bonne idée ! se dit-il tout haut.

— Tu voudrais coucher avec lui, toi ?

— Ben non, voyons ! On est quatre femmes fidèles au fond et si on enlève François D'Amours, c'est pour mettre du piquant dans nos vies, pas pour se faire coincer par le bonhomme Planters...

— Le bonhomme Planters, marmonna Planters, vous avez du front, vous autres, j'ai même pas cinquante-cinq ans...

— Je ne peux pas croire que quatre têtes de femmes, ça vaut

pas au moins une tête d'homme...

Il y eut une pause au bout de laquelle Carole s'écria :

— Je pense que j'ai trouvé, les filles, je pense que j'ai trouvé.

— Dis, dis, dis...

— Le marché aux puces. On va trouver ça là. Ils vont pas poser de questions et ils vont jamais se souvenir de tous.

— Tu penses qu'on pourrait trouver ça là ?

— On trouve de tout là.

— Au marché à monsieur Planters ici à Saint-Eustache ?

— Tiens, chacune va en faire un. Toi, Carole, t'iras à Saint-Polycarpe. Moi, j'irai à Masson. Sylvie, t'iras à Prévost et Gina fera Saint-Eustache. C'est sûr qu'on va frapper ce qu'on veut...

Planters frotta vigoureusement ses mains qui jubilaient plus encore que son esprit.

— Vous allez trouver ce qu'il vous faut, les fillettes, vous allez trouver ce qu'il vous faut...

Sa propre fille tenait kiosque au marché. Il lui porterait des uniformes qu'il obtiendrait d'un de ses amis, policier véreux qu'il tenait à bout de bras, pour qu'elle les mette en vente. Et bingo! Les quatre kidnappeuses en herbe n'en sauraient jamais rien... en tout cas pas maintenant... Tout le monde n'y verrait que du feu y compris sa fille.

— Et bingo ! s'exclama-t-il en rejetant les écouteurs.

Et maintenant, il fallait qu'elles s'en aillent pour que le projet reste sur les braises et afin de ne pas risquer quelque douche froide qui vienne tout jeter par terre. Une autre fois, il accourut au long salon et frappa à la vitre en désignant sa montre.

— Je m'excuse, mais j'ai consulté les livres et on a une réservation dans quelques minutes, pas plus d'une demi-heure. Vous pourriez continuer de ce côté-ci si vous voulez...

Carole ouvrit.

— On a fini... Tout ce qu'on avait à se dire a été dit...

— Et puis, finalement, cette histoire d'émission ?

— A peu près sûr que ça va marcher, dit Francine qui échappa un de ses rires pas toujours indiqués. Il y aura confirmation d'ici à trois jours. Ils étaient contents de votre proposition et on en est bien contentes aussi, toutes les quatre.

Planters écarta les bras et voûta le dos en disant :

– Tout ça va me coûter de l'argent, c'est bien évident, mais ça va faire plaisir à la clientèle. Et qu'est-ce que je ne ferais pas pour ma clientèle ?

– Ah! ça ne sera pas sans retombées économiques sur votre commerce...

L'homme souffla :

– Un peu, c'est sûr, mais pas pour essuyer tout l'investissement. Va falloir transformer le court numéro un en studio de Télé-Star. C'est des pertes pour deux jours. Les repas et consommations pour madame Latache, pour François D'Amours, pour son gérant, pour leur entourage, pour la réalisatrice de l'émission, la productrice déléguée, les recherchistes... C'est des coûtements, tout ça, comme disait mon grand-père... Sans compter les services de sécurité...

Francine lui fit un clin d'oeil en disant :

– Au moins, ça va ajouter le plus grand nom de la chanson française au monde dans votre livre d'or.

– Bah! ouais... avec celui de Dick Rivers...

– Y'aura quoi comme service de sécurité ? s'enquit Francine.

Planters eut peur que la douche froide qu'il craignait ne leur soit servie par cette petite phrase bien inutile qu'il venait d'échapper pour couvrir autre chose, et il voulut la rattraper :

– En fait le même monde que d'habitude. Mais on va l'annoncer pour montrer l'importance de la vedette... et faire peur un peu à celles qui s'en promettraient trop... Vous savez, des jeunes filles en groupe, ça peut aller loin quand une vedette internationale se trouve là... à portée de leurs mains pour ainsi dire... Et pas rien que des jeunes filles d'ailleurs... Là-dessus, je vais vous demander la clef. Vous n'avez qu'à refermer quand vous êtes prêtes à partir.

– Et le marché aux puces, il ouvre quand déjà ?

– Jeudi, vendredi, samedi, dimanche. C'est pareil toutes les semaines de l'année. Si y'a quelque chose que vous trouvez pas là, vous le trouverez nulle part ailleurs !

– Vous êtes sûr de ça, là, vous ?

– Ma main au feu, ma main à couper...

Carole ne parlait guère et elle le scrutait à la dérobée, puis elle lui demanda :

– Nous laissez-vous encore dix minutes ? J'ai un problème à soumettre aux filles...

– Mais certainement, mais certainement !

Et il retourna vite à son bureau où il replaça ses écouteurs sur ses oreilles et entendit :

– Les filles, si on trouve les uniformes et si on applique le plan, savez-vous le plus grand danger que nous courrons ? C'est lui, Planters, qui nous le fera courir. Il voit absolument tout, et rien de ce qui se passe dans cet établissement ne lui échappe. Il faudrait trouver un moyen de le neutraliser.

– Mais quoi ?

– Mais quoi ?

– Mais quoi ?

Planters se fâcha et dit à ses meubles tout en parlant aux futures criminelles :

– Christ de tabarnac ! allez-vous arrêter de vous enfarger sur des brins de foin. Ces bonnes femmes : des cervelles d'oiseaux... de petits oiseaux... des moineaux... même pas... des colibris, hostie...

– J'ai une idée, lança Carole.

– Encore toi ?

– Faudrait travailler à ce que Planters soit interviewé lui aussi. Le temps qu'il sera sur le panel, il ne verra pas grand-chose d'autre et ensuite, il sera perturbé pour un bout de temps...

Dans son bureau, l'homme concéda quelque chose :

– Bon... disons une cervelle de condor... de goéland... de cygne trompette...

3

Combiner l'enregistrement d'une émission de Claire Latache et la première apparition publique d'une superstar internationale de la chanson française risquait de remplir à craquer le Centre sportif et cela se produisit. Pourtant, c'était lundi.

Les muscles, les yeux, les visages, tout des êtres humains était chargé de printemps; on avait l'esprit curieux, le coeur en joie et la sensation au bout des doigts.

La cafétéria et le bar fonctionnaient à plein régime. Toutes les tables étaient occupées et une filée d'attente s'étirait jusque dehors et même là, loin de l'autre côté des limousines blanches qui avaient amené le chanteur, l'animatrice et leurs accompagnateurs et aides.

Planters se déplaçait en progressant de biais, s'excusant auprès des gens serrés, allant de son bureau à la cuisine ou faisant la navette entre le studio improvisé et le bar. Ce bain de foule lui plaisait tout particulièrement ce jour-là car en plus de se savoir l'engrenage essentiel de la machine de cet événement, il serait vu par la moitié du Québec lors de la retransmission de l'émission puisqu'à l'invitation de madame Latache, il serait avec les quatre fondatrices du fan-club la cinquième voix du groupe sur le plateau. Un honneur et une nouvelle expérience pour lui qui ne crachait jamais sur ce qui attire les regards d'envie et qui élève l'individu au-dessus de la moyenne.

Mais il passa beaucoup plus de temps dans les deux heures qui précédèrent le début de l'enregistrement auprès des stars dans des loges qu'il avait fait aménager spécialement pour leur visite de ce jour, que partout ailleurs.

Il frappait discrètement à une porte, demandait si tout allait bien, si on avait besoin de quelque chose, puis frappait à la suivante...

Un quart d'heure avant l'émission, il frappa encore à la porte de la loge de François D'Amours pour lui proposer du champagne. Une serveuse avec tout le nécessaire l'accompagnait. L'homme avait à peine entrevu la vedette à son arrivée et des aides qui étaient venus inspecter les lieux auparavant l'avaient conduit tout droit à sa loge sans demander son reste à qui que ce soit.

François répondit lui-même. D'ailleurs, depuis quelques minutes, il était seul à y réfléchir et à y gratouiller sa guitare. C'était un jeune homme au sourire éternel et à cheveux noirs. Vu de si près, il semblait fragile, délicat.

– Je suis le propriétaire du Centre et je vous apporte notre meilleur champagne.

Derrière cet empressement se cachait une intention inavouable. C'était surtout ceux de l'entourage de la vedette que Planters voulait faire boire afin que leur sens du devoir s'en trouve sérieusement émoussé et qu'ils ne puissent réagir avec discernement lorsque les quatre femmes déguisées arrêteraient François. Leur plan, il le savait, serait mis à exécution à moins d'un revirement de dernière minutes. Elles s'étaient bel et bien procuré les uniformes au marché aux puces et les avaient mis quelques jours plus tôt dans leurs cases louées aux vestiaires du Centre. Une des complices les y prendrait après leur participation à l'émission prévue pour la première partie, afin de les transporter à l'une des salles de toilettes pour femmes où elles se transformeraient après avoir verrouillé la porte de l'intérieur.

Tout fonctionnait donc comme prévu. Il avait de nouveau prêté le salon des artistes aux kidnappeuses, sans jamais cesser de les encourager dans leur projet de fan-club et leur répétant sans arrêt:

"Il y a pire dans la vie que de ne pas avoir réussi et c'est de ne pas avoir essayé."

Et grâce à son écoute électronique, il suivait chacune des étapes physiques et psychologiques menant à l'enlèvement de la mégastar. Complice intouchable et machiavélique, il avait tout mis en oeuvre pour aider les femmes et les empêcher de reculer. Faire boire le plus possible l'entourage de François et de Claire Latache entrait parfaitement dans sa stratégie.

— Je vous en prie, entrez, monsieur...

— Planters.

— Un nom anglais.

— Il ne me reste d'anglais qu'une goutte de sang et le nom. Résidus d'un arrière-arrière-grand-père qui s'est introduit dans la lignée au temps des 'sauvages'...

Le récipient contenant la bouteille couchée sur de la glace et deux coupes fut déposé près du fauteuil de la star. François reprit sa place mais n'invita pas ses visiteurs à s'asseoir sur des chaises droites adossées au mur de contre-plaqué, et il se laissa servir tout en poursuivant l'échange :

— On dit que la plupart des Québécois possèdent quelques gouttes aussi de sang amérindien, il vous en coule aussi dans les veines, monsieur... Planters ?

— Oh! plusieurs gouttes, monsieur... D'Amours.

— Il y a une réserve Mohawk tout près d'ici, paraît-il ?

— Vous en savez pas mal sur nous, monsieur.

— J'ai lu quelques bouquins avant de venir et on m'a parlé du public d'ici. Très chaud mais qui a grand besoin de se faire valoriser, est-ce exact ?

— Les vedettes ici sont portées aux nues à la condition qu'elles disent beaucoup de bien du public, c'est vrai.

— C'est comme ça un peu partout dans le monde, vous savez.

— On dit que c'est plus comme ça par chez nous.

— J'en tiendrai compte dans mes déclarations.

— Et dans vos spectacles.

— Vous viendrez à un de mes concerts, j'espère ?

Planters mentit :

— Les billets sont déjà achetés.

— Et vous, mademoiselle ? demanda François à la serveuse.

— Qui, moi ?

François promena ses yeux et dit avec un air sarcastique :

— Qui d'autre ?

Mais la jeune fille tourna de l'oeil et s'affala sur le plancher.

— Encore une autre qui s'évanouit ! dit la vedette sans se soucier de la jeune fille.

Planters prit de la glace dans le bac et la lui mit sur le front. Elle reprit conscience.

– Qu'est-ce qui m'arrive donc ?

François déclara:

– S'approcher des superstars nous fait prendre conscience de notre faiblesse...

Elle se rassit par terre et sortit son carnet de factures de sa poche d'uniforme ainsi qu'un stylo et les tendit vers François en demandant à voix chevrotante :

– Vous voulez me signer un autographe ?

Il accepta en disant :

– Je signe sur une facture ou sur l'endos...

– Sur l'endos, dit vivement Planters qui ne voulait pas qu'une facture soit ainsi gaspillée et annulée.

Pendant que François signait après avoir écrit le prénom de la jeune fille qu'il avait pu lire sur son insigne, une tête de jeune homme apparut dans l'embrasure de la porte et dit :

– Trois minutes avant l'enregistrement.

Planters tourna le bouton d'un moniteur de télévision qui se trouvait sur le comptoir de maquillage et l'image du plateau apparut.

– Vous pourrez nous voir et nous entendre bien entendu. Je dis cela car je serai parmi le groupe de vos fans qui, vous devez le savoir, vont lancer leur fan-club à la télévision... Quand je dis leur fan-club, je veux dire le vôtre... Là-dessus, je vais vous laisser pour justement me rendre là-bas... A plus tard !...

François salua du geste et donna le carnet à la jeune fille qui se remettait sur ses jambes.

– Lorsque je chanterai tout à l'heure et que je dirai les mots 'je vous aime', je penserai particulièrement à vous, Nathalie...

La jeune fille perdit à nouveau connaissance et retomba par terre, et François dut la frotter avec de la glace...

Un technicien achevait de fixer les petits micros aux blouses des jeunes filles. Une quarantaine de personnes constituaient le public et madame Latache allait d'une à l'autre pour tester leur capacité de parler et de se souvenir de ce qui les caractérisait par rapport à François, choses résumées sur ses cartes, lesquelles portaient chacune le numéro de la place attitrée à la personne. Un système efficace copié sur les talk-shows américains.

Une voix dit :

– Dans soixante secondes, madame Latache.

Elle se tourna vers les invitées :

– Après les mots d'introduction, on va commencer par vous, Gina et ensuite, on vous fera parler à tour de rôle en allant vers monsieur Planters sur la droite. Soyez parfaitement à l'aise; dites tout ce que vous voulez dire; on ne va jamais vous couper la parole et si on le fait, n'ayez pas peur de revenir sur votre idée. Avec nous autres, c'est comme ça que ça marche et c'est pour ça qu'on a l'émission la plus populaire des ondes actuellement. C'est pas parce que je suis là, c'est parce que vous êtes là... Alors, détendez-vous et dites-vous que François, notre beau François, ne sera là que dans dix ou quinze minutes...

La voix dit :

– On se tait... dix secondes, neuf, huit...

Quand parut la lumière rouge sur la caméra, Claire s'élança, voix et une main devant, grands soupirs pour ouvrir :

– Ah! que ça fait du bien, une émission comme celle qui commence ! Notre cadeau du mois, vraiment. Je devrais plutôt dire notre cadeau de l'année... C'est la première fois que le Québec accueille à sa télévision la plus grande étoile du show-biz mondial, mes amis. Ai-je besoin de dévoiler son nom puisque son nom magique se trouve déjà sur toutes les lèvres ? Il nous visite, il nous arrive d'Europe, il a fait toutes les télévisions du monde, il est beau comme Gary Cooper, Robert Redford et Tom Cruise réunis en une seule personne, il a une voix d'or qui nous pénètre jusqu'au fond de l'âme... et par conséquent, il est chez nous la star internationale la plus attendue de tous les temps. Essayez de vous imaginer en une seule personne Elvis Presley, les quatre Beatles, Roch Voisine avec même... je ne sais pas si je dois dire ça, mais je l'ai tant aimé... une petite odeur de Félix Leclerc... Cette émission vous parvient de Saint-Eustache mais que l'on se trouve ici ou à Rigaud ou à Pohénégamook, qu'on fasse son épicerie au IGA ou au Provigo, qu'on porte des petites culottes roses ou noires, qu'on passe ses hivers en Floride ou bien au Lac-Saint-Jean, qu'on soit buveur de thé ou de café ou d'eau minérale, qu'on soit du parti politique qu'on voudra, qu'on écoute mon émission tous les jours ou qu'on lui préfère celle de celui qui vient après moi à Télé-Star, –dans la grille horaire et les cotes d'écoute– qu'on soit riche ou pauvre, président, avocat, général, qu'on soit Québécois québécois ou Québécois Mohawk, qu'on vive à Lac-Mégantic, à Kamouraska ou à Laval...

Dans sa loge, devant son appareil, François dit à Nathalie qui s'était rassise et partageait un peu de champagne avec lui sans toutefois pouvoir dire un seul mot :

– Laval, où c'est, ce patelin ?

– C'est... pas loin...

– Mais encore ?

– Non, j'en ai assez...

– Assez de quoi ?

– De champagne...

– Je vous ai demandé où est Laval ?

– Laval qui ?

– Laval... Laval...

– Je ne connais pas de Laval Laval...

– Laval... le patelin...

– Je ne connais pas de Laval Lepatelin...

– La ville, le village...

– Ah! vous auriez dû le dire... C'est de l'autre bord de l'eau...

– L'eau ?

– La rivière.

– Quelle rivière ?

– Celle qui est là-bas...

– Mais encore...

– Non, j'en ai assez.

– Assez de quoi ?

– De champagne...

– Ah! ma chérie, tu n'as pas repris conscience à ce que je vois...

– Ben... oui...

– Écoutons la suite de cette bonne madame Latache...

Et Claire poursuivait son préambule visant à faire ressortir l'universalité de l'amour qui était voué à François D'Amours...

– Qu'on soit malade ou en santé, qu'on travaille dans l'ombre ou en pleine lumière... comme moi, où que l'on vive, on l'a dit, nous tous, Québécois, Québécoises, nous aimons, chérissons, adulons, adorons ce chanteur maire de son village venu d'Europe et qui a le monde à ses pieds, superstar dans la galaxie des vedettes, beau, riche, désiré par toutes les femmes libres... et sans doute aussi quelques autres...

La voix de la régie se fit entendre :

– Arrête ta chanson, Claire, et présente les invités !

– Vous, Gina, qui êtes, dit-on, d'origine espagnole, je me demandais si vous ne connaissiez pas une certaine Tina Labonté qui vient de votre secteur... Je vous demande ça avant d'aller à la pause...

La voix reprit la parole :

– Y'en aura pas de commercial, madame Claire, vous savez bien qu'on a perdu la plupart de nos commanditaires à force de leur charger cher...

– Dites donc, en haut, comment ça se fait qu'on entend la voix du réalisateur ? Y'a pas moyen de couper ça ? Bon, maintenant, j'ai perdu le fil...

– Tina Labonté, non, je ne la connais pas, dit Gina. Est-ce que c'est pertinent dans l'émission ?

– Je vous pense ! Bien sûr que le nom est inconnu et que c'est pas une étoile, elle, mais on dit que c'est la petite fille à Sonya Benezra... Pas mal de monde connaissent Sonya qui brille, elle, si on peut s'exprimer ainsi, à Télé Quatre-Saisons. Bon, je veux en arriver au lien qu'il y a entre Sonya et notre invité du jour. Bien entendu, les esprits les plus délurés ont deviné qu'il s'agit du vedettariat. Vous savez, en préparant cette émission à la cafétéria tout à l'heure, on s'est dit, ma productrice déléguée et moi-même, histoire de blaguer un peu aussi... qu'est-ce qui se passerait en ce bas monde si tout à coup les vedettes disparaissaient ? Peut-on imaginer un monde sans stars ? C'est eux autres qui nous font vibrer, qui alimentent tous nos rêves ou quasiment...

Elle fut à nouveau interrompue par cette voix à l'étrange consonance :

– Dis donc, la vieille, laisse parler tes invités un peu...

Dans sa loge, François demanda à son admiratrice :

– Dis donc, Nathalie, est-ce que les gens du contrôle peuvent

43

tout le temps interrompre une animatrice, ici, au Canada, à la télévision ?

– Ça se pourrait...

– Mais encore...

– Non, j'en ai assez.

– Assez de quoi ?

– De champagne...

– Ah! la barbe !

Carole qui malgré son trac avait hâte de parler du fan-club dit:

– Justement, on est là, Francine, Sylvie, Gina et moi et...

Madame Latache l'interrompit:

– Bien sûr, bien sûr, on parle bientôt de ce pourquoi vous êtes mes invitées aujourd'hui sur l'émission de l'année, mais pour le moment, je voudrais revenir un peu sur la question... Que ferait donc le monde sans ses grands noms, ceux-là qu'on pourrait appeler les grandes pointures comme César, Attila, Néron, Hitler ou Saddam...

– On veut entendre les participants, madame, dit la voix.

La femme ne s'en préoccupa guère et poursuivit :

– Peut-on imaginer la littérature de demain sans ses Michel Tremblay ou Victor-Lévy Beaulieu, peut-on penser à la guerre sans penser à de nouveaux Eisenhower ? Et que dire d'un cinéma qui ne pourrait plus compter sur des Polanski ou des Oliver Stone ? La musique devra sans faute découvrir de nouveaux Tchaïkovski. Un monde sans de nouveaux Shakespeare pourrait-il être pire ? Non, l'humanité serait tout simplement perdue puisque la race humaine est éperdue grâce à nos stars...

La voix traînante s'exclama :

– Jésus-Christ, ferme ta boîte et...

– J'entends qu'on me demande de parler de Jésus, la star des stars, le roi des rois, celui qui nous a montré à tous le chemin, qui n'a pas eu peur de souffrir pour se faire connaître et qui nous a donc donné l'exemple, à nous tous qui sommes devenus des vedettes dans un domaine ou un autre... Finalement, on pourrait dire que c'est lui qui nous a un peu pavé la voie...

– Arrête de délirer la mère ou on va devoir te reconduire tout droit à l'hôpital...

– Je n'en reviens pas, s'écria François. Jamais une pareille chose ne pourrait se produire en France.

– Mais encore, dit Nathalie.

– C'est impensable...

– Mais encore du champagne...

Maintenant excédé autant par le manque de communication avec cette Nathalie que par l'excès de communication entre un des responsables de l'émission et l'animatrice, François donna congé à sa visiteuse et il lui donna la bouteille de champagne au complet.

– Je te reverrai plus tard, je te reverrai plus tard, je t'embrasse bien fort... bien fort...

Madame Latache pendant ce temps parlait toujours comme un moulin à... vent...

– Tout à l'heure, Gina, nous nous disions combien dans la vie, il importe que chacun puisse avoir la chance d'aduler son idole. Bien sûr qu'à force de côtoyer du monde ordinaire tous les jours, on vient à trouver ça ennuyeux et banal, mais quand on a en soi l'image d'un modèle à suivre, celle d'un être humain qui a réalisé tous ses rêves et qui a dépassé le commun des mortels, quel bonheur de vivre ! En tout cas, ça rend le malheur un peu plus supportable, n'est-ce pas ?

Des gens applaudirent mais l'animateur de foule leur fit des signes négatifs et Claire put continuer seule.

– On pourrait dire que c'est votre cas à vous, mesdames, qui êtes sur le plateau et qui êtes venues nous visiter afin de lancer un fan-club François D'Amours. Dites-nous un peu comment vous est venue l'idée de dire ainsi bienvenue à notre héros du jour ? Un fan-club, c'est bien sûr une manière d'honorer un talent et un personnage et on peut penser que vous avez pensé à cela, à sa voix exceptionnelle qui vous va jusqu'au fond de l'âme dès les premières notes d'une chanson, mais c'est aussi la célébrité de François qui vous impressionne, n'est-ce pas ? Quand on pense qu'on le voit sur les écrans du monde entier, qu'il réunit à lui tous seul les talents de tant et tant d'étoiles, Julio Iglésias, Tom Jones, notre petit nouveau, là, Éric Lapointe, et ce fameux chanteur Nigérien, quel est son nom déjà ?... Voyons donc, il siffle aussi... même qu'il siffle un peu du nez mais l'humanité aime ça... ah! Roger, mon beau Roger Whittaker... Et puis dans François, on retrouve aussi Pat Boone dont les plus jeunes ne se souviennent peut-être pas mais qui possédait une voix franche comme du pin... je parle du bois...

ben pas de Claude Dubois mais de bois de pin et pas de pain... Bon, on en était où avec tout ça ?...

Les quatre invitées s'échangeaient maintenant des regards désespérés. Le temps s'écoulait et bientôt ce serait au tour de François de prendre tout l'espace et pas une n'aurait pu dire quoi que ce soit. Pourtant, cela les mettrait à l'abri car moins elles feraient entendre leurs voix, moins François aurait la chance de les reconnaître quand elles procéderaient à son enlèvement.

– Notre François, on le voit aussi dans nos médias à nous, nos revues, nos hebdos. Il est à la une un peu partout. TV Hebdo, Télé-Sept-Jours, Lundi, Ciné-Photo, Journal de Montréal... J'ouvre une parenthèse pour dire à quel point le Journal de Montréal est grand de nous donner ainsi de l'information spectacle. C'est un journal qui vous prend un parfait inconnu ou le pire des idiots et le transforme en vedette d'un jour simplement en montrant sa 'bette' à la une. Faut le faire, vous savez, mes amis... En consultant mes cartes, là, je vois que vous n'avez pas toutes parlé, mesdames, mais ça s'en vient, ça s'en vient. Ah! que ça fait du bien de s'élever au-dessus de la masse de temps en temps en s'envolant sur les ailes d'une célébrité. Voyez-vous, Dieu est du côté des stars, sinon il n'en serait pas une lui-même. On peut dire que Dieu est encore plus une vedette, et une vedette durable, que son fils Jésus.

La voix enterra la sienne :

– Si tu ne te tais pas, je coupe ton micro...

– Vous voyez à quel point une vedette comme moi est à la merci des gens anonymes. C'est que parmi les anonymes, y'a des gens qui ne le prennent pas. Ils voudraient eux-mêmes être célèbres, croient le mériter et comme ça n'arrive jamais faute de talent bien entendu, alors ils deviennent amers, aigris et ça les porte à s'en prendre aux stars... Rien n'est plus humain qu'un humain, n'est-ce pas ? Ceci dit, si on passait à vous, Carole, maintenant. Il paraît que de vous quatre, c'est vous qui avez eu cette formidable idée de fonder une branche québécoise du fan-club François D'Amours... je dis branche québécoise en fait sans savoir s'il existe un tel fan-club en France, je n'en doute pas si j'en juge par la notoriété de notre beau chanteur... Alors Carole, votre mari n'est pas jaloux, lui, devant une telle manifestation d'admiration devant une vedette de la télévision. Comment accepte-t-il de partager votre coeur avec une étoile ?...

Carole put glisser la moitié d'un 'je' sur l'essoufflement de madame Latache :

– J...

Et l'animatrice poursuivit, s'adressant maintenant au cinquième invité sur le plateau.

– Avant la réponse de Carole, je voudrais savoir de vous, monsieur Planters, qui êtes un cas spécial parmi nos invités en ce sens que vous-même faites partie des vedettes... à tout le moins êtes-vous une vedette locale, quelqu'un dont le nom est connu par tout Saint-Eustache, un fonceur qui brille à sa manière, qui a bâti ce lieu si accueillant, si amical... En fait, monsieur Planters, vous êtes à l'échelle locale dans le domaine du tennis, sans en jouer vous-même, ce que Jimmy Connors fut en quelque sorte à l'échelle du continent... Je veux dire que grâce à vous, le goût du tennis s'est répandu. Qu'est-ce que ça vous fait de penser à ça, de se savoir quand même quelqu'un en vue ? Pourriez-vous élaborer là-dessus, nous dire un mot sur la question ?...

– Oui...

– Ha, ha, ha, je vois sur ma carte que vous êtes un grand admirateur de Al Capone, est-ce que c'est une farce ou bien se-rait-il comme on l'a écrit ici, un peu votre maître à penser ?...

– Non...

– Ah! que cette émission est prometteuse ! On l'aura dans la mémoire longtemps comme le disait un commercial célèbre, je ne sais pas si vous vous en souvenez, ça se disait... plutôt ça se chan-tait comme ceci... oui, je l'aurai dans la mémoire longtemps... Si c'était seulement possible, on poursuivrait ce talk-show jusqu'à la nuit, n'est-ce pas ? N'applaudissez pas tout de suite, ce n'est qu'un commencement. Pour l'heure, monsieur l'anonyme qui me coupez sans arrêt, ne serait-il pas temps d'aller à la pause ?

La voix dit :

– Ta yeule, ta yeule... continue !...

– Il va falloir que je change de réalisateur parce que le respect semble s'être envolé assez loin... Bon, on va revenir à vous, mon-sieur Planters tout à l'heure. Pour le moment, nous parlerons un peu de notre divin chanteur qui est, faut bien le dire, une mégastar parmi les vedettes... Car il y a les superstars qui n'abondent pas mais sont quand même assez nombreuses à travers le monde tan-dis que les mégastars, ça, c'est une denrée rare. Quand on parle de la puissance d'une bombe atomique, on parle de mégatonnes ou quand on parle d'une centrale hydro-électrique, il est question de mégawatts, ça vous donne une idée de ce qu'est une mégastar... Méga... c'est pas mégot, hein... Tiens, si on en parlait avec Francine pour un moment... Essayons d'approfondir un peu les choses maintenant... Francine, vous êtes journaliste et habituée d'analyser les phénomènes de masse et même les phénomènes individuels, dites-moi, qu'est-ce qu'il est, François D'Amours, dans votre moi profond ? Je vais vous poser la question autrement... Ce qui vous plaît en lui, est-ce que c'est sa personne en général ou bien un aspect disons particulier, un je-ne-sais-quoi, un rien... c'est quoi au juste, j'aimerais bien savoir ça...

– Je...

– Moi, je dirais que dans mon cas en tout cas, c'est son petit côté France qui fait toute la différence et qui constitue en quelque sorte la cerise sur le gâteau. Et vous, Francine ?

– Je...

– En plus que par sa mère, je ne sais pas si vous le saviez, il possède un côté slave et ça, c'est toujours un peu mystérieux, ce mélange de France et d'Europe de l'est... C'est pour ça que les personnes qui l'approchent ont tendance à s'évanouir... Je pense aux jeunes filles qui ont la sensibilité très forte... On m'a rapporté et c'est écrit là sur une carte qu'on vient de me remettre que la chose s'est encore produite tout à l'heure dans la loge même de François... Une demoiselle qui s'y était rendue pour lui servir une bouteille de champagne a perdu le nord si on peut dire... Ah! que c'est impressionnant, que c'est donc impressionnant !

La voix venue du contrôle chantonna :

– Madame Latache, madame Latache, les invités sont prêts à s'exprimer. L'atmosphère est assez réchauffée. Ils veulent maintenant s'entendre, pas vous entendre sans arrêt... Madame Latache...

– C'est vrai que nous n'avons même pas eu le bonheur de vous entendre, vous, Sylvie... C'est votre tour, parlez... Votre avis sera celui, tiens, de la majorité silencieuse. Ah! cette majorité passe souvent pour niaiseuse, mais il n'en est rien ! Mongrain pense de même mais pas moi. Mais lui, il pense qu'il possède un grand panache d'orignal tout plein de mousse, capable de démolir les grands édifices de la ville, eh bien non, c'est à peine s'il peut jeter à terre des vieilles granges abandonnées... Bon, je ne vais pas perdre mon temps à parler de ceux qui profitent de ma popularité et la parasitent en quelque sorte en se servant de mon émission comme tremplin... J'emmène tout le monde féminin à mon écoute et monsieur n'a plus ensuite qu'à ajouter les hommes en leur parlant de choses mineures comme l'épuration de l'eau... Qui ça intéresse, voulez-vous me dire, l'épuration de l'eau, même si c'est une chose importante ? Dieu, c'est important aussi et on passe pas notre temps à faire des émissions sur Lui... Pauvre cadavre ambulant ! Pour en revenir à la majorité niaiseuse, c'est quand même grâce à elle si nous les glorieux de la télévision pouvons prospérer comme marchands d'illusions. Il en faut des tèteux, mes chers amis, pour nous applaudir, nous les animateurs, pour gonfler notre orgueil et notre compte en banque. On vous dit souvent merci mais au fond, c'est à vous de nous le dire. Sans nous et nos lumières, vous seriez dans l'errance. A quel point par exemple madame Bombardier rend les choses claires quand elle ouvre la bouche... Et songez à ce que vous perdez quand vous perdez des étoiles. Hein! par exemple les trente étoiles sportives qui constituaient les Nordiques de Québec: parties, envolées, et avec elles, une part du génie de notre capitale. Enfin... en attendant que les choses se tassent, je vous dis bravo à vous cinq sur le plateau. Ça fait du bien de vous entendre et ça me vaut plus d'argent que vous ne le pensez. Le pire, c'est de trouver comment le dépenser... Mais à force d'y penser, on trouve toujours une solution. Cette fois, je pense que c'est vrai et que nous allons à la pause et tout de suite après, il sera là, notre virtuose de la chanson mondiale, le top du top, le grand et l'unique François D'Amours. Allez hop! merci de votre présence à tous les cinq. Ce fut un très beau lancement. Et maintenant, chers téléspectateurs, vous allez vivre le plus grand moment de la télévision québécoise... Quand je dis maintenant, ça veut dire dans deux petites minutes...

— Fatigante ! étira la voix anonyme.
— Énervant, lui répondit-elle.
— Taisez-vous, dit la voix.
— Ah! zut! lança l'animatrice en baissant les mains.

4

Dès que le signal de départ fut donné, Sylvie et Francine s'en allèrent aussitôt tandis que leurs deux compagnes restèrent un moment sur place, et même prirent place dans l'assistance tel que le voulait l'animatrice.

Mais chacune des quatre femmes regarda sa montre au même instant soit dès qu'elles se levèrent de leur place. Tout ce qui suivrait pour elles était orchestré à l'avance.

Sylvie s'arrêta à la petite salle de toilettes qu'elle accapara en attendant le retour de Francine qui elle, se rendit prendre les uniformes dans sa case et les mit dans un grand sac à usage sportif contenant déjà les souliers prévus. De retour à la salle de toilettes, elle trouva deux femmes qui attendaient qu'on ouvre. Elle leur parla :

– Peut-être feriez-vous mieux d'aller à une autre salle étant donné que nous en avons pour au moins dix minutes... uniformes, maquillage, des choses exigées par l'émission de télévision...

Les femmes ne se firent pas prier et elles s'en allèrent aussitôt tandis que Francine frappait un coup, un second puis deux autres très rapprochés. La porte s'ouvrit et elle s'engouffra à l'intérieur, dans l'espace étroit mais suffisant pour leur permettre de se changer vite. Ce qu'elles firent.

Au-dessus d'elles se trouvait un ventilateur caché par une grille qui camouflait aussi une caméra de télévision.

Aussitôt que sa participation à l'émission fut terminée, monsieur Planters s'éloigna du plateau. Il suivit Sylvie et Francine et comprit qu'elles ne reculeraient pas et que le projet allait être accompli. Alors il courut à son bureau où les stores entourant la pièce étaient d'avance fermés, et il alluma son moniteur sur lequel il reçut les images venues des toilettes. En même temps, il les enregistrait sur bande magnétique. Ça pourrait être utile en temps voulu; en tout cas, ça lui mettait entre les mains des cartes d'atout majeures.

Les filles avaient deux minutes pour se donner une nouvelle identité. Elles se dénudèrent tout à fait excepté la petite culotte puis chacune ajusta autour de la poitrine de l'autre un morceau de tissu retenu à l'arrière par du velcro. Il fallait que les seins soient aplatis comme ceux des religieuses d'autrefois. Pantalons, chemises, vestes, tout avait été défait, recousu et identifié par les lettres S, F, C, G suivant qu'il s'agissait du vêtement de l'une ou de l'autre.

Pendant ce temps, leurs deux comparses attendaient dans l'assistance la fin de la période de la pause qui durerait en fait cinq minutes ainsi que madame Latache l'avait annoncé, et cela même si lors de la retransmission, ce moment ne durait que deux sur les ondes.

Elles s'échangèrent un regard et Gina quitta. Elle courut jusqu'au palier du grand escalier central se trouvant entre les deux étages, celui de la cafétéria en haut et celui des vestiaires en bas. Elle s'appuya à une rampe de fer forgé et fut rejointe trente secondes plus tard par Carole.

L'observateur eût pu trouver dans le regard de chacune des quatre femmes une détermination inébranlable.

De son bureau, Planters ne parvenait pas à lire dans leurs yeux mais il lisait amplement dans leurs gestes. Son coeur battait plus fort encore que celui de chacune des futures criminelles. Son propre regard se faisait petit derrière les verres fumés, à peine une ligne séparant les paupières. Tout en épiant, il songeait qu'il avait neutralisé les personnes les plus susceptibles de faire échouer le plan des kidnappeuses soit les deux gardiens de l'établissement qu'il avait mis de faction à la porte d'entrée pour empêcher quiconque d'entrer sous prétexte qu'il n'y avait plus de place à l'intérieur. Et bien entendu, ils ne devraient empêcher personne de quitter les lieux pour cette même raison d'engorgement.

Francine achevait de coller sa moustache quand les quatre coups de Gina et Carole furent entendus. Elle répondit par deux coups secs. Les deux occupantes des toilettes se passèrent un examen final. Tout était en place. L'uniforme tombait bien. Les cheveux disparaissaient sous les casquettes et même des revolvers jouets ressemblant à s'y méprendre à des vrais étaient engainés à la ceinture de chacune.

— Tout est beau, ma noire ! dit Sylvie.

— Tout est parfait, MON noir ! répondit l'autre.

On entrouvrit la porte. Carole dit :

— Tout est beau, sortez vite !

Et les deux policiers firent leur apparition dans le couloir. Sans aucune hésitation, elles foncèrent vers le plateau tandis que leurs compagnes s'enfermaient à leur tour dans les toilettes pour transformer leur allure sous le regard allumé de Planters. L'homme se disait que sa préférée au lit serait Gina. Et chaque seconde faisait augmenter un sentiment de puissance en lui... Il les aurait toutes, ces femmes, il les aurait toutes...

La métamorphose eut lieu une fois encore et bientôt, chacune fut prête, entièrement une autre ou plutôt un autre.

— Comment suis-je ? demanda Carole en creusant sa voix.

— Perfecto ?

— Et toi de même... Bon, ferme le sac et allons-y, elles nous attendent tu sais où...

Dans les discussions des jours précédents, on s'était entendu sur tout et on avait même signé symboliquement un pacte verbal. Le point capital question stratégie avait été entendu : frapper comme l'éclair sans donner le temps à personne de réagir. Le bon moment serait celui de la prochaine pause que l'on attendrait bien sagement entre la tête du plateau et une porte d'urgence donnant directement sur l'extérieur où les attendait la fourgonnette qu'on avait pris la précaution de stationner d'une façon qu'elle ne puisse se faire emprisonner ou bloquer au moment de partir. La portière du côté ouvrirait directement sur la porte de la bâtisse et les chances d'être aperçu s'en trouvaient réduites au minimum. Et si on avait pris soin de se déguiser, le véhicule l'était aussi. Son numéro de plaque avait été habilement et soigneusement falsifié; de plus, des ornements amovibles engageraient la mémoire des regards observateurs sur de fausses avenues...

Planters fit s'arrêter le magnétoscope puis il vérifia la qualité de son contenu. Il ne rembobina même pas la cassette et il la verrouilla dans son coffre. Bien mieux, dès que l'enlèvement serait chose faite, il irait la déposer dans un autre coffre-fort à l'extérieur du Centre et la transférerait le jour suivant dans son coffre de sûreté à la Banque. Ainsi, quel que soit le front des enquêteurs, on ne mettrait pas la main sur cette pièce des plus compromettantes...

Il ne lui restait qu'à retourner sur le plateau et à se comporter comme n'importe qui de l'assistance. Il prendrait une place discrètement à l'abri du regard des caméras et au moment du kidnapping, il se tiendrait prêt à intervenir de façon à ce que le projet réussisse, par exemple en contrant toute intervention imprévue au nom de la sécurité de tous...

Il y avait des moniteurs de télévision aux six coins de la grande salle et les yeux des gens y étaient pour la plupart rivés. On savait déjà que lors d'une pause, madame Latache se rendrait là-haut pour questionner des personnes au hasard à propos de leurs sentiments à l'égard des stars en général et particulièrement du beau François D'Amours.

Les sports ne s'étaient pas arrêtés et tous les courts de tennis de même que les enclos de squash comptaient des joueurs enthousiastes à qui l'on avait dit qu'ils seraient peut-être filmés pour la télévision et que, le cas échéant, ils feraient partie de l'émission mettant en grande vedette la star mondiale, ce qui leur vaudrait donc d'être vus par quelques millions de personnes.

Dans un coin en retrait, à l'abri de plantes dont les feuillages débordaient d'un demi-mur, deux couples occupaient des fauteuils de cuir et ils s'adonnaient copieusement aux attouchements des amoureux, mains croisées, lèvres croisées, regards croisés... Et pourtant les jeunes filles rêvaient du moment où François repasserait par là... Peut-être s'arrêterait-il pour leur parler; et leurs petits amis devraient bien l'accepter. Mais en eux-mêmes les garçons souhaitaient la même chose. Ils pourraient se vanter des mois de temps d'avoir parlé à François D'Amours...

Planters demeura un moment debout puis madame Latache se rendit jusqu'à lui et lui demanda de s'avancer. On ordonna à une jeune fille de céder sa place sur la rangée d'en avant en lui servant le prétexte d'une entrevue à finir avec le personnage.

— La question que je vais vous poser tout à l'heure sera la suivante, lui dit l'animatrice avec force gestes, "le laurier n'est pas frappé par la foudre", ça vous dit quoi, à vous, cette phrase célè-bre de Cervantes ? Si vous voulez que je vous la dise en d'autres mots, eh bien voici : il ne faut jamais faire offense à ceux qui possèdent la gloire. Par exemple, un premier ministre pourrait très bien traiter tout le monde de homard s'il le voulait mais si quelqu'un le traite lui, de porc, il a grandement tort...

– Ah! c'est tellement évident que je me demande ce que je pourrais dire là-dessus. Quelqu'un qui a la notoriété a dû investir beaucoup pour en arriver là et ça lui donne donc le droit d'émettre des opinions disons plus musclées que la moyenne des gens... Et puis, de toute manière, ce qu'il dit est réfléchi et non pas parole en l'air comme ce qui peut être dit par un parfait inconnu...

– Bien pensé et bien dit...

La voix du réalisateur se fit entendre :

– Madame Latache, soyez prête...

– Comme les scouts, je le suis toujours...

Et elle souffla à Planters :

– Ma réalisatrice a dû se faire remplacer à la dernière minute et j'ai plutôt mal frappé comme remplaçant...

– Dix secondes...

Claire prit une longue inspiration et le ciel l'inspira aussi...

5

– Et c'est parti !

Claire fonça :

– Oui, les amis, allez-y, applaudissez, applaudissez ! Vous savez, tout comme faire l'amour ou grandir, ou bien manger ou encore, faut-il le dire, aller aux toilettes, simplement sortir de la maison pour aller faire ses emplettes, eh bien, applaudir aux vedettes est une inclinaison tout à fait naturelle. Ah! que ça fait donc du bien, une émission comme celle-là... le cadeau du mois, le cadeau de l'année que dis-je, le cadeau de la décennie à mon public... Que je vous aime donc ! Ah! que cette minute est donc intemporelle ! Dans quelques secondes à peine, il apparaîtra, oui, dans toute la quintessence de son être, dans sa lumière et sa grâce formidable, il sera là, l'enfant incomparable, un dieu, il faut le dire ça aussi, à la fois Hercule, Apollon, Adonis, Mars, Avril, Mai... Quelle voix, quelle tête, quel corps, quel sexe... sans doute aussi ! Il nous arrive tout droit de la France, de la belle France qui nous coule tous dans les veines déjà... Là-bas, on l'a surnommé monsieur Mégatonne parce qu'on dit qu'il vaut cent mille fois Gilbert Bécaud qui lui, comme vous le savez, faisait passer le courant à cent mille volts; c'est que François, il vous prend un public et vous le survolte, vous l'électrise... On dit même qu'il n'a pas besoin de brancher sa guitare dans une prise tant elle devient électrique quand il la tient dans ses mains... La minute est grave, l'instant est solennel, le voici dans toute sa splendeur d'étoile, la mégastar François D'Amours... et comme dirait le grand et l'unique Michel Drucker... FRANÇOIS D'AMOURS...

Le chanteur fit son entrée en courant, guitare au dos, une main à hauteur de la bouche, une main qu'il embrassait en répétant jusqu'à ce qu'il soit sur la tribune :

– Ah! que je m'aime, ah! que je m'aime! Salut à toi, grand Canada ! Et salut à toi, pays du Québec et sa belle brave nation : ce soir, t'es ma nana et moi, je suis ton mec...

Madame Latache ouvrit grand les bras en prenant soin de ne lâcher ni son micro ni ses cartes et s'écria :

– Viens que je t'embrasse, mon beau François ! Ah! que je mouille, je veux dire que les yeux me pleurent...

Le chanteur se rendit à elle et leurs quatre joues s'effleurèrent. Puis il recula et salua les admirateurs qui applaudissaient et les admiratrices qui hurlaient et pleuraient. En haut, la salle entière faisait silence excepté pour le battement des mains qui suivait celui que lançaient les moniteurs.

– Asseyez-vous, François! Et bienvenue, bienvenue à Claire Latache. Faire mon show, ça va être payant pour tout le monde. Ah! que je suis contente de vous voir enfin... enfin... Plus beau qu'un bébé, si vivant, en chair et en... fesses...

Le jeune homme prit place dans le fauteuil du centre, ce qui paraissait naturel à tous puisque le soleil est au centre du système solaire... Il déclara aussitôt :

– Vous savez, j'ai un moniteur dans ma loge et je me bidonnais pas mal en entendant les gonzesses tout à l'heure. Non, mais elles en ont dans le buffet, les petites, hein ! Et quand je les ai entendues lancer comme ça un Club d'admiration, simplement, sans gueuler, sans gugusses et puis sans chambard avec ça, alors je m'suis dit, j'voudrais ben être leur Jules à ces nanas-là. A propos, ma petite dame, vous avez oublié de donner une adresse pour les inscriptions à ce Club, non ?

– Je l'ai ici sur ma carte et je vais la donner, tiens. Si les gens du public et les gens à la maison veulent bien noter, et je sais que des milliers et des milliers le feront...

– Crayon, baluche, prenez bonne note, les enfants, bordel de merde ! Et faites-en des pancartes de c't'adresse... Ah! je vous aime beaucoup, vous les Canadiens... et vous surtout les Québécois. C'est que je vous trouve sympa comme ça se peut pas...

Le visage de madame Latache qui rayonnait déjà, grimaça de plaisir.

– Qu'il est grand, ce troubadour moderne ! Non seulement sera-t-il toujours au premier rang, mais il possède tout pour y demeurer, que dis-je pour devancer le premier rang. Son renom, oui, fera figure de proue, connaîtra une ascension vertigineuse sur un char de feu... de feu sacré... Ah! que ça fait du bien, une entrevue pareille après avoir passé tout un mois à parler à des gens ordinaires, ah! que ça fait donc du bien !

– Alors, ça vient, ce nom, pour les inscriptions ?

– Le voici, le voici. Fan-club François D'Amours, 2000 rue Beethoven, Boisbriand. J0T 1E0. J'espère que vous avez tous eu le temps de noter parce que je n'aime guère me répéter. Et surtout, ne vous inquiétez pas, on verra l'adresse à l'écran à plusieurs reprises au cours de l'émission. Et maintenant, on va passer à quelques questions du public. On a ici à côté de moi une admiratrice qui avait bien hâte de vous parler...

Une jeune fille maigre, lunettée et plus mal fagotée encore que l'animatrice arborait un sourire figé, tordu mais mielleux.

– Je tremble comme une vraie folle...

– Mais faut pas, chère. Ce n'est pas le diable, c'est un demi-dieu. Et puis regardez autour de vous, y'a rien de dangereux ici. Pas de soldats en armes. Pas de bêtes féroces...

François promenait son regard tout partout.

– C'est vrai qu'elle est pas mal, cette place.

– D'abord quel est votre nom ?

– Manon...

– Manon, soyez parfaitement à l'aise : le million de personnes qui va vous voir à la télé ne vous voit pas en ce moment. C'est un enregistrement...

François intervint :

– Vas-y, Manon, je t'écoute.

La jeune fille rajusta ses lunettes puis se tordit les doigts.

– Je ne sais pas si je dois...

– Écoute, Manon, pour moi, aucune question n'est embarrassante ou idiote. Si ton cerveau l'a conçue, c'est qu'elle mérite d'être posée...

Manon soupira :

souvent Hollywood et ça m'impressionne, et ça m'impressionne...

Elle changea le ton, redevint plus sérieuse :

– François, dans la première partie de l'émission, je disais...

Le jeune chanteur fit un lapsus volontaire :

– Effectivement, j'ai entendu vos conneries... je veux dire votre causerie avec ces quatre belles jeunes dames... A propos, je me demande bien pourquoi vous ne les avez pas gardées sur le plateau, ces jolies nanas qui s'exprimaient tout à l'heure...

– Soyez bien tranquille, elles sont là, dans l'assistance et nous allons les faire intervenir à nouveau tout à l'heure. Je leur parlais de ce que signifie pour moi ce que j'appelle votre différence...

François se fabriqua une moue empreinte de la plus grande modestie pour dire :

– Ma foi, je dois bien avouer que vous n'êtes pas la première à se sentir fascinée par ma... disons divergence... On m'a même dit que chez vous, y'a un petit Noir pas trop beau et pas trop haut du nom de Brathwaite ou quelque chose du genre, qui aurait, lui également, toute une différence...

– L'une de mes quatre invitées de tout à l'heure, madame Francine, me parlait justement de votre belle langue.... Vous êtes un brillant causeur et on se sent transporté par ce que vous dites et surtout par la manière que vous avez de le dire... Ce français savoureux qui est le vôtre est tellement charmant ! Nous ici, on appelle ça 'parlure généreuse'. Ça sera le grand Félix ou le grand Gilles qui aura pondu une si belle expression. Et quand je vous entends dire 'ma nana du Canada', quelle périphrase romantique ! Ou bien quand vous dites 'je m'tire' au lieu de 'je pars', comme ça fait senti jusqu'au fond des tripes. C'est ça, vous parlez des tripes et nous autres, on aime ça ! Un mec par ci, un pot par là : ça fait authentique, ça fait sincère, ça fait court, ça fait... du bien...

– Vous parlez bien aussi...

– Ça, faut le dire vite ! Je vous dis qu'avec nos 'christ' par citte, nos 'chums' par là, que ça fait dur. Pour vous, de l'argent, c'est du pognon ou de l'oseille tandis qu'ici, c'est du bacon ou des bidous... on est banal, on n'est pas original... c'est ça, toute la différence.

– Claire, j'ai entendu dire là-bas en France, que les artistes étrangers qui réussissent à mettre du foin dans leur crèche ici au Québec doivent parler joual. Je veux dire un peu. Un mot par ci, un autre par là...

– Ça aide, ça aide...

– Comme je ne voudrais pas rater le coche, je vais ajouter à mon argot quelques mots et expressions de votre langue populaire. Et on pourra dire que ma différence va entrer dans la vôtre... pour un mariage hautement profitable, eheu, eheu, eheu...

– Ah! que vous avez le sens de l'humour en plus de tous les autres sens, François ! Ah! que ça fait donc du bien de vous entendre !

L'animatrice consulta sa montre et soupira :

– Que le temps passe quand on a avec nous autres un invité de classe, quand on est emporté sur les ailes de propos aussi sophistiqués que les vôtres. Je ne sais pas... vous parlez comme le Devoir écrit... Le Devoir, c'est un journal d'ici qui n'a pas de défauts sauf celui de ne pas se vendre, mais c'est pas grave, le temps n'est pas loin où les journaux seront sur nos écrans de télévision et alors, au nom de la qualité et de la rigueur, le Devoir pourra, comme le font Radio-Canada et Radio-Québec, gaver son auditoire de bonnes graines engraissantes...

Une admiratrice s'empara du micro de l'animatrice et demanda:

– François, dis-moi, crois-tu en Dieu, toi ?

– Oh! quelle bonne question ! s'écria Claire. Je n'y aurais pas pensé moi-même...

– Je vous dirai sans prétention aucune que tous les soirs, lui et moi, on a un entretien privé... Un entretien d'homme à homme... D'ailleurs, c'est lui qui m'a nommé général en chef de son armée de vedettes. Parce que Dieu est l'ami des stars et c'est Lui qui leur donne toute leur lumière. Il est mon ami, je le connais. Et quel poète avec ça !

– Je serais curieuse de savoir, dit Claire, est-ce que ça Lui arrive à l'occasion d'avoir un message pour nous, tes admirateurs et admiratrices ?

– Dix, cent messages... Des pages et des pages, qu'il écrit comme ça d'un trait de doigt sur de la pierre, comme il l'avait fait pour Moïse. Mais faut dire qu'il est moins agressif que dans le temps de Moïse. Depuis le temps, il a mûri, c'est sûr... Et comme il vous aime, vous, mes admirateurs et admiratrices !...

– Une autre question qui excite ma curiosité, François... Étant donné que Dieu est en quelque sorte le big bang qui a donné

63

tité, voyons ! Tout de même !

Une autre admiratrice questionna :

— Dis donc, de quel côté du lit mets-tu tes pantoufles ?

— Je les garde. Oui, je m'emmitoufle et je les garde dans mes pieds. C'est beaucoup plus rapide le matin...

Il ne put développer sur cette importante question et une autre personne l'interpella :

— François, à quel âge es-tu venu au monde ?

— Attends que je me rappelle...

— Ah! ça, c'est une phrase connue ici, dit Claire.

— Non, je ne me souviens plus... Je demanderai à maman et je te le ferai savoir dans une prochaine chanson, c'est promis...

L'animateur de la foule demanda d'applaudir. Claire se fit pétillante.

— C'est pas une perle, c'est un diamant. Malheureusement, nous devons nous arrêter pour un moment. On ne le voudrait pas, tellement c'est beau, cette entrevue. On ne voudrait pas rompre le charme, non, mais que voulez-vous, il faut bien que nous écoutions les messages de nos commanditaires. Mais ne vous sauvez pas personne parce qu'au retour, on va mettre le glaçage sur le gâteau. Je vous dis que ça promet, que ça promet... Ah! que ça fait donc du bien !

L'animatrice se dirigea aussitôt vers la vedette et lui tendit la main puis François se précipita vers l'assistance et il commença à serrer des mains. Des jeunes filles criaient, pleuraient, d'autres se mettaient à genoux. Il put dire à monsieur Planters :

— Excellent, votre champagne ! Mais on en a du très bon aussi en France, vous savez.

— On ne vend rien d'autre ici que du champagne produit dans votre pays, cher monsieur.

— Ah! mais je n'en doute pas un seul instant !

On s'échangea aussi quelques mots à propos de l'émission :

— Les éloges de madame Latache à mon endroit se font... comment dire, dithyrambiques.

— Il faut la comprendre, c'est une femme qui jouit quand elle parle. C'est la raison pour laquelle, elle dit souvent "Ah! que ça fait du bien !" A chaque fois, c'est qu'elle vient d'avoir un orgasme mental, peut-être même physique...

– Très intéressant, ce que vous dites là, vous !

Planters avait néanmoins l'esprit ailleurs. Il ne comprenait pas pourquoi l'enlèvement n'avait pas lieu. De plus, il n'avait aperçu ni l'un ni l'autre des quatre faux policiers depuis qu'il avait fermé son moniteur dans son bureau. Il lui semblait pourtant qu'on devait procéder au beau milieu de l'émission. Les filles avaient-elles manqué de courage au dernier moment ? Quelque imprévu était-il survenu ? Devait-il agir ou demeurer coi ?

François fut repris par les mamours de l'audience féminine et Claire vint dire deux mots à Planters qui vanta son animation tout en jetant des regards en biais tout autour...

6

Madame Latache s'adressa à François qui se trouvait encore dans la deuxième rangée de l'assistance, entouré d'admiratrices qui tendaient des calepins et se sentaient toutes prêtes à lui montrer toutes les lignes et même les entrelignes de leur coeur.

– Continue de cette façon pour quelques secondes, le temps de ma présentation. La caméra deux va te prendre parfois. Ça va faire différent. On verra l'amour de tes fans partout sur les écrans du Québec... Et quand je te le demanderai, tu n'auras qu'à courir sur la tribune pour y retrouver ton fauteuil, ta veste de spectacle et ta guitare...

Il acquiesça d'un signe de tête. L'animateur de foule montra la pancarte applaudissez à l'assistance et le bruit entra en ondes avec quelques images du public puis Claire fonça dans la seconde partie de son talk-show. Mais il ne lui fut donné que le temps d'ouvrir la bouche et aucun son ne put en sortir. Un policier courut vers elle et s'empara de son micro. C'était Carole sous l'uniforme, celle des quatre comparses qui possédait la voix la plus 'masculinisable'. Elle dit à l'animatrice, aux gens et donc au public de la télévision puisque le réalisateur d'occasion poursuivit l'enregistrement (et qu'il en serait chaudement félicité plus tard).

– Madame, ceci n'a rien à voir avec l'émission Surprise sur prise. Je ne suis pas Marcel Béliveau ni ne voudrais l'être. Je me présente, je suis le lieutenant Laprise de la police municipale de Saint-Eustache. Salut le monde ! Restez calmes tous ! Quand on écoute la police, on y gagne toujours ! Demeurez sur vos fauteuils, il n'y a pas d'appel à la bombe même si nous sommes venus pour empêcher un acte criminel de survenir.

Les gens se regardèrent. D'aucuns voulurent s'en aller mais ils furent retenus à leur place par leurs voisins.

— Selon nos sources et elles sont dignes de foi, des bandits de profession, ce qu'on pourrait appeler des professionnels de l'enlèvement qui opèrent partout à travers le monde, des gens de couleur, des jaunes et des noirs... et peut-être quelques rouges... s'apprêtent à s'emparer de la personne de François ici présent, de la conduire dans un lieu secret et de l'y tenir embarré pour on ne sait quelle raison... sans doute du chantage ou du terrorisme...

Une rumeur gagna la foule. François s'approcha du micro. Planters se leva et adressa des signes d'apaisement à la foule.

— Mais qui donc voudrait me séquestrer ?

Les quatre policiers entouraient maintenant la vedette. Un second lui répondit :

— Le plus plausible, c'est la mafia...

Le public réagit :

— Hon !

Madame Latache réagit à son tour :

— Non !

François reprit sa question en d'autres mots :

— Que doit-on faire ?

Le prochain policier, Sylvie, ne possédait pas une voix très masculine mais l'affaire était déjà si bien engagée que personne ne se posa de questions à ce sujet.

— Étant donné qu'il s'agit d'une grosse affaire, que ce n'est pas un ou deux gros canons qui sont visés mais trois, c'est-à-dire vous, Claire, vous surtout François et aussi notre très noble institution qu'est la télévision que l'on voudrait détourner de sa vraie vocation qui est de servir la gloire, la victoire et la richesse, pour lui faire servir le crime, eh bien, il va falloir frapper très dur. Nous allons leur tendre un piège énorme à ces êtres monstrueux, à ces activistes anarchistes qui veulent empêcher le monde de tourner et qui veulent s'attaquer ainsi au VEDETTARIAT... Et pour y arriver, on aura besoin de vous du public, de votre appui, de vos prières aussi sans doute. On a un plan. Un plan basé sur du faux

70

semblant. Vous allez tous faire semblant que vous êtes normaux, que vous n'êtes pas à la télévision en ce moment; en d'autres mots, restez vous-mêmes...

Tous alors changèrent encore davantage d'apparence et se drapèrent d'une image nouvelle s'ajoutant à celle qui les masquait déjà à cause des caméras de même que dans leur vie de tous les jours.

— Je passe la parole au sergent Toulouse qui va vous expliquer ce qui va se passer...

Derrière l'uniforme serré de Toulouse se cachait Gina qui avait un peu de mal à parler vu ces linges serrés qui lui écrasaient le buste. Elle dit donc, sur une voix à la Paul Daraiche mêlée à celle du Parrain :

— Écoutez-moi bien... Pour protéger monsieur D'Amours, nous devons l'emmener au poste de police. Pour combien de temps, nous ne le savons pas encore... et nous le saurons mieux après l'opération policière. Tout dépendra... du déroulement... des événements... bien entendu...

Madame Latache ne reconnut pas les voix d'autant qu'elle les avait si peu entendues lors de l'entrevue où chacune avait à peine pu ouvrir la bouche. Elle se rebella contre cette malencontreuse action policière :

— Holà! messieurs de la police, les gens ne vont guère aimer qu'on les prive de leur dessert en plein coeur du show. Ça n'a pas de sens, ce que vous faites là : protégez-le et attendez que l'enregistrement soit terminé !

— Impossible, madame, dit Carole. Si c'est les bandits qui s'emparent de lui, ce n'est que vice-versa tandis que si c'est nous, dans une heure, il sera là... Vous savez, il pourrait y avoir de la prise d'autres otages, du grabuge, des échanges de coups de feu... Non, il faut éviter tout ça...

Madame Latache fit de grands gestes vers la régie :

— Halte !

— Justement non, lui dit un policier. Poursuivez votre blabla comme si de rien n'était...

— Si c'est rien que du blabla, ça fera une émission plate... Et puis comment les kidnappeurs vont-ils se pouvoir se manifester si l'objet de leur forfait a disparu ?

— On va remplacer François dans son fauteuil. Quelqu'un qui

va servir d'appât en quelque sorte...

Le troisième policier désigna quelqu'un de la première rangée en disant :

– Monsieur Planters, c'est vous qui êtes volontaire.

L'homme refusa net :

– No way ! Que se passera-t-il quand les bandits vont découvrir que je suis moi ? Ils verront qu'ils ont été bernés et c'est moi qui vais manger les coups...

Mais en lui-même, Planters désirait que l'on insiste et dès lors qu'on le ferait, il se laisserait infléchir. Ce n'était surtout pas le moment de faire rater l'opération par une quelconque obstination.

– Nous, on connaît un dossier qui pourrait vous en cuire bien plus si vous refusez de collaborer avec la police, dit Francine en lui tendant une perruque frisée qui donnait à penser à la chevelure de François.

Il l'enfila sur sa tête puis se rendit mettre la veste tout en parlant sur un ton à moitié résigné :

– O.K.! C'est tout le pays qui va se moquer de moi le reste de ma vie. Ce sera bien pire que de payer une grosse rançon. Ah! mais mourir tout de suite ou mourir à petit feu, qu'importe. Que l'on m'assassine maintenant, j'avais beau ne pas me montrer bon envers tout le monde dans ma chienne de vie...

Madame Latache retrouva son enthousiasme :

– Mais non, vous serez beau dans cet accoutrement. La perruque vous va à merveille. Tiens, roulez vos pantalons jusqu'aux genoux pour avoir l'air plus rock encore.

Il obéit.

– Formidable! Tout ça vous rajeunit tellement. Les jeunes femmes vont se jeter à vos pieds. La télévision va littéralement multiplier votre potentiel. Ah ! que ça fait... Non, pas encore mais ça va venir...

– Dans ce cas-là, donnez-moi vite la guitare puisque les ondes guérissent tout et qu'une simple apparition fait des miracles.

Madame Latache se désintéressa de François que les policiers emmenaient déjà vers les coulisses.

– Je dois vous dire, monsieur Planters, que déjà un petit problème s'offre à nous. C'est que vient le moment d'une chanson. Est-ce que vous pourriez nous en faire une ? Un homme de votre calibre doit sûrement pouvoir chanter un peu. On aimerait bien sûr *Un sentiment divin* mais peut-être que vous ne la connaissez pas trop trop, même si la chanson est sur les lèvres de toute l'humanité...

– Vous insistez vraiment ?

– On insiste, dit Claire.

– Vous savez, je n'ai pas le talent de François, moi.

La foule se rebiffa :

– On veut François, on veut François...

Cela fit hésiter les policiers qui se parlèrent à l'oreille. Ils décidèrent d'attendre quelques instants en coulisse avec la star.

Monsieur Planters parla :

– Vous voyez bien. Tout de même, que l'on m'apporte une chaise et je vais tenter quelque chose. Bien entendu que François serait beaucoup plus apprécié...

– Allez-y, faites-nous plaisir ! On remplacera votre numéro par celui de François quand il reviendra, c'est pas compliqué. En attendant, on va s'amuser un peu tous ensemble quoi ! Et puis, vous le voyez bien, François doit partir pour sa propre protection. Ne soyez pas timide ! Même que François pourrait vous faire des signes avant de s'en aller pour vous encourager un peu... n'est-ce pas, François ?

Le chanteur approuva de la tête.

Claire dit à la foule :

– Chers amis, voici un homme admirable qui n'a pas peur de plonger et de remplacer à pied levé une grande vedette internationale et il nous propose un chant qui, j'en suis sûre, va élever nos coeurs et peut-être nos esprits. On vous écoute, on vous écoute...

Planters mit son pied gauche sur la chaise et, la voix un peu fausse mais gravement semblable à celle de Félix Leclerc, il entonna un air dont les paroles faisaient état d'un sentiment divin et dont la mélodie ressemblait en toutes notes à celle de 'Le petit bonheur'.

> Un sentiment divin que j'avais ramassé
> Sur le bord du ravin : j'étais pas trop pressé.
> Quand il m'a vu passer, il s'est mis à parler,
> M'a dit mon grand tarla, vas-tu me cajoler ?
> Les gens m'ont oublié et moi je ne sais pas

Quoi faire. J'veux être avec toi, t'app'ler papa
Pis passer l'hiver. Je serai tendre et nono,
J'te donnerai bonne conscience. Tes bobos,
C'est fini : j'suis encore sur la garantie...

L'assistance était ahurie, ne sachant pas si elle devait en rire ou en pleurer. Madame Latache applaudit. Seule tout d'abord. Elle prit la parole en s'exclamant :

– Ah! que votre interprétation est donc sentie ! Du François en Félix chanté par un millionnaire, qu'y a-t-il au monde de plus extraordinaire ? Ça vaudrait le prix Eurovision, j'en suis sûre. Pas de doute que dans dix ans, vingt ans, trente, on dira encore : "Il cassa la baraque avec cette poutine chantée." Ah! quel whopper culturel ! Ah! que ça fait donc du bien !

Elle courut vers François et lui demanda un avis favorable :

– Cher François, dis-en quelque chose ! Mesdames, messieurs, où trouver plus grand connaisseur ? Heureusement que tu étais encore là. Tu vois, je me surprends à te tutoyer, mais je suis si fière, qui aurait pu imaginer Félix à Claire par monsieur Planters interposé ?

François pencha la tête et mangea le micro pour souffler :

– Madame, je n'ai qu'un mot pour le dire : génial ! C'est un peu comme si je venais d'entendre mon frère jumeau.

Claire s'écria :

– Je t'en prie, je t'en prie, embrasse ma fierté. Je suis au sommet du bonheur télévisé, de la félicité, je pleure...

– Ah! je coule, moi aussi...

– Je me meurs...

– Et moi, je ris de contentement, ma nana du Canada.

– Tu es mon petit coeur de Paris.

– Je reviens très bientôt.

– Tu seras bien protégé.

– Son absence sera de courte durée, dit un policier.

Madame Latache lui pinça une joue en disant à François :

– Va, mon grand, pour le moment, on va faire face à la musique.

– Madame, votre talk-show est le meilleur au monde.

– Je m'en doutais. Vingt-cinq pour cent de la population du Québec nous regarde... Les talk-shows américains ne vont jamais chercher plus de quinze pour cent, eux autres... Que je m'aime en ce moment et toujours !

Emmené par les policiers, François répondit de loin :

– Et je m'aime aussi... et c'est pour ça qu'on s'aime...

– Ah! que ça fait du bien ! Ah! que ça fait du bien ! Ah! que ça fait du bien ! Ah! que ça fait donc du bien ! Ahhhhhhhh!...

Et l'animatrice revint au milieu du plateau en s'essuyant les yeux. Et la plupart des gens de l'assistance s'essuyaient les yeux. Et tout le Québec dans quelques heures s'essuierait aussi les yeux lors de la diffusion de l'émission...

7

– Attention à la marche, monsieur, dit Francine au chanteur au moment où il pénétrait dans la fourgonnette par la porte du côté, véhicule dont on avait enlevé la banquette centrale.

Gina lui mit la main sur la tête comme le font les vrais policiers lors d'une arrestation et l'homme dut prendre place sur une banquette à trois places, encadré par Francine et Gina.

Carole conduisait et Sylvie prenait place sur le fauteuil tournant qui se trouvait à l'avant, tenant sur elle une trousse dans laquelle se trouvait une seringue prête, remplie d'une drogue capable d'expédier un homme dans le monde du rêve pour des heures et des heures. Elle avait obtenu ces choses à une clinique où elle travaillait, mais dont elle avait congé pour quelques jours.

– Pas grand-chose n'indique que vous êtes de la police ? s'inquiéta soudain la vedette. Pas de gyrophare sur le toit. Pas de transmetteur radio. C'est bizarre, tout ça !

– Vous êtes en Amérique, au Canada, pas en Europe! Nous travaillons avec le téléphone cellulaire : voyez là ! dit Carole.

– Pour ce qui est du spot sur le top, on est un char de police banalisé, ajouta Francine qui cherchait à tromper non seulement par le ton masculin et détaché mais par le choix des mots.

– Plaît-il ?

– On ne se sert pas d'un gyrophare sur une voiture anonyme, reprit-elle avec un air de compétence.

– Je commence à me demander tout de même si je ne suis pas tombé tête première dans le piège de kidnappeurs...

Carole tourna dans une rue sombre et s'arrêta. Elle fit pivoter le siège et dit au jeune homme après avoir exhibé vaguement une pièce d'identité :

– Nous mettre des bois dans les roues, c'est faire entrave à la justice... et empêcher le travail de policiers en exercice... Devant votre refus d'obtempérer, nous devons maintenant procéder à votre arrestation...

– Mais je ne refuse pas d'obtempérer...

Carole ignora ses protestations :

– Faites-le mettre à genoux, le visage contre le plancher, bras écartés...

Il n'opposa aucune résistance sauf celle des mots :

– C'est une arrestation arbitraire...

– Ce qui est arbitraire dans un pays fait partie de l'ordinaire dans un autre; vous êtes au Canada, ici, terre de liberté où on emprisonne les gens deux fois plus qu'en Europe...

– Je crois bien que je ferais mieux de me taire, marmonna le chanteur qui se concentrait maintenant sur une technique de maîtrise de soi.

Chacun des deux policiers l'encadrant lui retenait un bras sur la moquette; il put apercevoir celui du siège avant se glisser à côté de lui puis il sentit une brûlure sur sa fesse droite. Le travail de ses neurones s'accéléra considérablement, mais pas assez pour lui permettre d'établir un raisonnement consistant avant que la substance soporifique ne les atteigne; et il sombra dans un profond sommeil.

– Ça y est, les filles, dit Sylvie. Notre homme dort comme un bébé.

– En route pour le nord ! lança Carole qui se remit droite au volant et redémarra.

Tel que prévu, Gina fouilla ses poches. Il fallait savoir ce qu'il avait sur lui, pour en dresser une liste mais surtout pour connaître un peu mieux le personnage par la voie de son portefeuille et de ses petites choses personnelles. On ne trouva pas de drogue. Peu d'argent : francs et dollars mêlés. Diverses cartes sans grand intérêt pour des kidnappeurs de leur espèce. Mais une photo de femme qu'elles se montrèrent.

– Elle lui ressemble comme deux gouttes d'eau, c'est sûrement sa mère, dit Sylvie.

– Ou bien sa soeur ? se demanda Gina.

– Ou sa cousine préférée, dit Francine avec son rire court.

En lui remettant son portefeuille, Gina s'exclama :

– Ouais, ouais, le monsieur, il est plutôt bien monté, hein !...

– Voyons donc, conte-nous ça, dit Carole à voix excitée.

– Je l'ai pas fait exprès, là...

– On le sait, on le sait, mais dis-nous quand même.

– Notre pacte nous dit qu'on ne doit pas le toucher...

– Mais si c'était un accident...

– Vous dire ce que j'ai touché ne serait pas un accident et ce serait manquer de respect envers sa personne...

– Tu es scrupuleuse !

Planters consulta discrètement sa montre. Il voulait donner au moins quarante-cinq minutes d'avance aux kidnappeuses avant de déclencher lui-même l'alerte en téléphonant au poste de police de Saint-Eustache au chef Ringuette qu'il connaissait très bien. Ainsi, on ne le soupçonnerait jamais de quelque forme de collusion que ce soit avec les bandits, surtout qu'il se plaindrait à tous vents de ce qu'un tel événement arrivé sous son toit nuirait considérablement à ses affaires...

La troisième pause de l'émission se prolongeait et madame Latache commençait à s'impatienter. Parfois elle trouvait une parole qu'elle adressait au public pour l'inviter à s'amuser en attendant. Mais une petite puce commença à rôder autour de son oreille. Cela se produisit lorsque les émotions positives de l'animatrice basculèrent du côté négatif, que l'excitation apportée par la présence d'une star mondiale sur son show devint la crainte que François n'ait été réellement enlevé. L'exprimer pourrait faire rire... Et puis, si c'était *Surprise sur prise* ? Marcel Béliveau et son équipe de joueurs de tours pendables l'avaient déjà embarquée dans une histoire insupportable de fausse émission où l'indiscipline des participants l'avait mise hors d'elle-même, ce qui lui avait demandé un gros mois pour s'en remettre, tant elle s'était sentie abusée voire violée professionnellement parlant...

Elle se rendit auprès de Planters qui avait repris sa place dans l'assistance, au premier rang.

— Y'a quelque chose de louche là-dedans. Vous les connaissiez, ces policiers, vous ?

— Non.

— Mais comment avez-vous pu les laisser partir ainsi ?

— Je respecte la loi et ses représentants, madame.

— Vous avez vérifié leur identité ?

— Ce n'était pas à moi de faire cela mais à monsieur D'Amours et à ceux de son entourage.

— Et où sont-ils, ces gens-là, justement ?

— Dans leurs loges, je suppose... à boire du champagne.

Bien qu'elle parlât à mi-voix, des personnes entendirent son propos et le message circula :

"Paraît que François D'Amours a été enlevé, paraît que la mafia a enlevé François, paraît que la rançon est de cent mille, paraît que la rançon est d'un million, on dit que la rançon sera de dix millions de dollars, paraît que c'est en dollars U.S. à part de ça, on dit qu'il pourrait ne pas être retrouvé vivant..."

— Vous avez pas envie d'aller téléphoner au poste de police ?

— C'est ce que j'allais faire, dit Planters qui se leva aussitôt et partit pressé.

Sitôt rendu dans la foule de la salle à manger, il perdit tout le temps qu'il put et une fois dans son bureau, il appela.

— Police de Saint-Eustache. Bonjour ! Le crime ne paie pas. Si vous savez pourquoi vous appelez, faites le 1. Si vous ne le savez pas, faites le 2.

Planters fit le 1.

— Si vous appelez pour un petit crime, faites le 1; si c'est pour un grand crime, faites le 2.

Planters fit le 2.

— Si c'est pour un meurtre, faites le 1; si c'est pour du trafic de drogue, faites le 2. Si c'est pour un autre crime, faites le 3.

Planters fit le 3.

— Si vous voulez parlez à un détective de la section 3, faites le 1; si vous voulez parler au chef, faites le 2; si vous voulez parler à un détective de la section 2, faites le 1; si vous voulez parler à la réceptionniste, raccrochez et recommencez votre appel et faites le carré aussitôt qu'on décrochera... mais si vous voulez...

Planters fit le 2.

– Ici la secrétaire du chef Ringuette. Si vous voulez lui parler maintenant, faites le 1; si vous voulez qu'il vous rappelle, faites le 2; si vous voulez attendre sur la ligne, faites le chiffre du temps que vous voulez attendre...

Planters consulta sa montre. Les kidnappeuses avaient une demi-heure d'avance. Si le chef répondait dans cinq minutes, ce serait parfait puisque l'intervention ne se produirait ensuite que dix ou quinze minutes plus tard... Il fit donc le 5.

Et attendit...

La fourgonnette filait sur l'autoroute du nord. On écoutait la radio. Les dernières nouvelles ne faisaient pas état de l'enlèvement et pas un communiqué spécial n'avait encore été livré à cet effet. On redoutait le moment où cela se produirait et en même temps, on avait hâte qu'il arrive.

Pour prévenir toute forme de suspicion, Francine et Sylvie s'étaient arrêtées chez elles et chacune voyageait maintenant dans son propre véhicule, et elles rentreraient de la même façon sans éveiller les soupçons de qui que ce soit.

– Regrettes-tu tout ça? demanda Carole à Gina.

– J'ai peur, je pense.

– Il ne peut rien nous arriver de si mauvais, tu sais : le pire est derrière nous. On va garder François quelques jours avec nous et ensuite le libérer. Jamais il ne saura, ni personne d'autre, qui l'a enlevé, pourquoi et tout ça aura de bonnes retombées sur sa carrière...

La musique fut interrompue à la radio.

"Une rumeur voulant que la mégastar internationale François D'Amours qui participait à une émission de Claire Latache enregistrée au Centre sportif de Saint-Eustache ait été enlevée a tendance à se confirmer à mesure que les minutes passent Des sources nous informent que le chanteur a disparu après avoir été pris en charge par de faux policiers ou en tout cas des policiers se disant rattachés au poste de Saint-Eustache. Nous tentons de rejoindre le poste de police en question, mais toutes les boîtes téléphoniques y sont occupées..."

Planters qui écoutait la télé en attendant le chef Ringuette fut ébloui lorsqu'un communiqué spécial de Télé-Star annonça la nouvelle de l'enlèvement présumé. Déjà des images étaient diffusées. Un bout de clip de la star. Une image nocturne du Centre sportif. Le visage de madame Latache... Du noir polar...

Et alors même que tout ce que Saint-Eustache comptait de policiers, chef Ringuette en tête, envahissait les lieux pour enquêter sur le crime du siècle, Télé-Star parvenait à diffuser des images de Céline Dion, larme à l'oeil, mine déconfite, serrée contre son mari et répondant à une question :

— J'espère qu'une pareille chose ne m'arrivera jamais et... je touche du bois...

— Madame Dion, dit l'animateur, ne voudriez-vous pas appeler le Vatican afin de parler au pape pour qu'il lance un appel aux ravisseurs ?

— Mais c'est déjà fait !

René, le mari, dit à voix étouffée et rassurante :

— En réalité, on a téléphoné aux Bleu Poudre qui eux, possèdent le numéro d'une ligne qui va directement dans la chambre du Très Saint Père.

— Veux-tu me dire qu'est-ce qu'il se passe ici ? s'écria le chef Ringuette qui pénétrait dans le bureau de Planters. J'apprends par ma soeur Diane qu'il y aurait eu un enlèvement...

— Ça fait longtemps que je suis au bout du fil comme un beau coq d'Inde à essayer de vous rejoindre pour vous demander de venir...

— Bon, il se serait passé quoi au juste ? Je vais prendre votre déposition, monsieur Planters... Vous êtes pas en arrière de tout ça, là, vous, toujours ? fit le grand personnage à cheveux gris.

— Mais c'est la ruine de la réputation du Centre. Et si le Centre est ruiné, je suis ruiné...

L'homme hochait la tête, essuyait une larme derrière ses verres sombres qui empêchaient de voir qu'il ne pleurait pas du tout.

Il raconta ce qu'il savait des événements et glissa au bon moment les quelques mots requis pour donner un alibi confortable aux quatre fondatrices du fan-club...

Quant à madame Latache, elle exigea que l'on termine l'enregistrement car il lui semblait qu'une chance de bossu la frappait. Deux émissions pour le prix d'une et une publicité monstre: quoi demander de mieux pour relever l'enthousiasme des acheteurs du produit à Télé-Star ?

Elle nourrissait déjà des soupçons sur les fondatrices du fan-club eu égard à cet enlèvement mais elle les tut et non seulement elle n'en parla point, mais à son tour, elle fournit aux quatre amies un alibi de taille en disant qu'elles se trouvaient dans l'assistance alors même que se produisait l'enlèvement.

Un épais voile de mystère tomba sur ce crime, mais le chef Ringuette déclara aux journalistes qui se ruaient en meutes sur Saint-Eustache où bientôt, on en compterait deux fois plus qu'à Kanesatake au plus fort de la célèbre crise CACA, un mot-valise désignant les deux enjeux de la confrontation warriors mohawks versus gouvernements fantoches soit CA sino et CA nnabis... il déclara donc, le bon chef Ringuette, ce qui suit :

– Nous possédons une piste qui nous mènera directement aux ravisseurs d'ici quelques heures.

Puis il se rendit téléphoner à sa soeur Diane à qui il dit :

– Sors ton pendule et trouve-moi une bonne piste !...

8

On lui a ôté ses chaussures et ses chaussettes mais on lui a laissé son pantalon et on l'a revêtu d'une chemise à carreaux, de celles qui restent toujours au chalet avec d'autres accoutrements de plein air, chasse et pêche que l'on utilise quand on vient passer quelque temps au chalet.

L'endroit contient une odeur de remugle bien qu'on y soit depuis la veille déjà.

François ouvrit les yeux et aperçut cette chambre sombre qui l'entourait. Sa mémoire travaillait pour tisser la trame des souvenirs les plus récents qui lui soient restés en tête mais son cerveau lui semblait lourd comme du plomb et compact comme du ciment.

Il bougea un bras et un bruit de chaîne lui parvint. Il se regarda et vit qu'il était prisonnier. Un gros harnais de cuir et d'acier, du genre de ceux que l'on utilise chez les sado-masochistes, l'enveloppait, l'enfargeait, l'encarcanait. Et des chaînes lourdes couraient depuis ses poignets et chevilles vers les montants du lit auxquels les rattachaient des cadenas massifs. De quoi retenir un éléphant.

Assise sur une table basse, adossée au mur près de la porte, Carole comprit qu'il venait de se réveiller d'autant qu'elle pouvait voir ses yeux qui analysaient et cherchaient à s'ajuster vis-à-vis des trous.

François cria de toutes ses forces :

— Y'a quelqu'un ? Venez ici, venez ici, quelqu'un... Qui a osé s'attaquer à la personne d'une star dont le nom est connu de la terre entière ? Qui a fait cela ? Je vais porter plainte à la police... Je vous préviens, qui que vous soyez... je vais appeler la police...

Carole sortit de l'ombre et s'approcha du lit en disant :

— Ah! oui ? Eh bien, j'écoute !

— C'est toi qui m'as enlevé, je le sais...

— Génial !

— Qui es-tu ?

— Et toi, qui es-tu ?

— Je suis François D'Amours, chanteur, vedette mondiale. Je suis un Français de France... Et puis, tu sais tout ça : ne m'as-tu pas kidnappé, toi et trois autres policiers ?

— Tu as raison et te voilà séquestré...

— Qui es-tu ? Je t'ordonne de me répondre.

Le faux policier s'accrocha une fesse au bord du lit et commença à flatter les cheveux de sa victime.

— Mon pauvre ami, te crois-tu vraiment en position pour ordonner quoi que ce soit ?

François tira sur ses chaînes avec ses bras et ses jambes en ne réussissant tout au plus qu'à faire un peu de bruit.

— Ne t'agite pas comme ça ! N'aie pas peur de moi ! Oh! mais tu n'as aucune raison d'avoir peur !

— Ah! non ? Et l'enlèvement et l'enchaînement et tout le reste, c'est pour mieux m'applaudir, je suppose ?

— Calme-toi ! Si tu savais seulement tout ce qui t'attend, tu serais le plus content des hommes. Tu vas passer ici les heures les plus belles de ta vie...

Il grimaça, plissa les paupières.

— Attendez donc que je me rappelle... Ah! que c'est obscur dans ma tête !

— On t'a donné une petite piqûre et tu t'es endormi comme un petit bébé...

— Petite piqûre, petit bébé... c'est quoi, cette histoire de fous ? Où suis-je ? Je veux m'en aller d'ici, je veux...

— Non, tu ne veux rien, c'est moi qui veux tout.

Elle caressa avec plus d'attention encore, et reprit :

– Tout doux, tout doux ! Tu n'es pas tombé sur un repaire de gros méchants, tu sais ! Prends ça 'easy' !

Le jeune homme entra dans une colère bruyante; il secoua ses chaînes de toutes ses forces et hurla :

– Je ne suis pas une tante, je ne suis pas une tante, ne me touche pas, ne me touche pas !

– Je sais bien que tu n'es pas une tante mais ça me tente de te toucher. Et puis, chez nous, au Québec, on ne dit pas une tante, on dit une tapette. Mais le mot tapette veut dire aussi tue-mouches...

L'homme cessa brusquement de s'agiter et pour détourner l'attention du policier et faire cesser son assiduité, il dit :

– Redis-moi ton nom s'il te plaît...

Carole répondit avec un peu d'ironie dans la voix :

– Mais je ne te l'ai jamais dit, mon nom, cher François.

La femme grossissait sa voix mais elle n'aurait pas eu à le faire tant la certitude de traiter avec un mâle était profonde en sa victime.

– Je sais fort bien qu'on ne doit pas se fier à ce costume. Il est faux comme ta voix, comme ton regard, comme tes paroles, comme tout ce qui te concerne. Qu'est-ce qui se cache là-dessous ? En tout cas, pas un bâton ! J'ai du nez, mon ami. Je suis Français. On verrait à tâtons ce qui se cache là-dessous. Non, pas un bâton de gendarme en tout cas ! Je l'ai dit à cette madame Latache quand elle se prosternait devant moi tout à l'heure pour me dire qu'elle m'adorait...

– Ce n'était pas tout à l'heure, c'était hier.

– Pardon ? Plaît-il ?

– J'ai dit que c'était hier.

– Impossible !

Carole se racla la gorge et déclara, l'air impassible :

– Aujourd'hui, mon ami, c'est mardi et ton enlèvement a eu lieu lundi. C'est relaté dans tous les journaux du matin et partout dans le monde entier. Jusqu'en Abitibi. Auparavant, tu étais une mégastar et dorénavant, tu seras quasiment un quasar c'est-à-dire une étoile géante...

François protesta et fit la moue :

– A la fin, vas-tu me dire quel est ton nom ? Comment chercher à se comprendre sans ça ?

– Pistache, dit la faux policier spontanément.

François étala plusieurs 'hum hum' à la fois inquisiteurs et puis qui exprimèrent une certitude grandissante.

– J'ai affaire à la mafia sicilienne. Pistache, voilà un sobriquet mafieux, à n'en pas douter.

– Pas tu tout ! C'est simplement un gentil surnom que n'ont donné mes confrères de la police de Saint-Eustache.

– Tu n'es pas plus policier de Saint-Eustache que je ne suis gendarme de Paris.

– Tu es libre d'y croire ou non.

– Un policier criminel, qu'est-ce que c'est que cette histoire ? Que dis-je, un policier, quatre policiers criminels... Qu'est-ce que c'est que ce bled, on se croirait dans le Chicago des années 20, ma parole...

– Quand on a un penchant pour le crime, si on a du piston, on devient policier et si on n'en a pas, on devient gangster....

Il se fit une pause au cours de laquelle le prisonnier parla avec ses mains et ses grimaces.

– Bon, bon, venons en au fait et cessons une bonne fois de tourner autour du pot. Tu veux t'appeler Pistache, je t'appelle Pistache. Pistache, toi et tes petits copains, qu'est-ce que vous voulez au juste, hein, dis donc ? Du pognon ? De l'oseille ? Des francs ? De l'argent ? Du bacon comme le dirait madame Latache ? Mais j'ai de bien mauvaises nouvelles pour vous, moi. La vérité, c'est que derrière mon écran de fumée de star se cache un homme démuni, fauché, paumé, crève-la-faim. C'est que, vois-tu, je dépense à mesure ce que je gagne, même que je dépense d'avance ce que je vais gagner le mois prochain voire l'an prochain...

– Tout le monde fait pareil ici au Québec... Dans le monde artistique, y'a Deschamps qui est millionnaire, mais c'est un fesse-mathieu...

– Mais moi, c'est pas pareil... Ma maison, c'est une masure. Mon compte en banque, c'est de la merde. Où sont-ils donc, ces trois lascars de tes amis, que je leur dise que je n'ai pas un rond ? Et puis qui c'est ce mec que tu appelles Deschamps ?

– Un drôle de mec ! Non, ne te fatigue donc pas ! Ce n'est pas pour l'argent qu'on t'a enlevé, pas du tout pour l'argent...

– Mais où sont-ils, ces trois vauriens que je puisse au moins leur parler, leur expliquer ma situation financière catastrophique ?

88

Carole fit quelques pas vers la fenêtre.

— Ils ne sont pas là et s'ils ne sont pas là, ils sont donc ailleurs.

— Bordel de merde ! mais vous êtes des irresponsables ou quoi d'autre ? Oui ou merde ?

— Ils vont venir ce soir.

— Tu ne réponds pas à mes questions.

— Oui, mais tu ne me laisses pas le temps de finir mes phrases.

— Faisons le point une fois pour toutes. Vous n'êtes pas de la mafia et ne m'avez pas enlevé pour l'argent, alors c'est quoi tout ça, ce harnais, ces chaînes ? Ah! je sais, vous êtes des terroristes et travaillez pour les Serbes de Bosnie... ou pour les fondamentalistes musulmans d'Algérie ou pour les groupes américains, là... les... para... para...

— Militaires ?

— AH! AH! c'est donc ça...

— Pantoute !

— Ça veut dire quoi, ça, pantoute ?

— Pas du tout !

— Pas du tout quoi ?

— Pas du tout, pantoute !

François s'écria dans un bruit de chaînes :

— Je sais ce que vous êtes et ce que vous voulez. Vous faites partie d'une secte nouvelle, une sorte d'Ordre du Temple Solaire qui croit que la fin du monde est pour demain... Je ne vous aiderai jamais à répandre votre philosophie et vos sornettes...

Le policier revint auprès du prisonnier et dit, bras croisés au-dessus de sa tête :

— Nous n'avons aucune motivation religieuse. Pour ce qui est de la politique, ça ne nous intéresse pas davantage. Prends ton mal en patience, on te donnera des renseignements plus précis ce soir quand les autres reviendront.

— Où suis-je ?

— Là où ton destin t'a conduit.

— Mais encore ?

— Si tu sais attendre, si tu sais être patient.

Il brassa à nouveau ses chaînes et prit une voix qui bouscule et ordonne :

— Mais je donne un concert ce soir, moi.

— Ça, j'en douterais fort.

— Et comment cela ?

Carole lissa sa moustache et sourit du coin des lèvres pour lui annoncer une nouvelle désagréable et en même temps, elle se rendait prendre un objet sur la table où elle s'appuyait au moment de son réveil :

— Je vais te décevoir, mais tu en as pour quelques jours au moins à éclairer cette chambre...

François éclata :

— Qu'est-ce que ça veut dire, éclairer cette chambre ? Est-ce que vous allez me démembrer et faire avec ma personne de la cire, des chandelles ? Vous êtes des néo-nazis ou quoi ? Je n'ai rien de juif dans le sang, moi. Ou alors, vous êtes des maniaques sexuels ? Ou bien des maîtres de l'horreur, émules de Landru ou de Jack L'Éventreur ?

Carole s'approcha avec une seringue à la main en disant :

— Tu devrais de calmer un peu, tu te mets dans tous états. A piocher comme tu le fais, tu pourrais te faire une entorse...

Il redoubla d'ardeur en apercevant la seringue :

— Non, mais t'es dingue ou quoi, ne me touche pas avec cette saloperie...

— Ne t'inquiète donc pas, cela va contribuer à te calmer et c'est donc pour ton bien. Dans quelques secondes tout au plus, tu seras tout à fait tranquille. Même que tu auras la sainte paix pendant plusieurs heures.

L'homme chercha à se reculer, à se dérober mais le harnais et les chaînes l'empêchaient de se mettre à l'abri.

— Là, je comprends. On veut m'impliquer dans une affaire de drogue. Tu m'intoxiques avec ta seringue et ensuite, la police me découvre. Et comme la police, c'est vous autres... C'est donc un coup monté par vous pour démontrer que vous luttez efficacement contre la drogue ou alors, à l'autre extrémité du spectre des possibilités, tu es de la mafia comme ton surnom le porte à croire et on veut que mon exemple incite la jeunesse du monde entier à glisser sur la dangereuse pente des stupéfiants. Tu es payé par un de ces cartels sud-américains... Non, monsieur la police, je ne servirai jamais d'exemple pernicieux; mieux vaut mourir, mille fois mieux mourir !

– Comme je contemple ta belle âme ! Mais il me faut te dire que tu te trompes : tu voudrais que je tente de te corrompre, que je ne le ferais jamais. Je ne mange pas de ce pain-là et mes collègues non plus...

François leva sa main jusqu'au bout de son lien et il réussit à s'indiquer la tempe de loin en disant, l'oeil éclairé :

– C'est un coup publicitaire pensé par mon gérant. Toi, tu me gèles, on prend des photos qui feront le tour de la terre, c'est tout simple...

– Ce serait bien trop risqué, voyons !

– Un risque calculé, pourquoi pas ? On me fera comme à Lennon ou comme à Vanessa Paradis...

Carole s'approchait doucement.

– Mais c'est passé de mode, ces choses-là ! Ce n'est pas ça du tout... Je sais piquer, on me l'a montré hier... Tu n'auras pas mal...

– Je t'interdis de me toucher, sale flic !

– Détends-toi, ce n'est pas tragique.

– Si tu fais un mouvement de plus, je te frappe sans la moindre hésitation.

– Ou tu me donnes ton bras ou bien je te pique sur une fesse et si tu bouges, ça pourrait faire mal.

L'homme chercha à gagner du temps.

– Ah! je pense à une autre possibilité. Je me souviens très bien d'un film de Polanski...

– C'est la peur qui te fait parler mais tu n'as pas à avoir peur. Tu vas te reposer jusqu'à ce soir... dormir comme un bébé...

– C'était un mélange de valises à l'aéroport... Justement, j'en ai vu deux pareilles au départ, la mienne et une autre... On m'a dit que l'autre était à Roch Voisine, c'est lui qu'il faut arrêter, pas moi, pas moi...

– Mais tu prétends que je ne suis pas de la police !...

François leva les jambes au maximum de la capacité des chaînes en menaçant :

– Bon, tu veux me piquer, d'accord, mais à une condition : que tu me révèles la vraie raison de mon enlèvement...

– Non !

– Ça veut dire que j'ai raison d'avoir peur...

– Non plus !

– Libère-moi, Pistache !...

– Non !

– Je vais hurler...

– Hurle, personne n'entendra...

– Parle !

– Ce soir.

– Tout de suite !

– Pas avant !

– Dans ce cas, plante-toi la dans le zizi ton aiguille de merde. A en juger par ton gabarit, ça sera impossible, je présume. Un flic comme toi avec des muscles aussi importants, si ça a le cerveau de la même taille, le calibrage doit pas être trop fort dans le pantalon et ta fierté d'homme en aura pas trop long sur le large comme vous dites ici...

Carole fit mine de descendre sa fermeture-éclair de braguette en rétorquant :

– Je vais te montrer et tu jugeras par toi-même...

Se sentant menacé d'une autre façon, François reprit vivement:

– Non, non, non, je ne mange pas de ce pain-là. Libère-moi, je dois prendre mon bain et me préparer pour mon show de ce soir. Les gens d'ici ne peuvent pas se passer de moi. C'est la première de ma tournée canadienne; ça commence à Laval, un village de banlieue...

– Le Québec sait attendre...

Et sans attendre, elle planta l'aiguille dans la fesse entre deux lanières de cuir, à travers le tissu du slip...

– Bordel de merde ! on me tue...

– Tu parles trop, tu t'agites trop et tu te fais du mal... On ne veut pas te faire de mal...

"Te faire de mal... te faire de mal... te faire de mal..." Les mêmes mots se répétèrent comme en écho puis l'esprit du chanteur entra dans un paradis d'étoiles où il put voir Dieu sur un trône d'or entouré de douze superstars dont Elvis Presley, John Lennon et Gerry Boulet... Jésus-Christ se trouvait à la droite du Père et une place restait libre à sa gauche; par télépathie, François reçut un message divin lui disant que c'était la sienne et il s'y rendit illico sous les applaudissements lumineux...

Lorsque le chanteur eut perdu conscience, Carole se rendit prendre le nécessaire pour le laver, ce qui était une excuse pour le toucher sans briser le pacte en vertu duquel on devait respecter la pudeur en toutes circonstances au cours de cette aventure...

Un plat d'eau chaude, un savon, une débarbouillette, une grande serviette bleue : elle déposa le tout sur une table de chevet puis approcha une chaise du lit. Et elle entreprit de laver ce que le harnais laissait voir de peau nue...

Femme délaissée par un mari presque toujours en Floride, Carole ne put être sauvée de ses pulsions par l'humour comme toujours puisque la scène ne s'y prêtait guère et la tentation fut très grande. Elle regarda longuement la forme du sexe masculin caché par le tissu et ses yeux s'embuèrent, mais elle tint bon et finit son travail en serrant les mâchoires...

9

— On a pensé qu'il valait mieux venir individuellement, dit Francine en descendant de sa Topaze blanche.

Carole, en jeans, se berçait sur la galerie du chalet en regardant le lac au loin et les montagnes au fond de l'horizon sans trop voir le décor que les années avaient banalisé dans son âme.

— Ce n'est pas ce qui était entendu ?

— On le savait pas trop si tu te rappelles... Comment va le loup ? S'est-il réveillé ?

— Oui, mais je l'ai renvoyé au paradis du rêve... Les filles s'en viennent-elles ?

— Elles vont arriver d'une minute à l'autre; on a bu un café ensemble à Saint-Sauveur.

Francine monta sur la galerie par un escalier à sept marches et se tourna vers la nature dont elle respira la beauté par grands coups d'oeil.

— C'est une bonne idée que de bâtir un chalet pas tout à fait au bord du lac...

— On se fait moins achaler par les araignées pis par les voisines. Y'a jamais personne qui vient et c'est tant mieux, surtout ces jours-ci, hein !

— C'est au-dessus d'une heure, venir ici... c'est vrai qu'on a perdu du temps à Saint-Sauveur...

— Je le fais toujours dans une heure, moi. Assis-toi, je vais apporter quelque chose à boire. Une bière ? Un coke diète ?

— Attendons les filles, comme ça, tu feras tout en une seule fois; elles sont sur le point d'arriver... tiens, voici justement Gina... et tiens, Sylvie qui suit dans sa Honda...

Chacune tourna dans la montée au pied de la côte et Carole leur fit des signes de bienvenue qui annonçaient aussi que tout allait pour le mieux au chalet.

Gina montra de l'inquiétude quand elle fut sur la galerie :

— On devrait rester ici un bout de temps... Y'a une fourgonnette blanche qui nous a suivies pas mal longtemps, hein, Sylvie?

— Je l'ai vue qui tournait dans une entrée de cour à un kilomètre d'ici...

— Je sais qui c'est, dit Carole. Inquiétez-vous pas !

On s'assit. Des breuvages furent servis. La conversation tourna rondement. On parla surtout de la réaction des médias à l'enlèvement de François.

— Ça fait la une partout en Europe ! dit Francine.

— En France, ils disent que c'est des terroristes algériens qui ont fait le coup.

— Chirac a déclaré que même si l'enlèvement avait du rapport avec les essais nucléaires dans le Pacifique, il ne changerait pas d'idée sur la question.

— Et le chef Ringuette a déclaré qu'ils suivent une nouvelle piste qui pourrait conduire à une perquisition en règle dans tous les repaires de motards du Québec.

— Les pauvres motards, ils ont le dos large.

Le placotage se poursuivit à vive allure puis on décida d'aller souper au village voisin.

— Est-ce qu'on va lui apporter quelque chose ? s'inquiéta Gina.

— Non, dit Carole. Ça pourrait mettre la puce à l'oreille à quelqu'un au restaurant. On va lui préparer quelque chose à partir de ce que j'ai au réfrigérateur...

Une heure plus tard, elles étaient de retour après un repas agréable où il n'avait pas été question une seule fois du prisonnier même si tout le monde échangeait à ce propos autour d'elles.

Du stationnement, on pouvait apercevoir la fenêtre de la chambre où était séquestré François.

— Pas de danger qu'il nous voie ? s'enquit Sylvie.

– Un, il dort; deux, il est bien attaché...

– Il pourrait traîner le lit jusqu'à la fenêtre ?

– A condition de pouvoir en descendre...

Carole sortit sa clef en disant :

– Asteur, les filles, on va se remettre en policiers et on va réveiller notre homme...

Elles entrèrent dans la chambre. François dormait toujours.

– Il est encore plus beau dans un lit que sur une scène, soupira Gina.

– Ça, tu peux le dire ! ajouta Francine.

– J'espère que ses chaînes ne lui font pas mal toujours.

– Mais non ! s'exclama Sylvie. C'est un harnais super de luxe tout confort. Même pas besoin d'être masochiste pour aimer porter ça !

Il y eut un éclat de rire général que Francine se dépêcha de réprimer par un doigt sur la bouche réclamant le silence, chacune comprenant que plusieurs rires de femme ne se peuvent déguiser en une expression masculine.

Puis elle demanda à Carole à mi-voix :

– S'est-il plaint ? A-t-il réclamé du réconfort ?

– Il se fait cent idées excepté la bonne sur la vraie raison de son enlèvement et de son enfermement. Curieux comme une belette, le beau gars ! Il questionne, il questionne et il questionne encore et toujours...

– Curiosité bien légitime après tout !

– Et qu'est-ce que tu lui as répondu ? demanda Gina.

– Rien du tout !

Les autres la questionnaient du regard et par un silence exigeant. Francine s'étonna :

– Pas un mot ? Mais n'as-tu pas été son ange gardien toute la journée. Ne garde pas tout pour toi : raconte ce qui s'est passé. Fut-il longtemps éveillé ?

– Il a dormi quasiment tout le temps.

– Tu m'en diras tant.

– Et puis notre pacte, hein ! Et puis ce sont les circonstances qui m'ont fait sa gardienne aujourd'hui. Je suis la seule qui dispose d'un chalet dans les Laurentides et qui a la chance d'avoir un mari parti pour la Floride...

– Ne parle donc pas si fort ! Et si notre homme faisait semblant de dormir ? Retournons au moins dans l'autre pièce !

Elles s'y suivirent mais laissèrent la porte ouverte un moment pour admirer la vedette aux courtes inspirations.

– Chacune a dû faire un saut chez elle depuis hier et vous m'avez laissée seule avec lui...

Francine prit la main de sa compagne et se fit rassurante :

– Mais oui, tu as parfaitement raison. Tout ça fut décidé d'un commun accord. Et tout ça va se poursuivre de la même manière même si on ne sait pas trop où ça va nous mener. On voudrait juste que tu nous mettes la table, que tu nous prépares les beaux moments que nous aurons à connaître cette semaine grâce à sa divine présence parmi nous...

Gina se laissa aller à son émotion :

– Il ronronne comme un minou... Regardez ses cheveux... si bellement cotonnés... Et ses mains, comme elles sont délicates et puissantes à la fois... Pas du tout maganées. On les dirait faites pour livrer des messages et donner des massages. Ah! Seigneur, qu'allons-nous faire de lui ?

– Le vider, dit Francine en montrant une trousse blanche qu'elle avait avec elle depuis son arrivée.

– Hein ! es-tu folle, dirent les trois autres à voix se chevauchant.

– Le vider de son agressivité. On en a parlé, rappelez-vous. J'ai apporté tous les éléments requis. On va faire un mélange de sorte que ses moins bons sentiments émergent dès le départ et ça nous permettra de découvrir ses faces cachées. Oh! il va souffrir un peu mais c'est un mal pour un bien...

– Et pour le nôtre aussi, enchérit Sylvie.

– Allons nous asseoir, dit Francine. Gina, referme la porte pour qu'il ne nous entende pas.

Elle ouvrit sa trousse et commença à la vider de son contenu fait de fioles achetées récemment.

– Ça vient de la pharmacie chez "Gens Foutus"...

Toutes prirent place à la table. Elle mit un récipient au centre, sorte de creuset ivoire qui servirait à constituer le mélange.

– D'abord, dix gouttes de peur.

– Belle bouteille ! Quelle marque ?

– Peur Bleue numéro cinq. Fabriqué par les Serbes de Bosnie.

– Et ça, c'est de l'agressivité... Marque Zizanie...

– Très bonne marque !

– Et j'ai un flacon de tristesse. Une petite quantité et le pauvre aura le moral complètement à terre.

– En espérant qu'il aura pas autre chose à terre pour le reste de la semaine...

– Et tiens, pour finir, un peu de Luxure d'Audace... Une goutte dans le mélange et on obtient une morceau de feuilleton à Victor Lévy-Beaulieu...

Carole dit :

– Sylvie, brasse tout ça ensemble avec ton doigt: ce sera ta réalisation...

La jeune femme fit tel que demandé.

– Et il reste une fiole, là, on dirait une fleur de tournesol sur le flacon...

– C'est un signe warrior... De la graine de violence... On n'en mettra pas mais...

– Mais ?

– Mais un brin d'insolence serait valable. J'en ai un tube de marque Polyvalente : ça endort le respect et ça rend arrogant.

Sylvie plongea l'aiguille de sa seringue dans le mélange et tira le piston.

– Mets-en, c'est pas de l'onguent ! lui dit Francine avec un clin d'oeil.

Pendant ce temps, Gina était retournée à la porte qu'elle entrouvrit, et elle dit :

– On dirait bien qu'il est sur le point de se réveiller... je ne sais pas... la manière que ses mains et ses paupières bougent...

Carole lança à voix retenue :

– Gina, dire 'les filles' comme tu fais, c'est pas trop à conseiller; attention à tes paroles ou bien il va nous démasquer.

Francine se leva de table en disant :

– Allons le voir !

Et ses compagnes la suivirent. Mais Carole les fit s'arrêter toutes avant d'entrer :

– Je vous l'ai dit : il est curieux comme une belette. Il voudra savoir nos identités complètes. Entendons-nous d'avance sur un surnom. Moi, je lui ai dit Pistache...

Francine lança :

– Venez, on va se réunir pour établir une stratégie. En rond comme des joueurs de football. Venez...

Elles formèrent un cercle et échangèrent à mi-voix :

– D'abord, toi, Carole, résume-nous tes propos avec lui aujourd'hui, autrement, on pourrait se contredire... Il faut lui présenter quelque chose de consistant, vous ne pensez pas ?

– Oui, dirent-elles en choeur.

Carole parla :

– Il pense dix choses mais surtout que nous sommes des gens de la pègre. J'ai dit qu'on ne l'avait pas enlevé pour de l'argent et il s'est rabattu sur un complot imaginaire pour l'embarquer dans une affaire de drogue plutôt compliquée... Et puis, moi, il m'a trouvée un peu pas mal maigre pour un policier... C'est à peu près tout.

Francine fit une proposition qui plut aux autres :

– Continuons dans le sens de sa pensée. Qu'il pense que nous sommes de la mafia. Pistache, c'est très bien choisi comme nom et moi ce sera... tiens... Johnny Cur-Dents... Et toi, Gina ?

– Ben... comme ça, à brûle-pourpoint...

– La première idée qui te passe par la tête.

– Ananas... ça ressemble à Gina...

– Pourquoi pas ? Sylvie, c'est à ton tour...

– Je vais dire Harley, ça va faire motard...

Francine désigna chacune de ses compagnes en répétant les surnoms:

– Pistache. Ananas. Harley. On va s'en souvenir et ne pas se tromper. Répétons ensemble...

– Pistache... Ananas... Harley... Et moi, c'est... allez, toutes ensemble...

"Johnny Cur-Dents"

– Il se croira en plein film des années 30, du temps de Al Capone et John Dillinger.

Depuis quelques secondes, on entendait le bruit des chaînes.

Gina ouvrit à nouveau la porte mais Francine les retint encore un moment :

– Faites bien attention à vos voix et surtout, tâchez de ne jamais rire, sinon il saura que nous ne sommes pas de son sexe. Et puis vérifiez vos moustaches pour voir si elles tiennent bien en place...

Chacune bougea les lèvres et la bouche, et toucha la machin poilu sous son nez...

– Solide comme du poil de cul, dit Carole.

Elles firent des rires étouffés.

– De la maîtrise, du contrôle, du nerf et on y va de ce pas, dit Francine qui prit les devants...

Mais elle tourna aussitôt les talons.

– En rond encore une fois, j'oubliais quelque chose...

Le cercle se forma à nouveau et des murmures tournèrent tout autour...

10

Depuis un moment, François avait les yeux grand ouverts. Il tâchait d'ajuster ses idées dans son esprit éthéré: données de l'environnement et souvenirs ainsi que présomptions s'entrechoquant. Des éclats de voix lui parvenaient mais sans qu'il en puisse faire des phrases intelligibles. La peur continuait de le tenailler et pour la vaincre, il s'adonna à une minute de méditation selon une technique qu'il avait apprise à prix d'or d'un mystificateur venu du fond des Indes profiter de l'imbécillité naïve des Occidentaux.

Puis il fit bouger ses chaînes qu'il sonda pour la nième fois. Le cliquetis lui prouvait qu'il ne rêvait pas, qu'il ne s'éveillerait pas, que la réalité ne viendrait pas effacer l'absurdité d'un songe interminable.

Sa conscience devenait plus claire maintenant. Il examina avec plus de soin que précédemment l'attelage qui le retenait et le muselait ainsi, laissant à son corps tout juste la liberté requise pour ne pas s'ankyloser mais ne permettant pas de toucher un membre avec un autre. Le système de poulies, de câbles d'acier et de chaînes interreliés lui parut ingénieux donc l'oeuvre de vrais professionnels. Il pouvait en déduire qu'on le voulait en santé physique et mentale puisqu'on l'avait laissé dans un espace raisonnable et non enfermé dans un cagibi. Autre déduction : la maison dans laquelle il se trouvait devait être très isolée et les risques d'y être découvert accidentellement devaient être réduits à zéro. Sa marge de manoeuvre était étroite, mais il y en avait une au moins. Peut-être n'était-il devenu qu'une marchandise mais une marchandise qu'on voulait garder en bon état pour en tirer le maximum...

– Le maximum de quoi ? marmonna-t-il.

– D'argent, c'est sûr !

Mais tout cela sentait la drogue à plein nez. Peut-être que les ravisseurs avaient une grosse dette de drogue à payer et que n'ayant pas les sous pour le faire, ils espéraient s'acquitter de leur dû avec un paquet qui pourrait valoir le paquet à d'autres qui l'échangeraient contre une grosse rançon.

Pourtant, ce Pistache affirmait qu'on ne l'avait pas enlevé pour de l'argent. Mensonge, sans doute! Pour le faire se tenir tranquille sans avoir à trop l'endormir et l'abrutir... Quelle idée d'être venu en ce pays de merde! Dès qu'il serait sorti de ce mauvais pas, il retournerait chez lui sans attendre et sans idée de revenir...

Ainsi arrangé, il ne pouvait agir que sur les sentiments. Jouer sur la peur. Puis sur la séduction. Puis sur les promesses. Surtout sur le mensonge. Il se ferait prédicateur. Il se ferait politicien. Peut-être que son père mort depuis quelques années et sûrement rendu là-haut dans le grand paradis, lui viendrait en aide. Peut-être que Dieu lui-même interviendrait pour le délivrer des mains sales de ces sales flics... Peut-être que...

Il banda tous ses muscles et s'écria :

– Vous autres, là-bas, de l'autre côté de la porte, je vous entends. Je sais ce que je vous dites. Je vous somme de venir ici car je suis très, très mécontent...

Les faux policiers firent leur entrée et sans dire un seul mot se dirigèrent vers lui, et prirent place aux quatre coins du lit. Passé un certain étonnement de les voir ainsi s'asseoir, il reprit la parole et se fit menaçant comme un prédicateur, comme un politicien, comme il avait prévu de le faire :

– Si vous me libérez, je vous paierai le prix. Si vous ne me libérez pas, VOUS en paierez le prix.

Ses quatre ravisseurs à face blême demeurèrent impassibles.

– Vous avez entendu ce que je vous ai dit ? Ou bien faut-il que je le répète ?... Le prix que vous aurez à payer sera des plus élevés, croyez-moi... Prison, fortes amendes et perte d'emploi... Au fait, qui est votre employeur ?

On ignora tout à fait ses questions et ses menaces. Francine dit froidement :

– Relax ?

– Relax : non, mais vous êtes dingue ou quoi ?

– Tu dois l'être...

– Détachez-moi tout de suite. C'est mardi et j'ai un concert à donner moi, ce soir... Faut que j'aille bosser, moi, bordel de merde!

Il montra du mieux qu'il put son poignet enchaîné.

Francine dit sur un ton mesuré et raisonneur :

– Tenter de bousculer la vie, à quoi ça sert ?

Sans perdre une seconde et une note dans le ton, François reprit la parole :

– Quel est ton nom, toi, espèce de kidnappeur ?

– Cur-Dents, Johnny Cur-Dents...

– Pfut ! si tu penses m'impressionner avec ton nom d'emprunt. Des alias, j'en ai vus, moi... J'ai connu Mesrine et lui, c'était pas de la petite bière, tu sauras... Des petits truands de ton espèce, ça ne me fait pas peur. Pas peur du tout ! Dix ans : voilà ce qu'ils prennent, ceux qui osent porter la main sur une star internationale. Est-ce que tu comprends bien cela, toi, minable ?

Sylvie renifla et bougea la moustache.

– Dix ans s'ils se font prendre bien entendu. Et puis notre système pénal à nous est bien plus indulgent en ce qui concerne les sentences. On emprisonne beaucoup au Canada mais pas pour longtemps. Par exemple, un assassinat qui est une bien pire offense qu'un enlèvement, on reçoit cette peine-là, rarement plus. Une vraie aubaine de se débarrasser de quelqu'un par chez nous !

– Et puis un vol à main armée, on est quitte pour un mois ou deux, enchérit Carole.

– Et un vol ordinaire, on est bon pour une fin de semaine en taule, ajouta Gina.

François ferma les poings et brassa ses chaînes.

– Non, mais bordel de... bordel de...

– Merde, dirent en chœur les policiers.

– Bordel de merde, reprit le chanteur, qu'est-ce que ce foutu pays ?... Et puis toi, la grande gueule, quel est ton nom ?

La question s'adressait à Sylvie mais c'est Francine qui répondit à sa place :

– Elle, c'est Harley...

Il éclata d'un long rire surfait qu'il termina à moitié étouffé.

– Quoi ? Ça sonne drôle à tes oreilles ?

– Et je suppose que l'autre s'appelle Davidson, lui ? Seriez-vous par hasard des admirateurs de ce con de Gainsbourg... Dieu ait son âme... Non, non, vous ne sauriez être des fans de qui que ce soit, vous quatre ! C'est clair qu'avec des noms pareils, vous êtes des trafiquants, mais je m'en fous complètement. Tout ce que je veux, moi, c'est foutre le camp et savoir quand vous allez me laisser partir, vous comprenez... QUAND ?

Francine ignora sa dernière question et répondit à la première qui n'en était pas vraiment une :

– Lui, c'est Ananas.

Il se rebiffa tout net :

– Non, mais t'es con, mec ? Ça, ma nana ?

– Je n'ai pas dit ta nana, j'ai dit Ananas... c'est Ananas...

– Ah! bon, tu fais des liaisons chiraquiennes...

– Des quoi ?

– Laisse tomber, laisse tomber !... Et maintenant, de quoi on se parle, hein ? Vous voyez, ça fait seulement cinq minutes qu'on est ensemble et on n'a déjà plus rien à se dire. Autant me laisser partir si on ne veut pas que la semaine soit plate à mort...

– Tu dois faire ton temps, dit Francine. Chacun dans la vie doit faire son temps. C'est comme ça. On n'y peut rien. Le prisonnier doit faire son temps de prison. Le malade doit faire son temps de maladie. Le vivant doit faire son temps de vie.

– Que c'est subtil et philosophique ! Du Sartre sûrement ! Et puis le chanteur doit faire son temps de chanson. Et moi, j'ai un concert ce soir, vous devez donc me laisser faire mon temps là-bas dans ce village de je ne sais plus trop quel nom...

– Laval... comme Pierre Laval... dit Carole.

– Ah! c'est en son honneur que...

– C'est ça, oui... un de nos bons héros canadiens...

– Non, mais de ce qu'ils peuvent être... spéciaux, ceux-là ! Bon, écoutez, l'histoire dure depuis vingt-quatre heures et plus ou moins... moi, je ne commerce pas la drogue, ni la dure ni la molle, je n'en vends pas ni n'en achète et tout ce que je veux, c'est lever les feutres et disparaître...

Francine se fit songeuse et sérieuse :

– Te faire disparaître : justement, on y a pensé...

– Non, mais t'es malade, mec ! Bon, je n'ai rien dit du tout. Recommençons à zéro. D'abord, à qui dois-je m'adresser parmi vous quatre ? Qui est le patron, le chef ?

S'adressant à Gina, il poursuivit :

– Ça serait-il toi, le gonflé du tronc ?

Carole répondit :

– Chacun de nous quatre possède sa propre autorité et nous n'avons jamais besoin de faire l'unanimité.

– Vous m'en direz tant, vous m'en direz tant !

– Libre à toi de nous croire ou pas, dit Sylvie qui passa ses doigts sur le poil de la jambe nue, ce qui fit froncer les sourcils du chanteur.

– Que ce soit la police, la pègre ou les motards, tous ces gens-là ont des chefs. Et ils en ont des petits, des moyens et des grands à tous les échelons de la hiérarchie. Donc, vous n'êtes pas ce que vous voulez faire croire : ni policiers, ni gens de la pègre, ni motards.

– Les apparences sont souvent contradictoires, dit Francine.

François adopta un ton pleurnichard :

– Je vous en prie, je vous en supplie, cessez de m'environner de tous ces mystères. Rien n'est pire que de vivre dans l'inconnu. J'écoute. Je vous écoute. Je ne dis plus rien. Je me tais. Je me tiens tranquille. Gardez-moi ici dix ans si vous voulez mais de grâce, je vous en conjure, parlez! Qu'espérez-vous obtenir en me séquestrant ? Vous savez, Pistache, Harley, Ananas, Johnny, c'est si frustrant de ne pas savoir... de vivre comme un aveugle avec des yeux capables de voir... d'avoir les pieds et les poings de l'âme liés... Délivrez au moins mon esprit si vous voulez garder mon corps enchaîné !...

Francine soupira :

– Hélas! il nous est impossible de te soulager en te disant toute la vérité, mais tu seras un peu moins mélangé si nous te disons les raisons de ton enlèvement qui n'en sont pas... Diras-tu ensuite que nous te détruisons moralement ?

Le chanteur hocha la tête et fit une moue de résignation :

– Sachant ce qui n'est pas, je saurai un peu mieux ce qui est et je pourrai en ressentir moins d'inquiétude ensuite, c'est sûr...

107

Carole parla la première et répéta ce qu'elle lui avait dit dans l'après-midi :

– Tout d'abord, tu ne serviras pas à extorquer des fonds, ni directement, ni indirectement !

Gina prit la parole à son tour :

– Nous ne sommes pas des gens venus des bas-fonds même si nous en avons peut-être l'air au-delà de nos apparences policières...

– Ah! ah!... et si vous étiez de vrais policiers qui veulent passer pour des policiers déguisés... Hein! hein! le double bluff, on connaît ça, aussi en France, on a appris de Bernard Tapie... Les casinos, le chemin de fer, les tapis verts, c'est pas d'hier, ça, chez nous, hein!

Sylvie dit :

– Si tu crois que nous voulons démontrer que la police a du flair, tu te trompes là aussi. C'est le dernier de nos soucis...

Carole parla :

– Et pour ce qui est d'un coup de promotion, aucune de nous ne connaît ton gérant...

– Comment ça, aucune ?

– Je veux dire aucun de nous...

François s'énerva à nouveau :

– Allez-vous me dire, messieurs les policiers vrais ou faux, que je suis là par un coup du hasard ? Il vous faudra trouver autre chose à me mettre sous la dent. Mais quoi, est-ce que l'on kidnappe une star, un président comme un simple mec du coin de la rue, comme un... Johnny Cur-Dents ? Vous n'allez pas essayer de me faire croire que je fus enlevé par accident tout de même...

– Non, mais...

Il interrompit Francine :

– Ah! je pense que j'ai trouvé cette fois. Vous l'avez fait pour la gloire. Vous allez accrocher vos petites personnes anonymes à ma notoriété. Ce sera une sorte d'auto-stop promotionnel. Ben laissez-moi vous dire que vous courez tout droit à l'échec, mes enfants car ce détournement de célébrité ne durera qu'un moment et j'y veillerai en personne, ça, je peux vous le garantir et vous le garantir encore...

Francine s'impatienta :

– T'es complètement dans les patates...

Il devint incrédule :

– Si c'est pas par adon, si c'est pas pour l'argent, si c'est pas pour l'orgueil... quoi d'autre fait marcher l'humanité ?...

Les quatre policiers s'échangèrent un regard puis se ruèrent sur leur victime et chacun se mit à embrasser un de ses membres malgré sa furie furieuse, deux filles accrochées à ses jambes et deux à ses bras...

Il s'écria de toutes ses forces :

– Le SEXE, bordel de merde... Je suis tombé sur quatre policiers tue-mouches...

François aperçut la seringue que Sylvie tenait toujours dans sa main gauche et il fut pris de panique :

– Laissez-moi tranquille, laissez-moi tranquille ! Et toi, si tu me touches, ma vengeance sera terrible... et efficace... terriblement efficace... Mon papa au paradis, protège-moi... et toi, ma maman qui es à Paris, inspire-moi...

Il se débattait de toutes ses forces, donnait des coups à droite, à gauche, risquant de se blesser aux poignets et aux chevilles.

– Tiens pour toi. Et toi, attrape ça...

Si bien qu'elles durent cesser de l'embrasser et retraitèrent pour s'échanger des regards contrariés.

– Je dois t'avertir : si tu ne cesses pas de nous frapper et de te débattre, nous allons te faire connaître l'effet Barnabé... pour ton propre bien...

– Quoi c'est, encore, ça, Barnabé... l'effet Barnabé ?...

Sylvie répondit :

– Barnabé, c'est notre star du coma. On a voulu le mettre à poil et monsieur a résisté. On s'est mis à quatre pour le maîtriser et pour mieux le battre, mais il n'a pas voulu se laisser faire. Alors, on en a fait une vedette pathétique, un personnage à plaindre avec une image charismatique... Chaque fois qu'on le montre à la télévision, le monde écoute... Lui est devenu une star et les pauvres policiers qui l'ont tabassé ont presque tout perdu quasiment... Toutes leurs fins de semaine en prison en plein dans le temps des vacances et jusqu'à Noël en plus qu'ils ont perdu leur paye de vacances sans compter les terribles traumatismes qu'ils ont subis dans toute cette affaire.

– Nous aussi, on a un comateux fameux en France... Depuis quand le vôtre est-il dans les pommes ?

– Plusieurs années déjà...

– Ben le nôtre, ça fait plus que ça !

Carole dit à ses compagnes plantées aux trois autres coins du lit :

– Je pense que monsieur cherche à nous distraire. Manoeuvres dilatoires... On parlait de sexe...

François reprit peur devant la seringue qui se faisait menaçante :

– Je vous interdis de m'approcher, de me toucher. Cette merde, ça sert à quoi, à m'accrocher, je présume, et à briser ma volonté pour me rendre homosexuel comme vous quatre. Vous allez m'épargner le pire des maux... je ne veux pas ce que vous voulez, est-ce clair ?

Francine dit aux autres :

– En rond, les gars !

Elles formèrent cercle à l'écart du lit et la meneuse poursuivit:

– Il ne faudrait peut-être pas lui déplaire à l'excès. Si la peur de nous entre trop profondément dans son subconscient, on ne pourra plus vraiment le tranquilliser par la suite.

François avait beau tendre l'oreille, il ne parvenait pas à comprendre ce qu'elles se murmuraient. Gina dit :

– Pour certains gars, passer pour une pédale, c'est pire que de se faire opérer à froid pour les amygdales, ça fait qu'on devrait peut-être pas pousser trop fort dans cette direction, vous ne pensez pas ?

– Tu as raison, dit Francine.

– Moi, dit Sylvie, je vais cacher l'aiguille pour une secousse. Il prend panique chaque fois qu'il l'aperçoit. Et puis, je n'ai pas besoin de lui injecter du mauvais, il est bête au naturel.

– Ben, c'est un Français, dit Carole.

Francine y alla d'une suggestion :

– Et si au lieu du bâton, on essayait la carotte ? On va d'abord libérer ses mains et on va lui dire que la vraie raison de sa détention est une très belle cause. Ainsi, sa prison va se transformer en cage dorée et il redeviendra notre François adoré.

Gina enchérit :

– Et nos ondes lui feront saisir que ce que nous lui disons est bel et bien la vérité. Il comprendra qu'il ne nous inspire aucune animosité et que nous ne lui voulons aucun mal.

– Retournons auprès de lui, proposa Francine.

– Je vous vois venir avec vos gros sabots de bois... Je sais ce qui se passe dans vos têtes de faux policiers, mais ne croyez surtout pas que je serai assez con pour vous le dire... N'approchez pas, non, non, non...

Gina se fit rassurante par la voix ferme et de la mesure dans le ton :

– Tu veux savoir pour quelle raison nous te détenons, eh bien, sache que c'est pour une très, très belle cause. Ils ne sont pas rares, ceux que cette chose extraordinaire qu'on appelle... non, je ne vais pas le dire, mais fais-nous confiance... Cette chose fait beaucoup de prisonniers qui ne s'en plaignent pas...

– Nous ne sommes pas des méchants, dit Carole.

– Même que tu pourrais nous trouver bien mieux que tu ne le crois. On va libérer quelque peu tes mouvements. Tu pourras t'allonger, t'étirer, prendre tes aliments toi-même, marcher à côté de ton lit même...

Les deux serres des menottes étaient reliées par une chaîne d'un pied de longueur; Francine l'en délivra. Mais cela ne lui ôtait pas les autres chaînes qui entravaient ses poignets; néanmoins, en enlevant deux cadenas, elle les laissa à leur pleine longueur. Une même manoeuvre aux jambes et l'homme put ainsi acquérir une semi-liberté de mouvements tel que promis.

Cela décupla ses forces morales, son autorité, voire libéra une certaine arrogance que muselaient les chaînes. D'autant que ce geste de merci lui apparaissait comme l'aveu d'une certaine bonté de la part de ses geôliers. Et qui dit bonté dit faiblesse, dit insécurité. Il crut que ces hommes avaient besoin d'un maître peut-être, surtout qu'ils clamaient n'en pas avoir. Le moment était propice à une colère autoritaire et il le leur fit bien voir après s'être vivement mis sur ses jambes.

– Têtes au lit ! ordonna-t-il.

L'une, Gina, obéit aussitôt et les autres suivirent son exemple. Il toucha chacune de son pied en s'exclamant sur un ton théâtral :

– Pour qui sont ces serpents qui sifflent sous mes pieds ? Ah! les tantouses, moi, je les renifle... à moins d'une verge. Je la connais, je la devine, votre si noble cause. C'est celle du sida, hein ! Vous recherchez de nouveaux et frais adeptes du mal du siècle,

de la maladie vedette qui fait de certains des martyres de l'amour...
Ah! ah! ah!, vous voudriez peut-être me Rock-Hudsoniser, me
refiler le grand syndrome... Votre belle cause, pouah! ça ne me
dit rien qui vaille...

Il fut interrompu par Francine qui se leva et ordonna la tenue
d'un cercle.

— Tant qu'il nous verra déguisées en gars, tout ce qu'on va
faire ou dire va virer en beau dégât. Il croit que nous sommes
farcies de mauvaises intentions et cet uniforme de policier ajoute
à ses réactions. Servons-lui au moins une demi-vérité. Rassurons-
le quant à notre moralité et qu'il sache au moins notre véritable
orientation sexuelle !

François fit des gestes efféminés avec ses doigts et leur ajouta
un sourire à l'avenant.

— Je vous entends, là, les tourterelles !

— Quel casse-tête, tout ça ! Si j'avais su, dit Gina.

Francine les entraîna.

— Il faut partir.

Et à la queue leu leu, elles se dirigèrent vers la porte pour le
plus grand désagrément de la victime qui avait conscience d'avoir
accompli un certain progrès sur le chemin de sa libération.

— Restez ici, vous quatre ! Ne quittez pas cette chambre !

Il sauta sur le lit et les menaça de l'index et des sourcils :

— Je vous ordonne de revenir !

Gina fut la dernière à quitter. Avant de refermer, elle se retourna et adressa au prisonnier un baiser volant en disant :

— Pauvre enfant martyre !

Il grimaça puis balaya l'air afin de refuser ce baiser détestable.
Et quand la porte fut refermée, il montra en guise de mépris son
majeur qu'aucun être vivant à part lui-même et quelques fourmis
trottinant sur une tringle du mur ne verrait jamais...

11

François sauta en bas du lit, vérifia à la fois la solidité de ses liens et leur lâcheté. La situation nouvelle lui paraissait bien meilleure que la précédente. A quelques reprises, il s'arrêta de marcher en long et en large pour tendre l'oreille comme un renard arctique en penchant la tête en biais de chaque côté, mais ce fut peine perdue. Il se tramait autre chose ailleurs dans cette maison et il n'avait aucun moyen de le découvrir. Qu'importe puisque le moment qui lui est offert promet mieux. En effet, il évalua la longueur de ses chaînes par rapport à la fenêtre et il crut qu'il pouvait l'atteindre. Mais il se trompait à demi car si son regard put embrasser la valeur de trente degrés dehors, ses mains ne purent toucher aux vitres. Tout semblait avoir été calculé avec minutie. Il comprit que s'il avait les mains un peu plus libres, ses ravisseurs continuaient de l'avoir bien entre leurs mains.

Il aperçut donc la pleine forêt. Des feuillus, des conifères. De la verdure. Et plus près de la maison, un tapis végétal sauvage. Personne donc ne viendrait faire de l'entretien de pelouse. Où se trouvait-on ? Il fouilla dans ses connaissances géographiques mais ne put rien trouver. A n'en pas douter, il se trouvait dans une région montagneuse, ce qui pouvait vouloir dire aussi bien les Laurentides que l'Estrie ou même l'État de New York. Il élimina la possibilité de se trouver aux États-Unis à cause des risques encourus lors du passage des frontières. Les Laurentides se trouvant plus près de la région de Saint-Eustache, il en déduisit que c'est de ce côté-là qu'il devait être.

Il haussa les épaules et retourna à la tête du lit en se parlant d'abord à lui-même :

— Me voilà pris dans une cabane au Canada. Du bois à gauche, du bois à droite. En pleine taïga! Du bois partout. Non, mais c'est-il Dieu possible une pareille histoire ?

Il leva la tête vers le plafond et s'adressa à quelqu'un :

— Dis, grand Invisible, on n'est pas des copains, toi et moi, depuis un bail, qu'est-ce qui te prend de me foutre dans une telle pagaille ? Me laisser kidnapper par quatre pédés, faut le faire! Des Québécois en plus, y'a de quoi divorcer... je veux dire se suicider...

Il baissa la tête, la hocha et ouvrit les mains pour continuer :

— Au moins si t'avais choisi des mecs réguliers. Des truands, des voleurs, des fraudeurs, des tueurs, du mauvais gibier quoi. On dit pourtant que les prisons, les parlements, ça ne manque pas dans ce foutoir de merde, et qu'en ce moment, ils sont remplis à craquer. Mais non, toi, tu m'abandonnes entre des baluches impures et cochonnes; tu me laisses tomber dans un nid de pédales, te rends-tu compte ?

Il fit une pause puis regarda le ciel et la fenêtre.

— M'évader ? Alors que je suis crucifié en pleine forêt ? T'as dit à Jésus de s'évader quand il était en croix mais laisse-moi te dire, grand Invisible, que quand on a les pieds et les poings cloués, on fait ce qu'on peut, pas ce que l'on veut. Facile à dire quand on n'est pas dans l'action ! Viens en bas, tu vas changer ta chanson. Devant ta télévision là-haut et sur le terrain, c'est pas trop pareil. En tout cas, on en reparlera demain...

Il fit demi-tour et avança jusqu'au bout de ses chaînes pour parler à un public invisible.

— Non, mais quel peuple que ce peuple du Québec ! Ah! je le connais un peu, j'ai pris des cours d'histoire... de son histoire... Il fallait bien pour en glisser une de temps en temps... Si tu veux te faire aimer, il faut que tu les flattes, que tu leur passes un peu de pommade, que tu les caresses entre les omoplates de la fierté...

Il hocha la tête et poursuivit :

— Quand je pense à la chance énorme que ces gens-là ont manquée, à ce formidable rendez-vous historique raté... et ils n'ont même pas l'air de le regretter. C'est vrai, c'est incroyable de louper une occasion pareille. Deux siècles qu'ils ont eu pour s'angliciser et ils ont passé à côté. Immaturité collective! Des enfants de nanane comme ils disent eux-mêmes. Pire, c'est à peine si on peut entendre un mot d'anglais par ci par là. Une aussi extraordinaire opportunité, on l'aurait transformée en succès, nous autres, Français, mais que voulez-vous, c'est une culture retardataire agrippée à un langage vernaculaire...

Il fit une courte pause de réflexion et reprit :

– Et leurs grandes vedettes, non, mais vous avez vu ça ? Ce Roch Voisine, une vraie tête de criminel. Qu'est-ce qu'il a donc, ce type, que je n'ai pas, moi ? Il suffit de comparer nos clips pourtant. Et la Céline, moi, je croyais que c'était un écrivain. Faut dire qu'elle a eu pas mal de misère à percer en France. Enfin... elle chante... dit-on... Six millions qu'ils sont, à penser : "Après eux, le déluge." Je vous dis que c'est pas l'humilité qui les fait mourir. S'il fallait qu'ils m'entendent penser, ça me vaudrait pas mal de grabuge à mes concerts et dans leurs médias de merde...

Il fit quelques pas en poursuivant :

– Paraît que pour les mettre tous dans ta poche, suffit que tu glisses dans tes paroles un nom qui leur est familier et qu'ils chérissent comme ceux de René Lévesque, Lucien Bouchard, Jean Chrétien, Pierre Trudeau, Julie Snyder... Et puis y'en a d'autres qui font encore plus d'effet étant donné qu'ils sont plus récents et que c'est des gars... comme Denise Bombardier, Guildor, Guilda, le frère André, Soeur Angèle... Ah! je l'ai dans la tête la liste, vous pensez bien. Et enfin, y'a ceux qu'ils adorent littéralement, les fleurs parmi les fleurs comme André Arthur, Lise Payette, madame Dion, madame Taillefer, madame Ouellette... Si tu gardes ces noms-là dans ta tête et que tu en glisses un ou deux parfois dans la conversation ou à la télévision, tu seras un de leurs grands champions d'adoption. On appelle ça de l'orgueil à rabais. Bon et maintenant, soyons un peu pratique et faisons quelques analyses de caractère...

Il retourna à son lit et s'assit tout en se recouvrant avec ses chaînes.

– Voyons un peu... j'ai devant moi quatre personnages parfaitement inconnus... Inconnus ? Pas tant que ça ! J'ai retenu pas mal de choses qu'ils ont dites... et même d'autres qu'ils ont tues. Je les ai pénétrés, ces quatre bonhommes, comme s'ils étaient nus... Manière de dire, pénétrer, tout de même... Je veux dire au-delà de leurs us et coutumes particuliers...

Il fit un geste féminin avec sa main droite.

– Prenons Pistache... On voit tout de suite son petit oeil arrogant mais faut pas du tout s'y fier. Cet homme n'a pas le moindre panache. Il a l'air d'une vache maigre, c'est tout. Et Harley qui a un pneu autour des hanches, on voit à l'oeil nu qu'il se préoccupe de sa ligne, de sa musculature, qu'il fait de l'exercice physique et donc qu'il est imbu de lui-même, narcissique, vaniteux...

François ricana et continua de penser tout haut :

– Mais le plus efféminé du groupe, c'est encore cet Ananas-là. Et c'est pourquoi mon autorité le subjugue, le domine. Je crois que la clef de ma libération se trouve de ce côté. Je vais faire jouer ma force sur ses faiblesses...

Puis son front se rembrunit.

– Quant à ce zigoto de Johnny Cur-Dents, c'est le plus dangereux de tous. Le plus emmerdant. C'est lui, au fond, leur chef. Il parle deux fois plus et on dirait qu'il a donc deux fois plus d'idées. C'est d'abord lui qu'il me faudra neutraliser...

L'homme s'étendit dans un bruit de chaînes et il prit plusieurs respirations.

– Ces fils de pute ont voulu me traumatiser, eh bien!, ils verront de quel bois se chauffe un Français de France. Bon, étant donné que je ne peux rien faire d'autre, je ferais mieux de me reposer encore. Dodo, mon cher François, plus tu seras reposé, plus tu seras capable de saisir l'occasion quand elle se présentera...

Il ferma les yeux et marmonna :

– Quand je pense à ce pauvre peuple qui n'a pas su saisir une occasion qui dure depuis plus de deux cents ans...

Et il poursuivit à la française :

– I don't understand, no I don't... I am the greatest star in the show business, the greatest star in the world...

12

Un deuxième conciliabule permit aux quatre comparses de prendre une décision finale pour en arriver à faire bien comprendre à François qu'il avait affaire à quatre femmes et non à quatre hommes. Il fallait éviter de se faire reconnaître puisque le chanteur les avait quand même toutes entrevues sur son écran dans sa loge lors de l'enregistrement de l'émission de madame Latache.

Le mieux, trouva-t-on, serait de se mettre en costume de bain afin qu'il puisse constater par lui-même leurs attributs féminins, tout en gardant casquette et moustache. Et on pourrait même se mettre du rouge aux lèvres et se maquiller les yeux. Sans oublier les parfums qui accompagnent généralement l'expression artificielle de la féminité.

La porte des toilettes se trouvant dans la chambre de François, il fallut donc utiliser les chambrettes de l'attique pour se changer de vêtements. Pas une des filles excepté Carole ne disposait d'un costume de bain mais elle en avait plusieurs de rechange dans une commode là-haut, lesquels, par bonheur, avaient diverses pointures en raison de ses nombreuses diètes depuis des années.

Elles s'y rendirent et purent échanger un bon moment avant de se préparer à retourner auprès du jeune homme. A cette distance et en parlant à mi-voix, il n'y avait pas la moindre chance qu'il surprenne leurs confidences.

Deux, Francine et Carole, prirent place sur un lit et les deux autres s'assirent sur le plancher, sur un tapis de fourrure synthétique blanche.

– Les filles, on s'est pas encore dit comment on se sent à l'intérieur maintenant que notre coup est fait, dit Francine. Chacune devrait raconter comment elle a vécu les vingt-quatre dernières heures. Le sentiment dominant s'il y en a un. Le mélange des sentiments. La peur, la joie, l'insondable... Qui commence ?

– T'es bien partie, continue, dit Carole.

– O.K.! Moi, le moment le plus fort, ce fut quand on l'a maîtrisé dans la fourgonnette. Je ne suis pas une enragée féministe, vous le savez, mais j'avais l'impression que dans mon bras de femme qui contrôlait celui d'une superstar, il y avait la force de tous les bras de toutes les femmes depuis Ève. Comme dit toujours madame Latache : ça faisait du bien ! Jusque là, tout avait été bien trop vite et j'avais le sentiment d'agir comme un ordinateur programmé d'avance...

Carole :

– Toi, Gina, tu lui retenais l'autre bras, as-tu eu le même feeling ou si tu ressentais autre chose ?

La femme pencha un peu la tête pour dire en soupirant :

– C'est drôle, je suis la seule à vivre seule...

– Moi, c'est tout comme, dit Carole.

– Sauf que t'es officiellement mariée tandis que moi, je suis une femme séparée...

– En tout cas, continue !

– Ce que je voulais dire, c'est que... ah! je devrais pas...

– Envoye, envoye, on se cache rien l'une à l'autre, protesta Francine.

– Je me sentais triste de le voir comme jeté en bas de son piédestal.

– C'est un mal pour un bien. On ne grandit pas sans souffrances et lui, de ce qu'on sait en tout cas, n'a pas beaucoup souffert dans sa vie, affirma Sylvie.

– On lui offre une grande aventure, dit Carole, et en prime, un petit capital de souffrances. Tu ne dois pas prendre ça comme ça. Enfin... tu ne peux pas changer ce qui est, mais tu dois y mettre aussi un peu de raisonnable.

– Par chance que je le fais, justement, parce que je ne pourrais pas continuer.

Francine parla :

– Souvent dans la vie, on embarque dans une expérience qui est pénible à vivre mais qui nous enrichit considérablement. Tenez, mon voyage en Russie en 1980. C'était pas un cadeau. On savait pas ce qui rôdait dans le fond du grand plat de soupe. D'ailleurs, c'était toujours une espèce de crème blanche avec des morceaux rouges... Et le pain... noir pis dur comme du mastic... du pain bis, il paraît... Du beurre blanc, fade comme de l'eau... Un chauffeur de car qui s'engueulait constamment avec la guide... Et j'en passe et des bien meilleures, pourtant, c'est le voyage qui me reste le plus en tête, et je suis contente de l'avoir fait. Ça m'a vraiment dépaysée...

– Pour être dépaysé, notre cher François va l'être, dit Sylvie.

– Carole, c'est à ton tour de nous conter ce qui se passe en toi, dit Francine.

Elle fut sur le point d'avouer que le moment le plus fort s'était produit alors qu'elle lavait François après l'avoir renvoyé dans les limbes avec une piqûre, mais elle ne parvint pas à le dire. On risquait d'imaginer plus. Et puis son geste était resté juste en-deçà des limites de leur pacte. Sans avoir triché, elle en avait pourtant le sentiment.

– C'est quand il s'est réveillé cet après-midi. Il ne savait pas que j'étais dans la chambre. La toile était fermée et peu de lumière entrait dans la pièce. J'étais immobile et silencieuse près de la porte. J'avais peur qu'il prenne panique mais il s'est bien comporté et ses chaînes ne l'ont pas bouleversé outre mesure. Je me sentais soulagée et en même temps, je pensais que j'avais quelque chose d'important à lui apprendre... En réalité, je n'avais qu'à répondre ou... esquiver ses questions.

– Les sentiments, c'était quoi ? s'enquit Gina.

– C'est comme je te dis : un peu de peur, de l'inquiétude... Et puis le fait de me trouver seule avec une vedette mondiale dont les médias du monde entier parlent... c'est tout un feeling...

– Tu lui as touché ?

– Il a fallu... A un moment donné, il s'agitait trop comme je vous le disais et j'ai dû le piquer... Moi, je me rappelle toujours de ce que la petite serveuse nous disait quand elle s'excitait à propos de François et à mesure que je vis cette expérience, je me sens comme elle. Tiens, j'avais l'impression d'être Joséphine qui regarde l'empereur dormir et rêver de conquêtes...

On attendait autre chose de plus de la part de Carole et elle le prit comme une sorte de curiosité soupçonneuse.

— Les filles, je vais aller chercher les costumes de bain... Continuez sans moi.

— Sylvie, c'est à ton tour de te laisser aller à parler de tes sentiments, dit Francine.

L'autre rajusta sa casquette et se racla la gorge, comme se préparant à tout un exposé.

— J'sais pas trop quoi dire.

— Dis n'importe quoi...

— Ce qui te passe par la tête...

— Disons que je pensais souvent à nos maris, toi et moi, Francine. Ils ont eu beau nous dire souvent de vivre nos fantasmes jusqu'au bout, je me demande comment ils réagiraient s'ils apprenaient la vérité.

— Si tu penses trop à ça, tout le charme de l'aventure va en souffrir...

— Peut-être que je suis trop terre à terre pour vivre des rêves comme ceux-là.

Brusquement, la porte entrebâillée de l'autre chambre s'ouvrit et Carole en sortit avec des maillots qu'elle jeta sur le lit en même temps qu'elle retirait sa casquette et arrachait sa moustache.

— On a de la visite, les filles, faites ce qu'il faut, moi, je dois sortir de la maison pour recevoir ce bonhomme-là et l'empêcher d'entrer... je ne sais pas qui c'est...

— Enlève aussi ton ceinturon, dit Francine.

Carole le fit en vitesse mais elle dut garder pantalon et chemise de l'uniforme policier. Et elle se précipita dans l'escalier alors même que des pieds s'engageaient dans l'escalier extérieur montant sur la galerie.

— Qu'est-ce qu'on fait ? dit Gina qui se mit sur ses jambes.

— Ce qu'on devait faire : se changer de vêtements. Carole ne laissera entrer personne, ne vous inquiétez pas !...

C'était un visiteur masculin, personnage bedonnant et souriant dans la quarantaine. Il fit une pause sur la galerie pour donner aux gens du chalet l'occasion de savoir qu'il arrivait. Il vit que l'on bougeait et se tourna vers les montagnes comme pour admirer un paysage qu'en fait, il ne regardait pas...

Carole ouvrit et lui adressa un regard inquisiteur.

– Bonjour madame, mon nom est Jean-Claude Martin. Je suis photographe et ma voiture est en panne pas loin d'ici. Un pneu crevé... mais il se trouve que mon cric est défectueux. Pas de chance. Je me suis risqué dans votre entrée à pied et j'ai aperçu toutes ces autos et je me suis dit que je ne ferais peur à personne d'une part et que d'autre part, on m'aiderait sûrement à me sortir d'embarras...

La voix était forte et les yeux semblaient fort curieux. La femme craignait que François n'entende et se mette à crier pour signaler sa présence. Il fallait qu'elle se débarrasse au plus coupant de cet importun, et la seule façon, c'était de lui prêter le cric dont il avait besoin et de rentrer au plus vite bâillonner François pour jusqu'au moment où le visiteur serait reparti après avoir ramené l'appareil emprunté, s'il ne disparaissait pas en l'emportant avec lui.

– Je vais vous prêter le mien, dit-elle en le précédant dans l'escalier.

Elle devait prendre un autre risque important. Sa fourgonnette était visible depuis la fenêtre de François. Il suffirait qu'il y mette le nez pour la reconnaître comme une des fondatrices du fan-club. Elle accéléra le tempo...

– Vous êtes de la police ? demanda Martin quand elle ouvrit le hayon.

– Gardienne de prison...

– Je ne me suis pas trop trompé... Pour ce qui est de rapporter le cric, n'ayez surtout pas peur...

– Vous le laisserez au pied de l'escalier... Nous étions sur le point de partir en excursion dans la forêt...

– A cette heure du soir ?

– Il fait encore clair, non ?

– Ça ne me regarde pas du tout : excusez-moi, madame. Je viens vous demander un service et voilà que je me mêle de vos affaires...

Il dévissa un écrou à oreilles qui retenait l'ensemble et demeura silencieux pour un moment mais ne put se retenir d'ajouter à l'échange :

– Vous risquez de vous faire dévorer par les maringouins dans le bois à la brunante, non ?

– Monsieur... comment déjà ?

– Martin...

– Monsieur Martin, comme vous avez si bien dit, je vous rends service et vous vous mêlez de...

– Excusez-moi, excusez-moi... tenez, je vais vous laisser un dépôt pour couvrir la valeur du cric...

Il sortit un billet de cent dollars et le tendit.

– Gardez ça... je vous l'ai dit que nous partions... Remettez le cric dans l'escalier, c'est tout.

– Vous me faites confiance...

– Je travaille tous les jours avec des criminels et je sais de quoi ils ont l'air...

– Parlant d'air, permettez-moi de vous dire que vous avez le genre de ma femme, vous. J'aime bien ce genre de personnes... Ça sera pas trop long pour le cric...

– Bon...

Il s'éloigna avec l'objet dans la main. Carole regarda à travers la vitre du véhicule vers la fenêtre de François. Rien à signaler; elle jouait de chance. Et elle rabaissa le hayon sans le claquer. Quand les loquets se touchèrent, elle poussa à deux mains pour les enclencher. Elle allait reprendre l'escalier quand Martin se retourna et cria de loin :

– Je suis de Saint-Georges-de-Beauce et mon nom est dans le bottin téléphonique... 227-3133...

Dans sa somnolence, François entendit une voix. Il voulait sortir de l'inconscience mais n'y parvenait pas. Et le silence était revenu l'enrober comme une chape de plomb. Il fallait qu'il se réveille...

Carole fit un geste de la main. Le personnage semblait attendre un mot; elle lui répondit en lui tournant le dos et en montant sur la galerie. L'autre dut repartir un peu à regret de voir que son charme de toujours n'avait guère fonctionné cette fois. Il se consolait en pensant qu'une femme qui porte l'uniforme manque toujours de féminité et que par conséquent, elle est bien moins perméable aux ondes masculines positives... Et puis qui sait, en faisant vite, peut-être la reverrait-il en rapportant le cric ?

La femme se fit discrète pour rentrer. Elle se rendit à la porte de la chambre de François et y colla son oreille. Aucun bruit de chaînes ne lui parvint pendant les trente secondes et plus qu'elle y resta. Il devait dormir. Ou il faisait semblant. Pourquoi n'avait-on pas pratiqué un trou dans la cloison ? De la grosseur d'un oeil. Pour le mieux surveiller. Peut-être y avait-il un vilebrequin dans la remise extérieure...

Pour le moment, elle devait rejoindre les filles, ce qu'elle fit sans attendre. Ses trois comparses avaient eu le temps de revêtir un costume de bain seyant et on la questionna aussitôt sur l'identité du visiteur et la raison de sa visite.

— C'est quand même bizarre, ajouta-t-elle à ses réponses, depuis dix ans qu'on a ce chalet, jamais personne n'est tombé en panne sur le chemin d'en bas... en tout cas qui vienne emprunter un cric justement quand y'a du monde ici...

— C'est peut-être un détective ? dit Sylvie.

— On va le savoir aisément quand il va revenir remettre le cric, dit Carole. On va l'observer par une fenêtre tout en faisant attention pour ne pas se faire voir. Je lui ai fait croire que nous — sans dire qui est nous— partions pour une excursion en forêt. Si c'est un détective, il va fouiner... Je vais aller baisser la toile dans la chambre à François et ensuite, on va attendre... Descendez dans le salon toutes les trois... Que l'une appelle l'assistance-annuaire et demande le numéro de Jean-Claude Martin à Saint-Georges-de-Beauce ! Il m'a dit que c'est le 227-3133... Moi, je vais revenir me changer après être allée dans la chambre de François et je vais surveiller par la fenêtre d'en haut notre emprunteur de cric...

Francine demanda :

— Faudrait peut-être bâillonner François pour éviter qu'il ne crie.

— J'y ai pensé mais je crois qu'il ne le fera pas. D'abord, je suis sûre qu'il dort et ensuite, il n'entendra pas le visiteur qui lui, s'il ne voit personne, ne va pas crier à tue-tête comme tantôt...

Sylvie commenta avec un petit sourire :

— On est en train de marcher à tip toe through the tulips, vous ne trouvez pas ?

— Ça ajoute du piquant.

— Faudrait pas que le piquant nous pique trop non plus!

Carole remit sa moustache et sa casquette et elle se rendit baisser la toile dans la chambre de François. Discrète, elle ne le réveilla même pas. Et en retournant dans l'attique, elle croisa les filles qui descendaient l'une après l'autre.

Elle jugea qu'elle avait amplement le temps de se changer mais prit conscience que les maillots qui restaient la garderaient pas mal maigrichonne et elle en rembourra un avec de la mousse qu'elle fixa à l'intérieur du fessier et du bustier avec des épingles de sûreté. Il lui fallut un bon moment pour accomplir sa tâche et elle oubliait que le visiteur risquait de reparaître d'un moment à l'autre avec son cric sous le bras.

Alors même qu'elle enfilait le vêtement devant un miroir de commode, elle aperçut Martin qui lui, paraissait s'en retourner. L'homme piétinait plus qu'il ne progressait. Il se tourna et regarda tout droit vers elle. Carole comprit qu'il l'avait probablement aperçue nue quand il était venu...

Il fit un signe, une salutation à main ouverte puis pouce en l'air, il lui adressa un sourire de complicité.

"Il se mêle encore de ce qui ne le regarde pas," pensa-t-elle.

Et aussitôt, elle s'éloigna de la fenêtre pour lui montrer clairement ce qu'elle espérait le plus de lui : qu'il déguerpisse. Quand une vingtaine de secondes se furent écoulées, elle risqua un oeil juste au coin d'une vitre et put l'apercevoir qui disparaissait sur le chemin de sortie dans le sous-bois.

Qu'importe qu'il l'ait vue sans vêtements et ne s'en soit pas caché, cela prouvait à peu près à cent pour cent qu'il était bien ce qu'il prétendait être. Observateur parce que photographe et non parce que détective. Fouineur par intérêt personnel et non à cause d'un quelconque devoir professionnel.

Elle se rhabilla néanmoins au cas où et revint à ses ajustements de maillot, sans plus se préoccuper de ce malencontreux visiteur. Mais lui changea de direction et d'idée et rebroussa chemin. Et il reparut sur le chemin du chalet sans que la femme ne s'en aperçoive.

Il reprit le cric laissé au pied de l'escalier et le monta avec lui sur la galerie.

— Les filles, le bonhomme qui revient, qu'est-ce qu'on fait ?

— Trop tard pour avertir Carole, il frappe à la porte...

— Je vais le recevoir, dit Francine qui jeta sa casquette sur la table et ôta sa moustache tout en se précipitant à la porte.

Elle ne lui donna pas la chance d'entrer et sortit sur la galerie. Mais l'homme put voir de loin les deux policiers à la table sans pourtant se rendre compte qu'il s'agissait de faux personnages et que leur vérité était révélée par des maillots de bain qui se trouvaient hors de sa vue. Il pensa qu'il ne devait pas moisir là et exposa aussitôt l'objet de cette nouvelle visite.

— Donnez ça à la dame qui m'a prêté un cric, dit-il en tendant un billet de dix dollars. Et ajoutez-y mes sincères remerciements.

Francine le dévisagea puis le jaugea de la tête aux pieds exprès pour l'intimider.

— Merci pour elle, je vais lui transmettre votre message.

— Je ne vais pas vous déranger plus longtemps... et encore merci pour le service. Y'a encore du monde qui se donnent des coups de pouce...

— Mais beaucoup plus qui se donnent des coups de pied...

— Quant à ça...

— Eh bien! le bonjour, là !

— Si vous passez par Saint-Georges-de-Beauce, venez vous faire tirer le portrait, ça sera gratuit pour vous autres.

— On n'y manquera pas...

Il redescendit l'escalier et se remit en marche sur le chemin de sortie d'un pas rapide mais tout à coup s'arrêta net et se retourna pour demander :

— Je ne vous aurais pas vue quelque part ? Il me semble que j'ai déjà vu l'autre madame aussi... Je veux dire avant aujourd'hui mais pas plus tôt que voilà quelques jours ?

Elle fronça les sourcils pour lui répondre :

— Je ne suis pas allée dans la Beauce...

— J'étais dans le bout de Saint-Eustache chez un de mes amis écrivains... J'sais pas si vous le connaissez, son nom, c'est...

— Je ne connais aucun écrivain personnellement et je ne tiens pas à en connaître non plus. Ce sont tous des prétentieux qui pensent pouvoir changer le monde avec deux ou trois cents pages de chimères...

Il se gratta la tête et parut conclure :

— Excusez-moi, je disais ça... pour me rendre intéressant... mais je vois que ça ne réussit pas trop...

– C'est ça, dit-elle sur un ton impatient, à un de ces quatre, comme disent les Français...

– Ah! les Français, oui, ils vous ont de ces expressions !...

– Et en Québécois... à la revoyure...

– Ah! nous autres itou, on a des expressions typiques...

Mais elle ne dit plus rien de peur qu'il ne repique dans chaque virgule matière à prolonger la conversation, et elle rentra tranquillement sans plus le regarder si ce n'est pour constater par la fenêtre qu'il disparaissait enfin dans le feuillage du sous-bois...

13

Sylvie, Gina et Francine surveillèrent tour à tour la fenêtre donnant sur la galerie afin de s'assurer que l'étranger ne soit pas en train de revenir une autre fois. Puis elles se rendirent à l'évier de la cuisine où elles trouvèrent tout le nécessaire pour procéder au bain de leur victime. Car elles ignoraient toujours que leur amie Carole l'avait lavé, ce que par ailleurs, François ne savait pas lui-même.

Sous le comptoir, Sylvie trouva un seau qu'elle remplit à moitié d'eau tiède. Gina manipula plusieurs brosses afin d'en jauger la raideur des poils et quand elle en toucha une très douce, elle la sentit puis l'ébouillanta afin d'en éliminer tout germe. Pendant ce temps, Francine dégotait des linges propres et des serviettes ainsi que du savon de toilette. Eût-il manqué quelque chose qu'on l'aurait trouvé dans la chambre de bain au moment de retourner avec François.

Le tout fut déposé sur la table en attendant Carole.

Trois femmes en tenue de bain ne peuvent faire autrement que de se parler de poids et 'régime' alimentaire.

– Moi, j'ai des livres en trop, se plaignit Gina.

– Et moi, c'est pire, c'est des kilos, rétorqua Sylvie.

– Chanceuse de Francine ! s'exclama Gina.

– Pas si chanceuse que ça : si tu savais tous les milles que je me paye chaque semaine sur mon vélo ! Hein, Sylvie !?

– Dis aussi que tu fais partie des "Weight Watchers". Ce qui aide encore bien plus que la bicyclette selon tout ce qu'il y a d'experts sur la question.

Francine se pencha en avant pour confier comme si c'était un vaste secret :

– J'ai entendu parler d'un nouveau régime amaigrissant, les filles, qui est très facile à suivre et absolument nourrissant. C'est à base de spaghetti et ça viendrait d'Italie...

– Moi, les pâtes, ça me vire tout à l'envers, dit Gina.

– Ça te rend malade ?

– Malade en ce sens que j'en mangerais tout le temps et c'est pour ça que j'ai un surplus de poids.

– Pis c'est quoi, le régime ? demanda Sylvie.

– C'est basé sur la logique... sur le raisonnement suivant. En fait, l'idée consiste à ajuster la voix de l'estomac à celle du subconscient...

– Ah! mais ça a l'air le fun, dit Sylvie. On s'adresse en même temps au côté physique et au côté psychique. Toute la philosophie orientale...

– Je vous explique: vous en jugerez. L'objectif, c'est de se voir mince comme un fil; il suffit de manger ton spaghetti un brin à la fois... Tu voyez-vous le lien avec le subconscient ? Au lieu de manger spaghetti par gros tas enterrés d'un tas de sauce au steak haché gras, tu l'avales un seul brin à la fois. Ça revient au même pour l'estomac, mais l'inconscient, lui, saisit le signal et perçoit ton désir de ne pas passer ta vie à ressembler à un gros tas de spaghetti, et comprend que tu veux être mince comme une ficelle. En plus que tirer avec ta bouche sur tes vermicelles, ça exerce les muscles du visage, ça brûle de l'énergie et ça te fait paraître plus maigre.

– Ça doit creuser les joues ! s'émerveilla Sylvie.

– Je vous pense. On te prend pour Marlene Dietrich.

– Imaginez-vous les milliards de dollars que ça pourra sauver en soins de santé de toutes sortes rendus nécessaires à cause de l'excès de gras des gens ?

– C'est pour dire, hein, constata Sylvie, une simple idée comme celle-là pourrait faire fermer tout ce qu'il nous reste d'hôpitaux de quartier...

– C'est ce qu'on peut appeler un régime intelligent.

– Et il convient à la majorité. Déjà très populaire, selon ce que j'en sais, du côté des intellos qui furent les premiers à reconnaître l'approche globale qui se trouve là-dedans...

– Ceux qui prétendent que l'humanité ne fait pas de progrès, dit Sylvie, ne sont que d'affreux pessimistes.

Entre-temps, Carole pensa qu'elle pourrait sans doute apercevoir François par une petite grille du plancher de la chambrette d'à côté, et que le chauffage électrique rendait inutile, et que le temps et une laize avaient enterré dans sa mémoire. Elle souleva un morceau de tapis, se mit à quatre pattes et fit glisser la clef de contrôle des palettes de tôle qui, se redressant, lui offrirent une vue directe sur la prisonnier que n'empêchait pas de voir l'éclairage venu des interstices entre la toile et la fenêtre et, dans une certaine mesure, des pieds-chandelles traversant la toile semi-opaque.

Les yeux de la femme se mirent à loucher.

Elle fut un moment figée devant le spectacle inattendu qui s'offrait à elle. François dormait, bien étendu sur le dos, mais son sexe dressé avait trouvé son chemin à travers les rêves et le slip et il pointait directement sur le visage de la curieuse à sept pieds de là. La femme marmonna :

– Mon doux Jésus, mais c'est pire qu'un étalon !

Toutefois, malgré sa pudeur et la crainte qu'il ne s'éveille et l'aperçoive, elle n'arrivait pas à s'ôter de là et à détourner son regard de la chose qui bougeait comme une lance de guerrier.

Puis elle se dit que si le visiteur qui se disait photographe était en fait un détective et revenait avec du renfort, et que le pot aux roses était découvert, on pourrait les accuser toutes les quatre d'attentat à la pudeur pour avoir ainsi dévêtu la victime malgré toutes les bonnes intentions qu'on avait eues en le faisant. Car comment faire ressortir et faire valoir de bonnes intentions à travers des gestes criminels dans un système de justice manichéen ?

Elle devait agir pour régler ce problème. Quand on sauve la face, on sauve beaucoup, souvent tout...

Elle finit par s'arracher à la grille et remit doucement le tapis à sa place. Puis brusquement le souleva à nouveau pour se rendre compte qu'elle ne rêvait pas devant l'immensité de l'organe en érection... Alors elle s'essuya le front avec le tapis puis le remit à sa place et s'assit sur le plancher pour réfléchir...

Son attention fut attirée par un grand bouleau qui frôlait la fenêtre. Elle mit sa main sur la portion du tapis qui cachait la grille puis posa à nouveau ses yeux sur l'arbre dans une sorte d'association phallique de type freudien...

Et elle se remit sur ses jambes avec au fond du regard la lueur de ceux qui viennent de se dire eurêka.

14

– Allô! Allô! Allô! j'arrive, c'est moi, chantonna Carole en descendant l'escalier.

Ses trois amies ouvrirent la bouche toute grande et les yeux encore plus largement, et pas une ne parvenait à prononcer une seule parole.

– Il verra notre féminité sans découvrir notre identité, dit-elle encore.

Ne se rendant pas encore compte de l'ébahissement de ses compagnes, elle ajouta en arrivant à la dernière marche :

– J'ai trouvé tout ce qu'il faut.

Par là, elle voulait dire ce rouleau qu'elle brandissait dans sa main gauche mais on crut qu'elle parlait de son costume de bain qui lui donnait des formes excessives à la poitrine et aux fesses. Elle s'avança vers le groupe et aperçut les moues que l'on faisait en regardant son accoutrement et force lui fut de constater qu'elle avait peut-être dépassé la mesure.

– Quoi, vous trouvez que ça fait faux ?

Francine éclata de rire :

– Veux-tu nous dire comment tu es arrivée à t'organiser de cette manière ?

– Ben, vous le savez que j'ai pas de buste et je me suis cousu quelques bourrures. J'ai la poitrine comme une patinoire et si je mise là-dessus, comment François va-t-il nous croire ?

Francine dit :

— Tu trouves pas que ta mise est un peu forte ?

— Écoutez, je ne voudrais pas ressembler à un cadavre ambulant. De nos jours, le meilleur capital, c'est l'apparence, vous devez savoir ça... L'image, c'est la base de toute réussite...

— Ton capital, comme tu dis, risque de soulever son intérêt, à notre héros de François.

— Ah! on peut dire qu'il l'a déjà pas mal haut, l'intérêt, dit Carole en pensant à ce qu'elle avait vu par la grille.

Et elle raconta ce qu'elle avait aperçu par inadvertance et dit comment elle avait détaché une grande écorce du bouleau qui frôlait le chalet pour en faire un rouleau qui permettrait au chanteur de cacher la partie la plus intime de son anatomie.

Sylvie parla dans la même veine :

— On dirait que t'as investi des sommes assez rondelettes aussi du côté des fesses...

Gina enchérit :

— Elle a mis son avenir en arrière d'elle...

Carole rit à son tour :

— Ben pour équilibrer mon budget en rembourrage, il en fallait aux deux bouts de l'emballage, non ?

Francine les ramena à la réalité prochaine :

— O.K.! les filles, faisons maintenant le point sur la situation. Toi, Sylvie, pour commencer, as-tu toujours ton aiguille ?

— Certainement, dit l'autre en la montrant. C'est notre meilleur atout. Une seringue, c'est cent fois plus efficace comme arme que nos quatre revolvers ensemble. Tu endors ton homme et tout le monde est content. Avec un pistolet, tu peux toujours l'endormir à coup de crosse mais tu risques de frapper trop fort et de le tuer et en tout cas, tu le maganes pas mal...

— Voyez-vous pas, notre beau François qui ne se réveille pas...

— Y'a pas de soin, il est encore en vie d'après ce que j'ai vu, dit Carole.

— Chacune vérifie l'état de sa moustache, on va aller réveiller notre Roméo...

L'affaire du pénis érigé contrariait fort Gina qui voyait la chose comme une sorte de viol de l'intimité de leur prisonnier, d'abus involontaire causé par cet enlèvement qu'elles avaient prémédité et décidé. Elle croisa les bras et parla sans regarder aucune de ses compagnes, l'amertume en travers des mots :

— Moi, j'ai l'impression qu'on est en train de faire une sorte de rodéo. On a lancé une corde, attrapé un animal et maintenant, on le retient contre son gré et on lui fait du mal. Nous devrions tout arrêter cela, le libérer au plus vite avant de lui faire trop de tort.

Sylvie parla sans émotion :

— C'est de valeur, Gina, mais il est trop tard...

— Notre homme n'est pas si mal en point que tu le penses... je veux dire moralement, dit à son tour Carole en s'asseyant. Au contraire, il vit la plus belle aventure de sa vie.

— On ne lui fera subir aucune torture, d'ajouter Francine qui prit la main de Gina pour la réconforter et la rassurer.

— Tout de même, les filles... Le harnais... La peur... Une cage mentale...

Francine se fit narquoise :

— Est-ce que ce n'est pas là notre lot, à nous les femmes, depuis la nuit des temps ? Malgré ça, on va t'écouter. Qu'est-ce que tu proposes ?

— Ben... j'sais pas... Tiens, mettons-le dans un sac postal et allons le déposer à l'urgence d'un hôpital.

Carole fit un rire navré :

— Le pauvre, il risquerait de rester à la porte pour des mois...

— Ouais, dit Francine. Ces établissements-là sont pas mal moins hospitaliers depuis les coupures de budgets. Et puis avec tous ces hôpitaux fermés, on pourrait tout aussi bien tomber sur un cadenas et alors, on fait quoi ?

Sylvie lissa sa moustache et dit :

— Moi, je soutiens qu'il nous faut suivre notre plan initial.

— Et je suis d'accord, dit Carole.

Francine s'adressa à la femme en peine :

— Gina, pense que jamais de toute sa vie, il n'aura reçu une telle couverture médiatique. Partout dans le monde, on le voit aux actualités. Pour lui, ça vaudra des millions ce que peut lui valoir ce petit fan-club de rien du tout qu'on a fondé pour lui... Au fond, si tu calcules bien et tout, c'est le plus beau cadeau que des admiratrices peuvent faire à leur idole.

— O.K.! d'abord, mais qu'on ne lui fasse aucun mal... disons excessif puisque nous ne pouvons pas nous empêcher de lui en causer...

— Tu sais bien que notre attachement envers lui n'a rien de vindicatif et qu'au contraire, il est tout entier admiratif...

Comme par une forte réaction s'alimentant à sa phobie de l'homosexualité, François rêvait d'une partouze dont il était le centre et qui lui faisait se voir en train de faire l'amour successivement à quatre femmes. Et cela injectait à son organe sexuel tout le sang qu'il fallait pour le rendre vigoureux et agressif.

Puis comme dans un film à symboles superficiels, il vit devant lui une bouteille de champagne dont une femme nue retirait le bouchon avec ses dents. Quand elle sentit la pression atteindre un point où tout risquait de sauter, elle se retira la bouche pour se servir de son pouce et donner l'impulsion finale. Le bouchon de plastique jaillit de l'orifice et se rendit frapper le plafond où il laissa sa marque tandis que le liquide émergea à gros bouillons pressés se transformant en jets siffleurs.

Le rêve ensuite passa par la soif que l'homme ressentait. Des bouteilles et des bouteilles défilèrent dans son imagination en délire. Bourgognes, Bordeaux, vins étrangers, tout le contenu d'une grande cave passa devant ses yeux en appelant son gosier.

Il avait beau boire de chacun, la soif augmentait et en même temps, il s'éloignait de la pièce souterraine par un couloir qui le mena tout droit à une basse-fosse où des squelettes enchaînés tapissaient les murs en se les disputant avec des araignées et autres bestioles déplaisantes à voir et à fréquenter.

— Pirates, pirates, se mit-il à répéter tout haut à travers des gémissements et des ricanements incongrus.

Et il bougea les bras pour se protéter des créatures de l'ombre et du cauchemar.

— Allons voir, il commence à s'agiter, dit Sylvie. Peut-être se réveille-t-il ?...

— Attendons encore un peu, demanda Gina.

— Pourquoi ?

— Ben... à cause de ce que Carole a dit...

— Et qu'est-ce que j'ai donc dit ?

– Ben, à cause du rouleau de bouleau...

Francine rit pour dire :

– Quoi, tu as peur qu'il nous laisse voir son... sa... ses... le...

– Ça, oui... Et c'est plus que son... sa... ses... le..., c'est sa dignité d'homme...

– Voyons donc, un homme, ça n'a pas la dignité dans ce bout-là du tout !

– Au moins, reprit Gina, faisons du bruit pour qu'il se réveille et puisse cacher son... sa...

Carole :

– Frappons plusieurs coups à la porte en disant : "C'est nous, tes joyeuses ravisseuses, on peut venir ?"

Francine :

– Mais non, le mieux, c'est d'entrer sans regarder. Il fait déjà sombre dans la pièce... Il va aussitôt se réveiller s'il ne l'est pas et il aura le temps de cacher son... sa... ses... le... Et toi, Gina, prends donc pas cet air en peine, on va pas le maganer notre François, tu sais ben...

15

Elles se succédèrent à l'intérieur en se suivant comme des ballerines, Francine ouvrant la marche et Carole la fermant. Et elles se rendirent poser les objets sur la table de chevet.

Quand Gina osa poser son regard sur lui, elle se rendit compte qu'on ne pouvait pas voir son... sa... ses... le... et sa sensibilité en fut bien contente. Par contre, elle put apercevoir ses yeux complètement sidérés, sa bouche béate avec rictus de chaque côté. Et cela se poursuivit avec plus d'acuité lorsque les quatre faux policiers qui laissaient voir une partie de leur identité véritable se promenèrent autour du lit en se pavanant comme des mannequins professionnels.

Francine lui fit des bouches en coeur.

Carole brimbalait de son arrière-train en mousse.

Gina tâchait d'exprimer de la tendresse par les gestes et par les yeux.

Et Sylvie, l'oeil plus dur, agissait comme une danseuse des contes Les Mille et Une Nuits, en imitant les vagues de la mer avec ses mains et ses hanches...

— Bordel de merde ! Les tapettes qui reviennent en travestis. Si au moins, c'étaient des lesbiennes !...

Francine s'arrêta la première et dit avec un brin d'impatience :

— Mais nous sommes des femmes, voyons, et des vraies.

Il ricana :

– Et moi, je suis le président Clinton...

Gina s'approcha de sa tête en disant :

– Nous sommes venues te rassurer, te calmer. Te persuader que nous ne voulons pas te faire de mal...

Il se recula vers la tête du lit.

– En vous pavanant ainsi devant moi au féminin : pas très, très convaincant !

– Ouvre les yeux, dit Francine. Est-ce que tu trouves que nos attributs sont masculins ?

Il se fit sarcastique :

– Vous êtes pas mal plus que masculins, vous êtes... comment on dit par ici ? Des tue-mouches...

Carole :

– C'est comme ça qu'il appelle les pédés...

– Pas moi, mais vous autres au Québec... Nous, on dit des tantouses, des tantes, des mignons, des pédales, des chevaliers de la manchette... Mais tue-mouches, c'est pas mal non plus...

Puis toisant la femme des épaules aux genoux, il déclara, l'oeil grand, la voix exclamative :

– Et toi, t'as dû en tuer pas mal de mouches, si j'en juge par ta devanture plutôt... infatuée...

Francine dit à Carole :

– Tu vois bien que t'aurais pas dû te rembourrer comme ça. Il ne voudra jamais croire en notre parole et nous allons devoir lui donner des preuves... tangibles...

François se redressa vivement puis, sur son séant, il s'adressa à quelqu'un de là-haut :

– Mon papa, tu vois bien qu'ils font tout ce qu'ils peuvent pour me tromper, ces mecs-là... Ils sont tordus comme des hommes politiques... Ils veulent que je morde à la pomme et que je leur donne le mandat de m'abuser...

Gina ouvrit les bras en guise de sincérité puis, excluant Carole de son geste large, elle dit :

– Vois que nous trois, nous sommes bien moins déguisées...

Francine enchérit et désigna les seins de chacune des trois restée à son naturel :

– Qu'est-ce que tu crois que c'est, ça, ça et ça ?

138

L'homme croisa les bras et dit, le regard hautain :

– Des faux semblants...

Carole s'approcha et chanta :

– Dis donc, ne te gêne pas et vois en bas... tout de même...

François jeta un oeil sur chacune puis il tourna la tête en répliquant :

– Des faux-fuyants...

Francine s'approcha encore plus de lui :

– Pourtant, on est vraies jusqu'au cou. Tu veux tâter ? Imagine que t'es un docteur pis on va imaginer la même affaire...

– Je ne suis pas un touche-à-tout, moi.

Sylvie :

– Il est têtu, il ne veut pas se rendre compte...

Gina :

– C'est juré, tu peux nous croire.

François hésita un moment puis il sauta en bas du lit et pointa chacune du doigt dans un bruit de chaînes qui ajoutait à son autorité.

– Si vous êtes vraies, si vous êtes telles que vous dites, si vous possédez ce que vous prétendez posséder... alors vous n'êtes que des... que des... transsexuelles...

A son tour, Gina devint impatiente et montra pour la première fois son autorité :

– Bordel de merde ! on n'est pas du demi-monde...

L'expression lui montra qu'elle était prête à l'affronter sur son propre terrain mais il ne lâcha pas le morceau de suite.

– Qui donc est encore soi-même en ce bas monde, hein ?

– Toi !

– Bon, bien... mais à part moi ?

– Le pape, dit Carole.

– Bon... excepté moi et le pape ? Qu'est-ce qu'il nous reste comme vrais de vrais dans nos sociétés d'aujourd'hui ?

Sylvie haussa les épaules comme si sa réponse allait de soi :

– Les présidents par exemple.

– Lesquels ?

– Ceux de n'importe quoi. Il y en a des millions de présidents à travers le monde: choisis !

Il acquiesça d'un signe de tête.

– Bon ! Alors sauf moi, le pape et les présidents et disons, tiens, que l'on pourrait aussi ajouter les vice-présidents...

Francine demanda :

– Dis donc, où en étions-nous ? C'était quoi, la question ?

– Qui donc, de nos jours, est encore transparent excepté les hommes de premier rang ?

Carole s'inquiéta :

– Et les femmes ?

François ricana un peu :

– Mais non, voyons, la transparence, c'est pas leur truc. Pour elles, c'est les apparences qui importent. Pour cette fois, heureusement que vous êtes des mecs, vous quatre....

– On t'aime un peu moins, là, François, marmonna Francine.

– Ouais, tu commences à nous rafraîchir les idées, ajouta Carole.

– Eh bien ! tant mieux, je préfère vous savoir débandés... Mais en quoi ce que j'ai dit vous affecte-t-il ? Pourquoi cette réaction ?

Depuis un bon moment déjà, Francine croyait que leur idole ne comprendrait jamais tant que la vérité crue ne lui serait pas mise abruptement devant les yeux. Comme certaines victimes d'émissions joueuses de tours, il était profondément ancré dans son erreur. Et puis, elle se disait qu'après tout, il accepterait peut-être de se taire, de ne pas dévoiler leur identité à la police.

Elle retira vivement sa casquette et arracha sa moustache en disant :

– C'est qu'on est vraiment de l'autre sexe, imbécile !

Ses compagnes s'étonnèrent un bref instant puis elles suivirent toutes son exemple avec des soupirs et des regards de soulagement. Debout devant son lit, François les regardait faire avec une bouche grande ouverte et un sourire d'incrédulité. Il se mit à parler comme malgré lui :

– Johnny Cur-Dents... Harley... Ananas... Pistache...

– Francine, Sylvie, Gina de Saint-Eustache, dit Francine. Et elle, c'est Carole de Laval-Ouest.

Carole fit quelques pas en sa direction en se brimbalant à la Mae West et dit :

— Passe me voir... un bon soir... on fera la sieste...

François exultait. Il sauta sur son lit et commença à s'agiter en levant les bras et les yeux au ciel.

— Oh! mon papa qui êtes aux cieux depuis vingt ans, et vous, maman qui êtes à Paris, et toi, Jésus, mon frère de sang, à vous tous, comme je suis reconnaissant ! Vous avez guidé mes pas vers le chemin de criminelles qui m'ont enlevé non pas pour le fric, pas par orgueil ou pour le sexe mais... par admiration...

Il commença à pleurnicher.

— S'il vous plaît, donnez-moi un Kleenex : je vais pleurer. Les plus grandes divinités possèdent les plus grandes sensibilités... Je n'en peux plus, je pleure...

En choeur, les quatre comparses dirent :

— Et nous pleurons aussi, c'est si touchant !

— Ah! mon joyeux fan-club ! Comme je vous aime ! Détachez-moi, maintenant que je puisse mieux vous embrasser.

En choeur, elles dirent :

— Non.

Il s'écria, stupéfait :

— Comment ça, non ? Vous êtes...

Francine l'interrompit :

— Notre pacte nous le défend.

Il hocha la tête, se questionna, interrogea les environs, retourna ses appréhensions dans tous les sens, ramassa tout ça en une vaste autorité :

— Nanas du Canada, fini, ce jeu d'enfants !

Ensemble, elles dirent :

— Tu dois comprendre qu'une vedette appartient tout entière à son public.

Il s'insurgea :

— Ce n'est pas là une vérité évangélique. On dit ça pour faire meilleure impression. C'est bien dans une campagne de promotion. Mais y'a des limites à tout, bordel de merde ! Donnez-moi la clef de ce maudit harnais avant que je ne me fâche, avant que je ne perde mon sang-froid...

Gina, désolée :

— Nous ne voulons pas te délivrer. Ne courrais-tu pas aussitôt à la police pour nous dénoncer et nous faire arrêter ? Tandis que si tu patientes quelques jours encore, tu en arriveras à comprendre pourquoi nous t'avons enlevé... et tu trouveras le vrai sens de notre sentiment envers toi...

Sylvie enchaîna avec plus d'enthousiasme :

– Et nous savons qu'avant la fin de semaine, tu te seras toi-même enchaîné à tes chaînes.

Carole :

– D'ailleurs, ce ne serait pas tout à fait nouveau, hein, que la personne kidnappée en vienne à aimer ses ravisseurs. C'est le syndrome de Patricia Hearst. Nous en parlions justement la semaine passée avec monsieur Planters, un personnage qui s'y connaît dans ces facettes bizarres de la nature humaine...

– Pour l'heure, on ne parle pas de cela. C'est maintenant que je veux être libre.

Francine :

– Donne-nous encore quelques jours, c'est si peu !

– Vous rêvez en couleurs...

– Non, nous sommes pragmatiques...

– Eh bien ! je le serai aussi. J'ai pour vous quatre, mesdames, une petite nouvelle... Ça fait plus de vingt-quatre heures que les choses s'amoncellent... Ne savez-vous donc pas que même une star doit parfois aller aux waters. Me voilà dans un véritable état d'implosion et si vous ne savez pas ce que c'est que l'imprévision, je peux vous dire que mon ventre, lui, le sait. Quelques minutes encore et je ne réponds plus de rien, sachez-le. Et vous aurez sur la conscience une EXPLOSION... Ne prenez pas de décision et vous me verrez quitter mes états pour entrer dans un formidable coup d'éclat...

Sylvie tâcha de le rassurer un peu :

– On avait prévu de t'installer la bassine....

– Et m'essuyer avec un bout de papier-journal, une page de magazine, je présume ?

Carole prit aussitôt une revue dans un porte-journaux et elle le lui tendit en riant :

– Tiens, le TV-Hebdo, c'est le papier le meilleur pour ça, le plus poreux et tous ceux qui l'utilisent s'en disent pleinement satisfaits...

142

François s'énerva et parla d'une voix excessive et étouffée:

– Vous n'imaginez tout de même pas que je vais vous montrer mon derrière...

– Seulement à Sylvie et elle est infirmière, dit Francine.

Carole tendit son rouleau en disant :

– Et puis tiens, tu pourras te cacher le devant avec cet objet. C'est un beau rouleau de bouleau que j'ai fabriqué de mes propres mains tout à l'heure...

Gina :

– Comme tu vois, on a tout prévu pour ton confort...

Sylvie :

– Total...

François :

– Harley, j'ai ma pudeur de star et elle ne saurait pas se rendre là où la pudeur d'un homme ordinaire commence à rougir. Tous les journaux du monde vont se payer ma gueule quand ils entendront le récit de mon incarcération. Je deviendrai à leurs yeux et dans leurs lignes le roi du ridicule. Vous me voulez donc du mal? Est-ce là le sort que vous me réservez ? Vous voulez me faire perdre la face et détraquer ma carrière ? Je ne peux pas croire cela de vous quatre qui paraissiez si généreuses sur l'écran de la télévision... Ne m'avez-vous pas élu votre artiste préféré ? De grâce, ne faites pas de moi le pitre du show-business ! Il me faudrait me faire soigner au sanatorium de l'ego en banlieue de Hollywood. Je n'ai pas la force d'une telle chose...

Et il se mit à pleurnicher...

Francine réclama des filles qu'elles forment cercle :

– En rond...

François leur cria :

– Il pourrait bien être trop tard...

– Devrions-nous laisser la décision au hasard ou bien si on s'en remet à la démocratie ? Lui dire non, il nous accusera de phallocratie de type féministe...

– Votons sans attendre sinon il va faire dans sa culotte et ce sera du trouble pour tous...

– Je suis d'accord pour qu'il puisse aller aux latrines. Autrement, ce serait un coup pour sa dignité et ensuite, peut-être pour sa célébrité...

– Mais non puisque personne ne va ébruiter la chose, voyons!

– Qu'il puisse aller au cabinet en toute aisance !

Francine finit par trancher comme toujours :

– D'accord, d'accord, épargnons-lui notre présence jusque dans son intimité mais il ne faudra pas le perdre de vue ou du moins surveiller portes et fenêtres le temps qu'il y sera pour ne pas que notre bonhomme prenne la clef des champs. L'une d'entre nous ira dehors et l'autre surveillera d'ici...

Sylvie se proposa comme volontaire pour aller à l'extérieur puis on retourna auprès de François qui avait tendu l'oreille en vain.

Carole inséra la clef du cadenas du harnais dans son orifice et tourna en disant :

– Si tu promets d'agir en homme réfléchi...

– Je ne vais pas poser un acte de profonde réflexion... à moins que vous ne me donniez votre revue... TV-Hebdo que je pourrai lire en faisant mon... possible... et mon... devoir...

Carole insista :

– Ceci n'est pas le signe de ton affranchissement. Dès après, on va t'enchaîner à nouveau. Tu n'es pas encore prêt à assumer ta pleine liberté...

Il voulut se montrer plus catholique que le pape dans ses intentions et ça le rendit suspect :

– Je vous donne ma parole la plus solide, mesdames. A toi, Sylvie, à toi, Gina, à toi, Carole et à toi, Francine. Lisez bien mes lèvres : aucune tentative d'évasion.

Le harnais tomba sur le lit. François demeura un moment en bobettes puis il sauta par terre, enfila des pantalons et se rendit à la salle de toilettes. Sans perdre une seconde, Sylvie quitta les lieux par l'autre pièce.

Les toilettes se situaient dans une avance de la maison qui possédait son propre toit formant noue avec celui du chalet. Une sorte de lucarne avait été aménagée pour faire entrer la lumière et faire baisser la température de la pièce par temps de canicule. Un homme agile et fort des poignets pourrait arriver à passer par là pour s'enfuir. Dès qu'il en eut fini avec le soulagement de son ventre, François grimpa sur le réservoir de la toilette puis se hissa le plus silencieusement qu'il put par la fenêtre étroite bloquée par un simple verrou intérieur. Rendu à mi-corps, il étudia la façon de retomber dehors sans se blesser et pour y parvenir, il s'accrocha les mains et fit tourner son corps dans l'autre sens. Et il glissa doucement jusqu'au sol...

Au moment même où il le touchait, des mains vives tiraient de chaque côté de lui, sur ses hanches, afin de faire descendre le pantalon. Sylvie réussit sa manoeuvre d'autant mieux que l'homme n'avait pas de ceinture. Aussitôt, elle se recula de cinq pas et reprit une seringue qu'elle avait posée par terre. Il se retourna.

— C'est pas beau de vouloir nous fausser compagnie après avoir donné ta meilleure parole à nous toutes...

— Un geôlier doit tenir parole envers les prisonniers mais l'inverse est faux. On m'a trompé en m'enlevant; je suis donc en droit de tromper en m'évadant. Telle est la règle du jeu !

— Et le jeu dit aussi que les ravisseurs doivent surveiller leur proie. En avant, marche ! On retourne de ce pas à l'intérieur...

Il voulut relever ses pantalons.

— Attention ! A mi-jambes seulement ! Sinon, je te pique.

— Et dire qu'il y a tant de gens qui courent les seringues et moi, ce sont les seringues qui me courent tout le temps...

16

François précéda sa geôlière dans la maison puis jusqu'à sa chambre où il entra, les culottes à moitié remontées. Sylvie tenait se seringue devant elle comme s'il s'agissait d'une arme. Elle déclara, l'oeil brillant :

— Les filles, je vous ramène notre lièvre qui se préparait à prendre la clef des champs.

— Mais comment ? demanda Carole.

— Par le chemin de la salle des toilettes...

— Ah! oui, le vasistas de la chambre de bains... j'avais oublié ça...

— Ce n'est pas gentil pour son fan-club, ça, dit Francine.

Il se fit penaud mais c'était par calcul :

— Un homme a quand même le droit de s'essayer, non ?

Et pour lui-même, il murmura :

— Je vais maintenant user de psychologie et employer les bonnes vieilles méthodes de séduction qui marchent avec les femmes depuis l'époque des cavernes...

— Allez, François, il faut te déshabiller...

Il fit des yeux étonnés. Francine poursuivit :

— Sois sans crainte, ce n'est pas pour te tripatouiller mais pour certains soins d'hygiène... Pour nous, au Québec, c'est une chose très importante; as-tu des objections ?

La perche lui était tendue au bon moment et lui permettrait d'utiliser de suite sa stratégie fondée sur l'obéissance, le sourire et la bonne composition.

– Mais pas du tout! Je serai votre objet et je me ferai des plus disciplinés.

Carole se montra incrédule :

– Plus un mot ?

– La plus totale soumission.

– Même si on est en pleine forêt, tu ne risqueras pas de te sauver ?

– Surtout pas ! Et j'avoue que j'aurais dû y penser avant.

Gina fut très contente de son attitude.

– Si tu savais tout le soin que nous allons prendre de toi à compter de tout de suite !

– Je n'en doute pas un seul instant.

Francine se rendit chercher un paravent d'hôpital dans un coin et le fit rouler jusque devant le lit où elle le déploya.

– Tu comprends que nous avons notre pudeur...

– Je la savais, cette pudeur, je la sentais, je la lisais dans vos yeux et pourtant je ne le voulais pas. J'étais buté comme un...

– Comme un Parisien, glissa Francine.

– Comme un Parizeau, pourrait-on dire aussi par ici, dit Sylvie.

Il commença à se dévêtir tout en parlant :

– Eh oui! je la voyais, cette pudeur de femme, dans vos yeux extraordinaires...

– Faut pas exagérer tout de même, dit Sylvie qui remit la seringue sur la table de chevet en étirant le bras du côté du paravent où se trouvaient François et le meuble sur lequel on avait posé le nécessaire aux ablutions.

L'homme la regarda par-dessus le paravent.

– Ton miroir doit te dire chaque matin avec bien plus d'éloquence que moi-même à quel point ton regard est superbe. Ah! quand tu souris, chère Sylvie, un homme fond comme neige du Canada... pardon du Québec... au soleil du printemps...

Il s'arrêta un moment pour réfléchir tout haut :

– Non, mais quelle extraordinaire coïncidence, vous ne trouvez pas ? Être ravi par les regards des ravisseuses...

148

– On te l'avait dit que ça pourrait arriver.

– J'avais peur, vous comprenez...

– La peur est la mère de tous les maux ! soupira Francine.

Carole parla ensuite :

– Tu as tout ce dont tu as besoin sur la table de chevet. L'eau, les serviettes, le savon... On a même dérobé ta guitare et un de tes costumes de scène en pensant que tu nous livrerais un concert privé cette semaine...

– Mais quel immense plaisir ça sera ! Oh! Carole, je parlais de regards, que le tien est intense : on le croirait provenir du soleil. Et je ne dis pas ça pour te dorer quelque chose, ce n'est pas mon truc...

Gina espérait si fort qu'il lui dise quelque chose à son tour qu'elle prit l'initiative :

– Des gens disent que mes yeux, à moi, ressemblent à ceux des Renoirs.

– Formidablement ! s'écria le chanteur. Mais ils expriment si merveilleusement le jour un soir comme ce soir que...

Il s'arrêta de parler un instant et entreprit de se laver puis il continua :

– On voit dans ton regard un brin de nostalgie mais une grande détermination, voire un emportement. Sans compter un côté... comment dire... royal... Un côté princesse...

– Et dans les yeux de Francine, quelle sorte d'âme lis-tu donc? demanda Sylvie.

Il prit un ton déclamatoire :

– Jamais je ne saurais dire combien ils me fascinent. Leur bleu est-il bonté ou volupté ? Sans doute les deux. En tout cas, on le croit venu tout droit de la voie lactée...

Plus elle se sentait flattée, plus elle devenait soupçonneuse, et Francine réclama un conciliabule.

– En rond, les filles !

Elles se regroupèrent près de la porte. François en fut inquiété et il écarta un pan du paravent pour mieux entendre et voir, laissant apercevoir sa presque nudité puisqu'il portait encore ses bobettes...

– Il cherche à nous avoir, dit Francine.

– Tu penses ? dit Carole.

– Il nous fait le tour de la tête en nous faisant le tour des yeux, toutes les quatre. Yeux de princesse, bleu de la voie lactée, éclat du soleil : mets-en, c'est pas de l'onguent. Ce gars-là est en train de vouloir nous séduire et il se fait courtisan. Je pense que nous devrions être sur nos gardes...

François avait beau tendre l'oreille, il ne pouvait pas entendre. Contrarié, il prit le rouleau de bouleau qu'il se mit sur l'oreille afin de mieux entendre, mais la pudeur le gagna et il transféra l'objet vis-à-vis de son sexe, puis, incontrôlable, il s'en servit comme d'un télescope... et la ronde recommença quand il s'en servit encore pour capter les sons...

Gina dit, naïve :

– Il est peut-être sincère, après tout.

Carole hocha la tête.

– Pas du tout selon moi ! Mais il est si charmant avec son concert de beaux mensonges...

La phrase permit à l'humour de remplacer la suspicion chez le quatuor et Sylvie proposa alors :

– Hey! les filles, chantons-lui notre chanson.

– Bonne idée, ça ! Allons-y !

Elles coururent aussitôt comme des geishas près du lit et écartèrent le paravent. François plaça aussitôt le rouleau devant lui comme pour se protéger la décence... Chacune prit place à un coin de lit et c'est Gina qui prit la parole tout d'abord, et elle le fit avec candeur :

– Tu sais, François, les filles et moi, on a écrit un petit air en ton honneur. Oh! rien de bien extraordinaire, mais quelques rimes qui pourraient te plaire.

L'oeil quelque peu inquiété par leurs gestes, il se rassit et questionna en hésitant :

– Ah! oui ? C'est bien, ça. Et ça s'appelle ?

– Hymne aux étoiles, répondit Gina.

François se raplomba :

– Quoi de plus formidable pour faire une bonne chanson que de parler des étoiles !

Il mit le rouleau de bouleau sur son ventre et le fit osciller à droite et à gauche en disant :

– Eh bien! je me ferai astronome et je vais battre la mesure comme un métronome...

Francine prit le seringue sur la table et s'en servit comme d'une baguette de directrice de chorale. Elles entonnèrent sur l'air de *Les Trois cloches*...

> Une étoile brille, brille
> Tout là-haut dans le ciel noir
> Sa lumière qui scintille
> Dit au monde dans le soir:
> A genoux peuple fidèle,
> Mon coeur brûle de te voir;
> Sur le vol d'une hirondelle,
> Je voyage à tire d'ailes
> Pour te redonner l'espoir.
>
> Mirage au fond de la télé
> Comme ignoré, loin des humains,
> Au coeur de sa nuit étoilée,
> Le dieu emprunte son chemin.
> Voici qu'après quelques années,
> Son image enfin nous parvient.
> Les ondes se sont incarnées
> Et l'idole nous appartient.
>
> Les étoiles dansent, dansent
> Sur l'écran de nos amours
> Pour célébrer à distance
> La gloire à François D'Amours.
> Dans leur formidable ronde
> Elles s'unissent au vainqueur
> Pour annoncer à ce monde
> Sur la super super-onde
> Que Dieu bénit les rockers.
>
> Mirage au fond de la télé
> Loin des humains, comme ignoré...

– François trouvait cela affreux à tous les points de vue et il les interrompit, mais ce fut pour dire ensuite avec la plus grande émotion :

– Me laisserez-vous applaudir avec mes larmes ? Et croyez que je suis tout à fait sincère et que ce n'est pas là une arme... comme pour les femmes... Pardonnez ma franchise mais elle prouve ma sincérité. Oui, je suis séduit. Votre talent est tout simplement incomparable et j'ai envie de vous dire qu'il se compare avantageusement à... à quatre fois celui de Céline Dion... Ah! peut-être un tout petit peu de finition...

– Comme ? demanda Carole, le regard agrandi comme celui d'une fillette.

Il haussa les épaules.

– Pas grand-chose...

– Mais encore? demanda à son tour Sylvie.

– Ben... peut-être laisser l'écriture à Plamondon...

– Autre chose ?

– Adopter un style disons un peu plus rapide...

– Rigodon ?

– Ouais... c'est ça ! Mais laissez-moi le répéter, vous possédez un grand talent pour former un quatuor de chanteuses professionnelles. Aucun problème en tout cas pour vous voir à la télévision et vous irez si vous avez un peu de piston...

Francine se laissa prendre au piège.

– C'était un simple hommage de tes admiratrices. Rien d'envergure comme ce que tu fais... Du travail d'amatrices quoi !

– Aimeriez-vous que dans les journées qui viennent, je vous montre comment vous comporter devant une caméra de télévision? Je veux dire pour que le succès soit assuré...

– Si tu nous jures de ne pas t'évader... encore que tu l'as juré une fois et...

Il balaya l'air du rouleau de bouleau.

– Ah! oubliez ça ! C'est une grande chance pour moi, cet enlèvement. Vous savez, ma carrière connaissait quelques ratés en France. Pourquoi pensez-vous qu'une star de mon calibre vient ici dans ce petit pays de merde ? Prenez pas la mouche, je veux dire que six millions par rapport à soixante et à toute l'Europe en fait, car vous savez que je chante aussi en anglais, en allemand, en espagnol et en italien, eh bien ! c'est très peu...

– Pourtant, tout à l'heure, tu as cherché à t'enfuir et j'ai dû te ramener la seringue au poing et les culottes à terre...

Il pencha la tête et dit avec humilité :

– Je savais fort bien que quatre femmes aussi brillantes et audacieuses que vous me feraient contrôler par une surveillante et que je n'échapperais pas une seule seconde à leur attention... Soyez tranquilles, je resterai ici le temps que vous voudrez...

Et il ajouta avec un oeil narquois :

– De votre côté, j'espère que vous n'allez pas me démembrer.

– Mais non, s'écria Sylvie qui s'empara de son bras et y posa ses lèvres.

– Mais non, mais non, enchérit Francine en lui embrassant une main.

– Mais non, mais non, mais non, ajouta Gina qui le toucha pudiquement au genou.

– Mais non, mais non, mais non, mais non, s'écria Carole en lui frôlant le pied avec sa bouche.

Tout à fait rassuré et pleinement satisfait, il dit avec calme et autorité :

– C'est bon ! Aimez-moi et je vous donnerai toutes les leçons que vous voudrez...

Ses quatre admiratrices éclatèrent ensemble :

– On ne demande qu'à t'aimer depuis toujours, nous autres.

Il acquiesça :

– Étant femmes, vous êtes faites pour l'amour.

Il y avait une boîte à musique dans le tiroir de la table de chevet. Carole la sortit et l'ouvrit. Des notes belles s'égrenèrent et se répandirent partout autour de la pièce. François se cala dans son lit tout en gardant le rouleau en travers de son ventre. Il ferma les yeux et se laissa caresser.

– Cette fois, et pour la première depuis qu'on se fréquente, je crois que je vais me laisser faire.

– Sois assuré qu'entre nos mains, tu vas te plaire.

Et ensemble, elles dirent :

– On va te faire visiter le septième ciel.

La détente l'envahissant à travers les mains qui le frottaient, il murmura :

– Le sexe des anges, il est féminin, ça je le sais, ça je le sais.

Elles redirent ensemble :

– On va te faire visiter le septième ciel...

– Je crois que déjà un arc-en-ciel m'y emporte...

Il ne tarda pas à entrer dans la somnolence malgré toutes ces heures de sommeil que les circonstances et les piqûres lui avaient prodiguées dernièrement.

– Va éteindre la lumière, dit Francine à Gina.

Et quand on le sut dans un rêve que disaient les battements de ses paupières et le raccourci de son souffle, les filles quittèrent une après l'autre. Par ordre alphabétique : Carole, Francine, Gina, Sylvie... On ne voulait pas faire de jalouses...

17

François fit un incroyable voyage astral. Son esprit s'échappa de son corps et survola des contrées inconnues formées d'immenses chaînes de montagnes et déserts de glace. Mais tout n'était que charme et beauté à la vue et bien-être au coeur et à l'âme.

Des fleurs, des papillons, des petites bêtes douces à pelage duveteux, tout ce qui le frôlait et le touchait avait la texture du velours et l'odeur du lilas.

Soudain une main géante l'arrêta et le posa sur un sol frais mais qui n'était pas inconfortable. Une sorte de réalité incontournable dans un monde onirique jusque là imprégné de détente et de paix.

C'était Dieu.

François le sut par toutes ses impressions subconscientes.

Et Dieu lui parla comme à un enfant bien-aimé...

Et Dieu, ce jour-là, se montra très, très humain...

Et il se montra tel qu'il est vu tous les jours par les humains en général.

Tout d'abord, il inonda François d'une brillante lumière puis il se racla la gorge à quelques reprises et dit :

— J'ai trop fumé ces derniers temps. Et toute cette pollution qu'il y a dans le ciel maintenant... l'enfer est pas pire !

François crut un moment qu'il avait affaire à un faux dieu mais Dieu le rassura aussitôt :

155

– Je suis bel et bien le Seigneur ton Dieu, cher ami. Cher fils à vrai dire... J'en ai pas mal à te dire, ouvre bien tous tes récepteurs.

– Mes antennes sont sorties, pensa François tout haut. Je prête toutes mes oreilles à mon Créateur.

Dieu entama son monologue à voix lente et monocorde :

– D'abord, je te dirai, mon cher François, que je veille sur toi plus que tu ne saurais l'imaginer... et je dirai aussi

Alors il doubla le ton et le fit vibrer dans le registre du reproche le plus complet :

– ... que tu me déçois en Lucifer.

Sur son lit, le corps de François bougea et son visage s'étonna mais son corps astral demeura, lui, dans la dimension de Dieu qui poursuivit :

– Je t'ai donné la force et toi, tu montres ta faiblesse. Regarde-toi donc en train de vibrer aux caresses de ces mains dangereuses qui te ramollissent et sont en train de faire de toi une mauviette, une serviette comme celles dont on se sert pour frotter tes membres... J'ai fait de toi Samson et tu cèdes à des séductrices. C'est le monde à l'envers...

– Bordel de merde, Seigneur Dieu...

– Je ne veux pas entendre un seul mot de ta part tant que je n'aurai pas terminé ma semonce... Et surtout, ne me jure pas par la tête de cette façon ou bien je donne ta place de star mondiale à Dan Bigras... Bon, je me calme... Je sais, je sais, j'ai voulu te mettre à l'épreuve encore et je voulais quelques preuves supplémentaires de ta demi-divinité. Bon, je t'ai donné la terre entière pour briller. Comme à mon fils aîné. Je reconnais que tu t'en es pas mal tiré. Mais entre dans ta petite tête que tu n'appartiens pas au public, encore moins à une petite bande de fanatiques, tu es l'enfant de la gloire et de la victoire. Si tu faiblis, si tu te laisses manger la laine sur le dos, si tu te soumets, il va t'arriver la même chose qu'à Jésus, mon grand 'flancs-mous' comme ils disent dans le p'tit Québec. Te voilà en train de gaspiller ton potentiel. Tu fiches tout par les fenêtres. Qu'est-ce que cette histoire de te laisser aller dans des bras de femmes aux plaisirs du plus bas étage ? Une flamme et une seule devrait brûler tout ton être et c'est celle qui naît des acclamations du peuple. Je suis obligé de prendre une mesure à ton sujet, qui consiste à t'expliquer clairement ta vraie

156

nature et les choses de la vie que tu perds de vue...

Le Seigneur éternua, se plaignit des courants d'air puis il reprit son exposé avec le même mélange de désabusement et de reproche :

– Écoute-moi bien et que la leçon porte fruit ! J'ai créé les hommes inégaux, il me semble que c'est évident, ça. A tout siècle, des hurluberlus de politiciens ou d'écrivains proclament que tous les hommes sont égaux et pour mieux le faire croire aux imbéciles, on a inventé la démocratie... Ça vient pas de moi, cette histoire-là, hein ! Les banquiers, les grands financiers, les grandes entreprises, les fonctionnaires gouvernementaux et dans une certaine mesure les médias mènent le monde et font croire au peuple idiot qu'il se mène lui-même par son vote aux élections. Bullshit ! On s'attardera pas là-dessus, c'est trop drôle. Donc inégaux, les humains. Des puissants, des faibles, des gagnants, des perdants. Le loup mange l'agneau, le lion mange le zèbre. La plupart resteront des nuls et seulement quelques-uns deviendront célèbres... J'ai envoyé une inspiration irrésistible à Robin Leach et il a produit l'émission de télévision sur les gens riches et célèbres pour donner des exemples à l'humanité... pour que les misérables se déniaisent eux autres aussi... Pour ce que ça a donné... Enfin... J'aime les riches et c'est pour ça qu'ils s'enrichissent. J'ai mis des capacités dans chacun et d'aucuns les gaspillent en étant bons, honnêtes, charitables, tolérants, et ils restent pauvres toute leur vie aussi. Qu'ils crèvent, que voulez-vous ! Le pire, c'est que c'est les riches qui sont obligés de payer pour les misérables, ces parasites sociaux. Tu peux être sûr qu'ils vont rester longtemps à la porte du paradis, ceux-là... Pis avant d'arriver, ils vont trouver le voyage long avec leur petit chèque d'assurance-chômage ou de B.S. pour prendre le train... Ça va prendre plusieurs milliers de mois avant de se rendre...

Les muscles du corps de François se raidirent et Dieu le nota.

– J'ai donc créé des êtres supérieurs. Comme l'homme. Et des êtres inférieurs... faudrait-il que je les nomme ? Non, le temps, même pour Dieu, est trop précieux de nos jours. Je suis l'ami des étoiles... que j'adore, même si ça peut avoir l'air drôle pour Dieu de dire ça... C'est évident que je les aime, suffit que tu regardes en l'air quand le temps est clair la nuit. J'en ai fabriqué des milliards et des milliards. Des étoiles, c'est pas de l'onguent. Sauf que je les ai vues durant des milliards d'années, ces petites étincelles-là. Et

157

comme on se tanne de tout, tu comprends. Un bon jour, ça fait pas longtemps, je me suis dit comme ça : mon gars, tu devrais te forcer un peu la jarnigoine et inventer une patente semblable à la voie lactée, remplie d'étoiles. Mais attention, des étoiles avec une image et pas rien que des tas de poussière qui se fuient les uns les autres. Le problème, c'est que dans le genre, j'avais déjà quelque chose, c'est-à-dire l'homme, ce petit tas de poussière avec une âme, ce finaud qui s'énerve, qui s'excite, qui s'enflamme... En creusant dans mes méninges, j'ai trouvé la plus formidable invention de ma longue carrière : la télévision. Yes sir, la télévision, c'est moi. Si tu me crois pas, mon conseiller, le roi-soleil, te le confirmera et c'est un homme digne de foi, et c'est pour ça que je l'ai laissé vivre si vieux et que je l'ai choisi comme bras droit...

Dieu fit une pause puis enchaîna après un long soupir d'un demi-siècle :

– Ce nouveau médium, c'est tout un univers, capable d'éclipser tous ces astres qui au diable vauvert foutent le camp. Avec ça, plus besoin de sortir dehors pour admirer des étoiles. Des étoiles télévisuelles, ça plaît bien plus à la populace. Elles sont encore moins nombreuses que celles du ciel, il est vrai, mais ô combien plus éclatantes ! Chaque jour, elles entrent dans les salons du coeur et jamais sans s'être fait annoncer d'avance. Des étoiles polies qui frappent à la porte: parlez-moi de ça! Elles ont adapté un mot d'ordre qui se lit dans leurs sourires artificiels : Vox Dei : Vox Populi. Ah! François, si mon fils aîné avait donc eu la télé dans son temps en Judée, en Samarie, en Galilée, pour le suivre dans ses apparitions publiques, il ne serait resté aucun sceptique dans toute la Palestine et même Pierre la grosse tête aurait cru sans s'obstiner, et tout le monde aurait compris ses paraboles, à mon Jésus... Anyway...

Dieu fit une autre pause pour laisser fondre ce mauvais souvenir et il poursuivit sur son invention magique:

– L'intelligence de l'homme étant ce qu'elle est, la télé fut dans ses débuts un pur navet, une sorte de sous-produit des collèges classiques. De l'ordre, certes, de la beauté, oui, une certaine qualité, mais rien d'authentiquement humain. Ah! des téléthéâtres, des concerts et du hockey sans visières, mais... qui veut faire l'ange fait la bête, c'est connu. Par bonheur, elle a fait son petit bonhomme de chemin et elle s'est adaptée à la vraie nature de l'humanité en se vidant de sa profonde SUBSTANCE pour ne garder que ce qui a de l'importance : l'IMAGE. Après tout, est-ce que moi, j'ai créé l'homme selon ma SUBSTANCE ou bien selon mon IMAGE et ma ressemblance ? Hein! ? Bon... la vocation de la télé s'est affirmée et la voilà de plus en plus capable d'exprimer la vraie vie, les différences tout en les favorisant et en les banalisant. Et puis comment s'appelle l'expression par excellence de la différence, hein ? C'est la violence. La télé a compris cela et c'est pourquoi elle aime les gagnants, les Rambo, la performance, les défis, les flambeaux, l'inégalité, la compétition. Et elle aime beaucoup ceux-là qui mentent à la population. Sincèrement, je crois que mon bon ami Lucifer n'aurait pas su mieux faire. Et toi, cher François qui fut le plus choyé de tous, ta mollesse présente me tape sur le gros nerf ou si tu veux sur le Saint-Esprit. Sache que je préfère les forts, les chefs, les généraux, les gros noms. Je t'ai donné un tremplin, une catapulte pour que tu deviennes l'objet d'un culte, tu dois garder la tête à la hauteur du défi. C'est comme ça que tu en tireras d'incomparables bénéfices. Laisse-toi donc guider par une immense fierté, bien sûr sous des dehors d'humilité. Et que le mot fier jalonne ton langage. Fier, fier, fier, voilà comment l'esprit brille ! La fierté rapproche les humains de Dieu... de moi si tu veux... Et le mot doute, mets-le en esclavage. Tu sais, au firmament de la célébrité, une étoile qui scintille ne peut s'arrêter qu'en implosant et alors, elle devient un trou de mémoire, ou bien en explosant dans le noir profond de l'espace télévisuel mondial... Ah! bon Dieu de bon Dieu ! ah! moi de moi ! je t'ai fait spécial afin que tu sois spatial. Tu dois te dépêcher, courir, prendre les devants, la tête, et comme ça, avec un peu de chance, tu arriveras au ciel bien plus vite. Et si alors tu veux devenir une étoile, une vraie, je peux te dire que je te réserve une belle place dans la queue de poêle... Mais avant cela, tu devras traverser la vie sans tergiverser. Tiens fort le volant comme Gilles Villeneuve. Sois le super champion de toutes les épreuves. A fond le champignon, vitesse maximum ! C'est comme ça et pas autrement que tu seras toujours un homme et un vrai. Je t'ai choisi pour être grand. Tu sais, je suis l'ami des mégastars, des rois, empereurs et dictateurs, et bien entendu des présidents même si je vis en théocratie... Tiens, un nom que tu connais peut-être, même si tu es un Français, celui de René Lévesque, un grand petit Québécois... Il brille à mes côtés et c'est pour ça que les Québécois le prient le soir à la brunante. C'est un esprit très utile pour négocier des ententes avec le monde infernal qui nous entoure là-haut. Chaque automne, il

159

tente de souder la confédération céleste. Tu sais, mon ami, il faut du génie pour discuter avec cette peste de Satan, un ratoureux de la pire espèce... Vous autres, en bas, vous pensez que le ciel, c'est le paradis, qui c'est qui vous a fourré ça dans le crâne ? Ceci étant dit, je commence à avoir la voix fatiguée; je vais me reposer un moment, je pense. Je te le dis à toi mais pas aux gens ordinaires qui ne comprennent rien : ce qui compte dans la vie, c'est d'avoir du nerf. Regarde les loustics, les badauds, les lecteurs de romans, c'est des gens sans image publique et ça sert à quoi à part applaudir les superstars comme toi ? En vérité, en vérité, je te le dis, c'est au sommet seulement que l'on n'est pas un pauvre débile...

François comprit alors que Dieu lui accordait une seconde pour dire quelque chose et il le dit :

– Seigneur, Seigneur, que la leçon est grande et belle ! Je me sens tout remué d'une vigueur toute nouvelle. Mais vous allez me comprendre de ne pas posséder toute votre science et toute votre expérience ou même le millionnième de vos attributs, alors me laisserez-vous vous demander un ou deux petits conseils bien humblement en ce qui concerne mes quatre kidnappeuses. Quelle conduite devrais-je adopter à leur endroit ? Ce n'est pas déjà simple de savoir comment faire devant une seule femme, imaginez quatre et des personnes qui n'ont pas froid aux yeux en plus. Fuir ou ne pas bouger, telle est la question. Une main de velours dans un gant de fer, ça, je veux bien, mais comment y parvenir ?

– Tu me demandes comment les circonvenir et pourtant, c'est écrit dans ta nature de séducteur. Tu commences par leur raconter tous tes malheurs. Vrais ou imaginaires : mets-en, c'est pas de l'onguent ! Enfant abusé par ses parents, par des religieuses ou mieux par des curés, obligé de se soumettre aux pires violences. Adolescent tout à fait malheureux, rebelle, agressif. Et fugueur naturellement. Et surtout drogué jusqu'aux oreilles, ça, ça poigne ! Ensuite devenu un adulte subjugué par des femmes fatales, c'est pas ça qui manque sur la planète. Sorte de boxeur magané par des gens sans scrupules. Par boxeur, je veux dire quelqu'un qui a une face de baveux et un grand grand 'caoeur'... comme Dan Bigras ou Rocky Balboa... Suis ma recette et tu verras, t'auras tout ce que tu veux à la condition que tu te sois sorti de tes problèmes, sinon les gens te fuiraient. Il faut que le perverti soit repenti et qu'il vive heureux tout en ayant un vide à combler. Les femmes aiment bien combler les vides. On te verra riche de talent, de gloire, d'argent et de liberté et alors toutes les névrosées vont se garrocher à tes pieds pour les baiser, les inonder de leurs larmes et les essuyer avec leurs cheveux. Jésus quand il s'y mettait, avait le même succès avec elles.

François osa dire :

— Seigneur, pas une seule fois vous n'avez prononcé le mot... macho, mais j'ai l'impression que vous me voulez ainsi...

Dieu allongea la voix :

— Mais non ! Ça n'existe pas, les machos, mon gars. C'est un mot conçu par la bonne femme Ève avant que je ne la fiche hors du paradis terrestre avec son idiot de mari qu'elle passait tout son temps à engueuler comme du poisson pourri. Comme le jour où il rapportait des bananes pour dîner. "Espèce de pas bon, c'est des oranges que je voulais !" Le lendemain, il revient avec des oranges. "C'est des poires que j'aurais voulu, mon ange !" Et mon Adam de retourner chercher des poires. "Je voulais des prunes, tu devrais savoir ça." Il a couru aux prunes, aux fraises, aux pamplemousses; elle était en train de le faire mourir et le pauvre homme n'avait même pas encore assuré sa descendance. J'ai dû voler à sa rescousse. La fatigante prenait un bain d'ombre un beau matin sous le feuillage d'un grand pommier. J'ai soufflé... Toutes les pommes ont dégringolé sur la pauvre dame qui en fut très, très ébranlée, et quelque chose s'est alors détraqué dans sa tête. C'est là qu'elle a commencé à avoir l'air bête. Tout s'est envenimé encore plus dans leur ménage. Lui s'est découragé, s'est assis et m'a demandé du chômage et elle l'a convaincu de fonder un syndicat. Un bout de temps, j'en faisais pas trop de cas, mais c'est devenu intolérable et j'ai dû leur montrer la porte de l'Éden. Ils sont devenus témoins de Jéhovah et depuis ce temps-là, ils font du porte à porte de bonne heure le matin, les fins de semaine... Et que de mauvaises répercussions sur cette pauvre humanité ! Ève étant génitrice de la race humaine, tous les problèmes de son cerveau déréglé furent transmis à sa descendance... pour être plus précis, au côté féminin de sa descendance. J'ai tâché de rafistoler les roues détraquées mais la mécanique des femmes est ben compliquée. Je ne me rappelle plus comment je l'ai patentée. Tu sais, ma mémoire connaît de plus en plus de ratés à mesure que je prends de l'âge. Satan vaut pas mieux, il est bourré d'arthrite. Peut pas m'aider à réparer les bonnes femmes pis en plus que ça fait son afffaire de même. J'ai essayé de radouber quelques exemplaires. Tiens, j'ai mis un peu de plomb

161

dans le cerveau de madame Thatcher et ça n'a pas marché, elle est devenue la dame de fer. J'ai envoyé deux ou trois voix à Jeanne d'Arc; ça a fini par lui mettre le feu au cul... J'ai envoyé Brigitte Bardot dans un parc d'animaux, elle s'est mise à japper... Ici au Québec, je me suis essayé sur madame Bombardier et dans sa tête, je me suis perdu dans un immense bourbier. J'ai sacré mon camp sans rien changer à sa confusion mentale, me disant à moi-même : elle est parfaite à la télévision. Bon, pour en revenir à ce que je disait tantôt, joue le grand jeu des illusions avec les femmes et ça va marcher pour toi. Cherche pas à les comprendre, c'est du temps perdu. Sois ferme et fort et fais-les se sentir de vraies dames, ça, c'est magique. Ah! si j'étais donc moins vieux et un petit plus humain, j'irais en bas t'aider à te faire la main.

     – Je sais ce que vous voulez de moi, Seigneur et soyez assuré que je vous ferai honneur...

     – J'espère et j'y compte.

     – Garanti ! Foi de François !

     – Sois un homme, mon fils, un vrai ! Tes forces sont dans ton image et dans ton bras. Il m'arrivera de semer sur ta route quelques signes de piste, surveille ça et vis ta vie comme un parfait égoïste, c'est comme ça que les petites gens vont te courir après pour t'encenser en espérant obtenir les miettes qui tomberont de ta table...

Dieu termina en chuchotant :

     – Et de temps en temps, ne te gêne pas pour leur donner des coups de pied sous la table, ils vont te les lécher...

Alors Dieu fit entendre aux oreiles du corps astral de François une musique céleste interprétée par l'orchestre symphonique de Montréal dirigée par une étoile naine...

Puis la main géante reprit le corps et le projeta dans l'inconnu. Il survola à nouveau de hautes chaînes de montagnes, des étendues d'eau, des déserts de glace pour enfin se retrouver dans sa composante charnelle étendue sur le lit et bougeant le nez qui chatouillait...

Un chat gris à longs poils cotonnés avait pris place sur la poitrine du dormeur et ronronnait dans son cou proche de son oreille tout en piétinant son menton de ses coussins moelleux. François sentait qu'il devait se réveiller pour éloigner la petite bête puisqu'il avait toujours été allergique aux chats. Mais quelque chose le retenait prisonnier de l'inconscience. Peut-être s'agissait-il du diable qui cherchait à lui faire oublier sa conversation avec Dieu, et qui avait pris la forme d'un chat, ce qui ne serait pas la première fois de son existence, à ce damné Satan.

De plus, maintenant, il entendait des bruits au loin : la sonnerie du téléphone, des portes qui se ferment, des objets qui tombent et des rires qui se répandent...

Les poils bougèrent sous son nez et le désir d'éternuer naquit et grandit vite jusqu'à exploser dans le clair-obscur de la réalité. Une plume d'oiseau échappée de l'oreiller fut projetée en l'air depuis sa bouche et retomba doucement sur son visage.

Il regarda tout autour : pas de chat !

Son inconscient s'était bâti une illusion à partir d'une réalité plutôt différente quoique non sans lien avec elle.

Il s'habilla et resta assis sur son lit à réfléchir...

18

François eut quelques instants pour se remémorer son entretien avec Dieu et son visage se mit à rayonner. Dieu avait raison une fois de plus : une star doit se comporter comme une star. Prodiguer de l'affection lumineuse et surtout recevoir les hommages du populo.

Il savait quoi faire, quoi dire, quelle attitude prendre avec ses ravisseuses. Toute velléité de peur avait maintenant disparu. La chambre sombre était remplie de soleil. Les filles se mettraient bientôt à l'ombre de sa stature...

La porte s'ouvrit et on fit de la lumière. Trois femmes ayant retrouvé des vêtements réguliers s'approchèrent mais elles durent s'arrêter car François s'était levé et précipité vers elles en tenant ses poignets collés l'un à l'autre.

— Menottez-moi si vous le désirez, jamais plus qu'en ce jour béni je ne fus libéré. Car la liberté première et suprême, c'est celle du coeur et de l'esprit, pas celle des membres et de la chair...

Francine dit :

— Il nous est apparu...

Il coupa, transfiguré :

— Il vous est apparu à vous aussi ? Ah! malgré qu'il ait la critique facile envers l'autre sexe, je crois qu'il vous aime bien, les filles. Si comme vos mères, vous savez être belles et soumises, il vous aimera encore bien plus...

– De quoi parles-tu donc ?

François pointa le plafond de l'index pour désigner le ciel.

– Mais de Lui qui est apparu au même moment à vous et à moi. Ne l'avez-vous pas entendu ?

Francine haussa les épaules et dit :

– J'étais à dire qu'il nous est apparu vain et inutile de continuer à te charger de chaînes.

Carole enchaîna :

– Ton sort, désormais, il est entre tes mains seulement.

– Tandis que le nôtre dépend de toi, ajouta Sylvie.

– On a rétabli le circuit téléphonique. Il suffit que tu appelles la police et quatre folles seront livrées à la justice.

François retrouvait son piédastal et sa condescendante supériorité. Il déclara sur le ton d'un banquier :

– Je ne le ferai pas; je serai magnanime. Il ne sera jamais dit que la victime de cet enlèvement fera à son tour des victimes. Vous vouliez que je sois ici jusqu'à lundi eh bien ! je resterai quels que soient les concerts sautés. Et ce jour-là, vous n'aurez qu'à me reconduire loin d'ici où vous me relâcherez. Moi, je déclarerai toute la vérité tout en me gardant bien de révéler votre identité. Et c'est tout ! Et tout le monde sera heureux dans le meilleur des mondes.

Sylvie s'inquiéta malgré tout :

– Ne risque-t-on pas de remonter jusqu'à nous ?

– Impossible pour moi de leur dire l'endroit où nous sommes puisque vous me reconduirez les yeux bandés. Simple comme le nez au milieu du visage !

– Mais quelle motivation vas-tu nous prêter pour t'avoir enlevé, séquestré, ligoté ? s'enquit Francine qui plissait le front. L'argent, le sexe, une cause humanitaire ?

– Je dirai tout simplement : ce sont des admiratrices célibataires et anonymes et si on me demande de collaborer à l'établissement d'un portrait-robot, je mentirai, et on recherchera quelqu'un qui ne vous ressemble en rien.

Carole parla à son tour :

– On pensait qu'en fin de compte, notre crime serait payant pour tout le monde. Notre intuition féminine nous disait d'aller de l'avant, et comme il paraît que l'intuition est une qualité divine...

François coupa :

– Et Dieu est un sacré bon gars, ça je peux vous le dire. Je le connais très bien ainsi que je l'ai déjà dit à l'émission de cette bonne madame Latache...

Il se fit une pause puis il se mit à chantonner comme Bécaud:

– Et maintenant, que fais-je faire ?

Mais en lui-même, il pensait :

" Moi, le mâle dominant, vais leur montrer comment il faut traiter les femelles de l'espèce. Les gonzesses, elles en réclament de la poigne, eh bien! elles en verront et en sentiront..."

– Mes petites chéries, je consens à me faire embrasser. Venez à tour de rôle, approchez, passez et faites-moi savoir votre reconnaissance pour le bonheur que je vous apporte en tant que star et dites-moi votre admiration...

Le message fut bien reçu et elles dirent ensemble :

– Nous allons tomber en transe...

Puis elles allèrent l'embrasser l'une après l'autre.

– Mais, je me rends compte tout à coup que vous n'êtes que trois. Où donc est Ananas ?

Francine qui avait les yeux gagnés soupira :

– C'est pas ma nana, c'est ta nana du Canada...

Le matelas du lit reposait sur une planche de contre-plaqué. François décida qu'on s'en servirait comme scène afin de faire pratiquer les filles comme il l'avait dit. Il souleva le matelas et le rejeta plus loin sur le plancher.

– Nous allons inaugurer le quatuor par un trio, mesdames et cette prison va devenir un studio.

Il prit la guitare et fit monter les filles sur la scène improvisée.

– Allez, allez, la leçon va maintenant commencer. L'essentiel, c'est de bien savoir se trémousser. Pistache, toi, mets la guitare en bandoulière et toi, Francine, relève un peu tes cheveux. Quand à toi, Harley, on va toujours s'appuyer sur ta voix qui est la plus chaude, la plus douce et la plus vibrante... Prêtes ? Un, deux, trois...

Sylvie entonna :

– Mirage au fond de la télé...

– Minute, minute ! Il faut des gestes et dans les gestes de la langueur, des mouvements très amples... Il faut exprimer la tristesse, le spleen, la nostalgie, l'ennui même...

Pendant que se poursuivait cette pratique, Gina marchait sur le chemin d'en bas entre les grands érables dont il tombait çà et là des samares qui se posaient en douceur sur la terre brune. Il commençait à faire pas mal sombre mais elle ne voulait pas rentrer tout de suite. Un moment de réflexion ou de non réflexion lui était nécessaire...

L'être humain est plus vulnérable quand il se retrouve seul et c'est alors que l'amour s'installe en lui sans bruit. Pas loin, un regard l'observait sans qu'elle ne s'en rende compte. Son pied délicat dans une chaussure basse, sa jambe et sa cuisse bien galbées, sa fesse généreuse suivie de la profondeur de sa taille puis d'une colline douce et surprenante : rien de tout cela n'échappait à l'oeil de l'observateur qui eût bien aimé explorer ce territoire charnu...

Elle fut attirée par l'arbre et bifurqua pour s'y rendre afin de s'asseoir un moment à son pied. Aussitôt, les yeux curieux se cachèrent et quand elle ne fut plus qu'à quelques pas, le guetteur prit sa queue à son cou et déguerpit dans un bruit soudain qui fit sursauter la jeune femme. C'était un bel écureuil roux qui sauta à l'écorce de l'érable voisin et grimpa à quinze pieds avant de s'arrêter pour écouter, regarder, sentir...

La femme s'assit et regarda l'animal nerveux qui demeurait un bon moment au même endroit puis exécutait un mouvement sec sans raison.

Elle commença à lui parler et à lui poser tout plein de questions auxquelles il semblait répondre par des gestes de la queue ou quelques pas vifs sur l'écorce de l'arbre :

– Où étais-tu avant de venir sur cette planète, hein ? Qui étais-tu donc ? Une personne humaine ? Ou peut-être un autre écureuil comme toi ? Et pourquoi les écureuils quand on les voit sont-ils toujours seuls ? Dans quel arbre caches-tu tes réserves ? Dans celui-ci peut-être ? Et tu attends que je reparte pour continuer ton travail ? Et pourquoi ne m'apporterais-tu pas quelques noix, tu sais, j'ai faim, moi.

Sa main ramassa des samares qu'elle tenta vainement de lancer en l'air mais qui restaient comme suspendues dans le vide à cause de leur légèreté puis tombaient doucement sur ce sol nu auquel elles appartenaient désormais.

– Cher écureuil, il y a du brouillard dans ma tête, est-ce qu'il y en a aussi dans la tienne ? J'ai peur de ce que nous avons fait et pourtant je suis sûrement celle des quatre qui regretterait le plus ne pas l'avoir fait. Comprends-tu cette contradiction ? Sais-tu au moins ce que c'est que la contradiction ou bien es-tu mené par tes seules impulsions ? Tu connais la peur, tu connais l'hésitation, tu peux même être apprivoisé, c'est donc que tu la connais, la contradiction dans ton cerveau plus petit que la noisette que tu portes entre des pattes... Je t'aime, petit écureuil, et pourtant, je ne te connais pas : dis-moi pourquoi !

Elle ferma les yeux et tendit l'oreille. Que le bruissement léger du vent dans le feuillage et pourtant, quand elle regarda à nouveau la petite bête, il n'y avait plus d'écureuil. Elle explora les environs du regard et ne vit rien et elle supposa qu'il se cachait de l'autre côté de l'érable en attendant que l'intruse parte. Puis elle entendit l'appel de son nom par une voix féminine qu'elle sut être celle de Carole.

– Gina, viens pratiquer!... Gina, où es-tu rendue ? Viens chanter avec nous autres...

Elle ne bougea pas. Ça ne l'intéressait guère de faire partie d'un groupe et à y bien réfléchir, ça ne lui disait rien du tout. Qu'on pratique sans elle ! Mais la nuit qui tombait lui commanda de retourner au chalet et elle se mit en marche sans se presser... Des samares tombèrent sur sa tête et s'accrochèrent dans ses cheveux mais elle ne les sentit même pas...

19

Gina flâna sur la galerie d'où elle pouvait entendre la fine voix de Sylvie qui entonnait le refrain de leur *Hymne aux étoiles*. Et ça lui suggéra de regarder le ciel pour voir s'allumer un à un des feux infimes dans le lointain sidéral, au fin fond de l'imagination et même au-delà de ses limites.

L'amour est un phénomène qui fait remonter à la surface les problèmes d'identité ou qui peut-être en est le résultat dans la nature humaine et plonge la personne dans une introspection et une analyse de sentiments qu'elle espère pouvoir la sortir de sa confusion et de son aveuglement. Gina cherchait dans l'infini à cerner une définition d'elle-même qui ne venait pas. Elle éprouvait quelque chose de neuf depuis quelques jours et c'était le résultat d'un mélange inédit : sa récente séparation, ce geste incroyable posé avec ses trois amies envers une mégastar, se savoir à l'origine de manchettes dans le monde entier, vivre un thriller psychologique, se sentir séduite par la faiblesse de François en même temps que par cette force qui brillait toujours au fond de son regard...

On devait la sentir de plus en plus à part à mesure que passaient les heures et que toutes ces émotions la subjuguaient et transformaient son coeur aussi bien que la chimie de son corps... Il fallait qu'elle fasse des efforts pour s'assimiler au groupe sans toutefois abdiquer à elle-même... Elle entra, se rendit à l'évier de la cuisine et but un verre d'eau puis se rendit à la chambre où se préparaient des carrières exceptionnelles.

– On est en retard, hein ! lança François sans s'arrêter de guider le trio de sa main droite à l'index directeur. Allez oust ! petite Ananas, sur la planche, et que le quatuor s'exprime !...

– Pour être tout à fait franche, je n'ai aucune envie de faire du spectacle. D'abord, je n'ai aucun talent pour ça...

– L'image, c'est ce qui compte, le reste, c'est de la connerie... Si t'as pas de voix, les micros t'en donnent... Et puis, ne voudrais-tu pas accéder à la notoriété ?...

– Absolument pas ! Et puis, c'est la prison qui est au bout de la semaine, pas les sommets...

Les filles s'arrêtèrent un moment de chanter.

– Ma petite chérie, tout est arrangé, voyons...

Carole coupa :

– François se soumet à toutes nos volontés, et quand il sera parti, il dira tout mais sera muet quant à nous.

– La tombe ! dit-il, le regard agrandi par la certitude.

Gina s'assit sur une chaise droite et soupira :

– Tant mieux !

François recommença à battre la mesure et le trio suivit :

– Mirage au fond de la télé, chantait Sylvie de sa voix la plus pointue et claire.

– Stop ! Stop! On oublie le plus important... la marque.

– La marque ?

– Une image, c'est un visage – ici, trois – mais c'est aussi une marque. Pour que ce trio fonctionne et que son image passe au public, il lui faut d'abord un nom...

Carole dit en prudence :

– Tu me permets une remarque, François...

– Sûrement.

– Qu'il s'agisse de guitare ou d'accordéon, nous autres, c'est pas trop notre truc, tu comprends. Mais si on parlait de cuillers, de violon pis de la tape du pied, ça, ça nous connaît en caline de binne. En plus qu'on peut toutes jouer de la ruine-babines; même les intellectuels de haut rang chez nous aiment la québécoiserie.

Sylvie ajouta :

– Tu sais, on est moins dans le genre Yvette Horner que dans le genre Edith Butler...

L'homme haussa les épaules et un sourcil en disant :

– Je veux bien, moi, mais trouvez-vous des instruments et on reprendra la leçon. En attendant, cherchons un beau nom pour le groupe, un nom qui dise tout, qui annonce l'image...

Elles s'assirent sur la planche et François reprit la guitare entre ses mains. Il s'appuya un pied sur le lit et gratta quelques notes isolées et plaintives.

– J'entends vos suggestions...

– Moi, je suggère les Policières, dit Francine. Ce serait en souvenir de l'enlèvement de François... Ou bien les Forestières pour la même raison mais en plus, ça ferait écolo...

Carole parla à son tour et dit n'importe quoi :

– Les Rigolos, les Pédalos, les Dactylos...

– Ouach ! ça fait vieux comme une toile d'araignée, s'écria Sylvie. Ça sent l'antiquité égrianchée...

– Qui dit mieux ?

– Moi, reprit Sylvie.

– Dis.

– Les... Logicielles... Ça fait moderne, ça sonne musical...

– C'est très bien ! estima Francine.

– C'est ben beau ! pensa Carole tout haut.

– C'est ça qu'il faut, approuva Gina avec un premier sourire depuis qu'elle se trouvait dans la pièce.

– Moi, je trouve que ça va parfaitement. Officiel ?

– Officiel ! dirent en choeur les trois partenaires du groupe.

Et Carole se frappa dans les mains et dit :

– Venez, les filles, on va trouver des instruments...

– Tu en as...

– Garanti, soit dans l'attique, soit dans le hangar dehors et s'il faut, on monte à Saint-Sauveur...

Elles se suivirent en trottinant et quittèrent la pièce, y laissant seuls François et Gina.

Il gratta des notes, mit sa tête en biais et, l'oeil luisant mais sans sourire, il dit :

– Enfin, on peut se parler sans personne d'autre pour s'interposer...

Cette première fois, ces mots intimidèrent la femme qui répliqua froidement par une question :

– Pourquoi 'enfin' ? Comme si ça faisait une éternité que tu étais ici...

Il gratta encore quelques notes en ayant l'air de réfléchir puis il voulut philosopher pour montrer qu'il était encore plus beau de l'esprit que du corps.

– Parce que le mot ENFIN est un maître-mot qui dit absolument tout, même l'amour...

Elle haussa les épaules pour exprimer le doute. Il mit la guitare sur la planche et s'approcha d'elle à petits pas satisfaits. Et subitement, il mit un genou à terre et dit :

– Le mot enfin dit à une femme le plus doux des secrets, il lui fait comprendre qu'avant elle, la vie était vide et vaine et que ses chemins étaient jonchés des pierres de la tristesse et de l'indifférence froide... c'est ça, un chemin gelé, dur, où rien ne pousse... sans vie, sans joie...

Gina le contourna et alla s'asseoir sur le lit en disant après avoir elle-même gratté une note :

– C'est donc un mot de macho ?

– En vérité, je te le dis, c'est le plus beau des mots, répondit-il en se retournant sans se lever de son agenouillement.

– Explique ! dit-elle, ingénue.

– Il coiffe tous nos espoirs. Il souligne la naissance d'un enfant par exemple. C'est aussi le mot du mariage. C'est celui de la chance qui arrive. C'est le mot du retour à la maison. C'est celui qu'on espère de toutes ses forces quand on est malade et c'est lui qu'on crie à sa guérison. Il est invisible dans un livre, mais il est bel et bien là, entre le mot de la fin et le mot fin. Qui à sa graduation ne dit pas enfin ? C'est le mot qui éclate quand on connaît son premier succès sur disque et c'est celui du bonheur que promet la publicité. Il assomme la frustration; on se le dit dans les aéroports ou quand on part en voyage. C'est le mot des armistices et même celui de la mort. Que dire d'autre quand on devient millionnaire ?

Il se remit sur ses jambes et courut à elle avec style :

– Et ce mot merveilleux, madame du Québec, je vous l'offre comme un cadeau de Noël avec un bec du jour de l'An... Il est pour toi... de moi... mon ananas du Canada...

Elle riait à ses emphases et répondit du tac au tac :

– Comme voyage de noce, je voudrais bien aller à Cuba...

Ni l'un ni l'autre ne saurait jamais lequel avait séduit l'autre. Il s'assit de l'autre côté de la guitare sur la planche et les mains gauches se rejoignirent sur les cordes et à travers elles. Et se frottèrent et se griffèrent et produisirent d'autres notes excitées et sournoises...

– Oh! Gina, Gina, Gina...

– Oh! François, François, François...

On put entendre un bruit énorme tout à coup, celui d'un objet lourd et mou qui frappa le plancher du dessus. Puis des rires mêlés. Une des filles venait sans doute de tomber sur le fessier. Mais les amoureux n'entendirent rien et se répétèrent :

– Ah! ma Gina, ma Gina, ma Gina...

– Ah! mon François, mon François, mon François...

Des pas pressés furent entendus de l'autre côté dans l'escalier de l'attique puis une voix rieuse et aiguisée cria à travers la porte:

– Gina, François, on s'en va toutes les trois à Saint-Sauveur pour s'acheter des ruine-babines... Ça va prendre une heure... Soyez sages, là, vous autres...

Les mains amoureuses s'étreignirent mais à quatre, cette fois : deux droites et deux gauches entremêlées, avec des ongles qui griffaient souvent les cordes de la guitare et faisaient entendre une musique qu'ils n'entendaient pas...

– Ma nana du Canada! Ma nana du Canada! Ma nana du Canada !

– Mon François de France ! Mon François de France ! Mon François de France !

On ne s'en rendit pas compte, mais la guitare glissa et tomba sur le plancher puis les vêtements recouvrant les torses furent enlevés par enchantement comme si les mains eussent été téléguidées depuis une autre dimension de l'être que celle des réalités tombant sous le sens.

– J'aime ton corps ce soir au fond des bois, soupira-t-il sans penser et en parlant par association de mémoire.

– Tu es un grand vaisseau taillé dans un récif, s'exclama-t-elle quand sa main toucha le sexe érigé comme un mât de misène.

Les culottes furent arrachées et tombèrent en lambeaux, ce qui

175

exprimait par le geste symbolique la futilité des choses matérielles. Ils commençaient à faire l'amour. Avec grand art. Le raffinement européen se mariait avec l'érotisme sauvage de la nature canadienne. On en était toujours au stade des baisers fougueux et des touchers débridés, avant la pénétration. François sentit son grand pénis frapper la planche de bois et il eut peur de la casser mais cela ne brisa point son désir caniculaire.

– Je t'aime, soupira-t-elle.

– Moi non plus, marmonna-t-il du nez.

Elle revint sur terre un instant :

– Au Québec, on dit moi itou, pas 'moi non plus'.

– Moi itou, je t'aime.

– De ce que ça m'excite, le mot itou dit par un beau Français de France...

– J'écrirai une chanson ayant 'itou' pour titre...

Il se voulut plus poétique :

– Je souffre et je t'aime encore plus...

– Tu souffres ?

– La planche de bois...

– Et moi itou, je souffre, je suis en dessous et le bois est dur pour les fesses...

– Ah! les fleurs du mal... Veux-tu que mon moi visite ton toi?

– Ouiiiiiiiii...

– Allons sur le matelas...

– O.K.! d'abord !

Ils y furent bientôt après s'y être rendus sans cesser de s'embrasser et de s'enlacer au risque, souvent, de perdre pied et de trébucher.

– Quelle poésie que d'avoir les fesses dans de la mousse tendre!

– Ah! je t'aime, je t'aime...

– Moi itou...

Il frappa à la porte qu'il trouva grande ouverte et il entra sans plus attendre dans la troisième dimension, celle de la profondeur. Il s'y sentait le maître et le prisonnier, elle s'y sentait la maîtresse et la geôlière...

Au rythme du va-et-vient, il se mit à murmurer en sifflant et en soufflant :

176

– T'es ma nana, suis ton macho, t'es ma nana, suis ton macho...

– Oui maître, oui maître, oui maître...

– Je suis si fort...

– Tu es si fort...

– Que j'aime ton corps ce soir au fond des bois !

– Tu es un grand vaisseau taillé dans un récif !

– Ah!

– Oh!

– Ah! Ah!

– Oh! Oh!

– Tu es ma Logicielle...

– Tu es mon disque dur...

– Je vois dans tes yeux un morceau d'étoile.

– C'est un morceau de ton reflet qui brille dans mes pupilles.

– Tais-toi et... tais-moi d'un baiser français...

– Je te tais...

Ils se mangèrent longuement à coups de langue. Langue contre nez, langue contre joue, langue contre oreille, langue contre langue, langue contre dents, langue contre luette... Alouette...

– Que je t'aime ! Que je t'aime !

– Moi itou ! Moi itou!

– Je suis ton Bonaparte.

– Je suis ta Joséphine.

– Je t'aime...

– Entendre ces deux mots de ta voix caressante prolonge ma vie d'une décennie pour chacun; l'un vaut l'infini et l'autre l'éternité.

– Ah! tu me fait accéder au... sentiment divin...

– L'extase m'emporte...

– Le silence pourrait-il nous emporter encore plus loin que les mots d'or ?

– Essayons de nous taire et poursuivons notre jouissance...

– T'avoir en mon ventre, c'est comme si j'avais en moi toute la France...

Et la France immense et puissante entrait dans le Canada jusqu'au coeur du continent.

– Il me tarde d'en finir; je ne peux plus me retenir...

Elle se mit à chantonner :

– O Canada...

Il l'enterra de sa voix saccadée :

– Beau ciel de la patrie...

Il s'arrêta un court instant puis après ce passage au neutre, entra dans une troisième vitesse.

– Ne me retiens pas...

– Ces mots sont beaux...

– Ce furent les derniers... que put lire... Dostoïevski dans l'Evangile...

– Qui c'est, Dostoïevski ?

– Un... homme...

Elle fut un moment silencieuse quoique tout à fait crispée et accrochée au plaisir répété, puis elle reprit la phrase que lui avait dite à deux reprises déjà :

– J'aime ton corps ce soir au fond des bois.

– Ne me retiens pas...

– Fais ce que dois...

Ce furent les derniers mots avant l'apothéose. Mais les bouches émirent des onomatopées, des bruits inintelligibles et de l'écume à petits bouillons.

L'homme accéléra encore et à cause de la taille de son organe, la femme pensa à travers ses plaisirs qu'il déposerait sa semence directement dans son utérus.

Ils éclatèrent au même moment, comme dans un fantasme bien mijoté et huilé. Gina agita les bras comme un bébé gauche et François entra dans un long frémissement de la peau du dos et des fesses comme si tous ses muscles peauciers avaient été chatouillés par des insectes semblablement à ceux qui provoquent des secousses au cou d'un cheval parfois dans les mois à mouches près des bois humides...

Lorsque le ciel les eut renvoyés sur terre, ils s'arrachèrent à l'ardeur pour se mieux rapprocher dans la tendresse. Il glissa à côté d'elle qui se réfugia dans ses bras, le nez dans son odeur mâle et enveloppante.

– C'était bon ?

– Quelle question !

178

– Je n'ai pas pris trop de place...

– Je sentais ton corps comme s'il avait été... le drapeau de la France.

– Ah! faire l'amour en poète et en patriote, c'est escalader l'Everest du plaisir...

Elle soupira :

– Mais aux yeux de la loi, cela passera pour un viol.

– Je ne t'ai pas violée...

– Pas toi, moi.

Il s'esclaffa :

– Mais non, on ne peut pas violer un homme... Il n'a qu'à retenir son érection en dedans du ventre... Le viol est accompagné de souffrances, pas de jouissances... un homme ne peut pas faire l'amour contre son gré...

– Tu crois que la justice...

– Tiens, je vais te fournir un alibi... regarde-moi là...

– Où ça ?

– Là...

Et il indiqua son pénis qui n'était pas encore redevenu flaccide.

– Tu vois une petite rose tatouée ?

– Oui...

– Eh bien! quand je suis débandé, on ne peut pas la voir, elle disparaît dans les plis du prépuce.

– Et après ?

– Tu pourras faire la preuve que j'étais bandé donc que je n'ai pas pu te violer... C'est ma petite amie qui l'a tatouée, la rose... Mais je ne la vois plus maintenant...

– Il manque quelque chose pour que mon bonheur soit complet.

– Dis-moi quoi et je te l'offrirai...

– Je n'ose pas, c'est trop tôt...

– Trop tard pour te retenir de le dire.

– Tu vas rire.

– Je rirai.

– Une femme ne saurait être pleinement épanouie dans la vie que si un jour, un seul jour, elle porte une robe de mariée...

179

– On ne se connaît que depuis trois jours, mais l'éternité nous destinait l'un à l'autre.

– Tu dis ça, mais quand tu seras libre, tu voudras ta liberté.

– Ma liberté désormais s'appellera Gina.

Chacun entra alors dans une absolue détente. Leur existence terrestre aurait pu se terminer là qu'ils auraient tous deux entrepris le grand voyage le coeur inondé par l'ultime perfection du sentiment Ils étaient heureux...

20

— Comment vas-tu, mon Jean-Paul ?

— C'est super... Qui parle ?

— Claire, mon beau grand.

— Claire qui ?

— Claire Latache, voyons !

— Ah! Claire, si je m'attendais à ça par ce beau dimanche matin. Content de t'entendre. Es-tu chez toi ?

— Non, je suis sur la route, je t'appelle avec mon cellulaire. Sais-tu, en souvenir de ce qu'on a vécu ensemble, je vais peut-être pouvoir remplir la promesse que je t'avais faite de faire de toi une étoile de la police... Ça t'intéresse ?

— Tu le sais que Jean-Paul Ladéroute a l'ego à fleur de peau. Tu me l'as dit souvent qu'on se ressemblait trop pour vivre ensemble et qu'on faisait un meilleur couple d'amants en restant séparés.

— Sais-tu, on va pas entreprendre une discussion là-dessus ce matin, mais, comme je te le disais, j'ai pour toi le meilleur coup de ta carrière... peut-être, je dis bien peut-être...

— Raconte chérie !

— Je pense de savoir où se trouve François D'Amours et de connaître ses ravisseurs; et je m'en vais vérifier si mes déductions sont bonnes.

Claire, dans sa Mercedez vert bouteille, roulait allègrement sur l'autoroute des Laurentides et son regard rejetait sur les montagnes les milliards d'éclats que le soleil allumait dans ses yeux. C'était dimanche. Un beau dimanche vraiment.

— T'es seule ? s'inquiéta aussitôt le policier à l'autre bout du fil.

— Comme un grand homme...

— Mais t'es devenue folle ? Si tes déductions sont bonnes, et connaissant ton jugement, ça ne me surprendrait pas, tu cours vers la gueule du loup ou la fosse aux serpents...

— Je ne crois pas. Je pense que je vais vivre l'épisode le plus romantique de ma vie... en fait de ma carrière...

— Mais ça pourrait aussi être dramatique. Qui sont ces ravisseurs et où se cachent-ils ?

— Je vais t'appeler aussitôt que je les aurai découverts.

— Pourquoi ne pas me le dire que je puisse aller te protéger...

— Et que toi et d'autres policiers veniez gâcher la sauce ? Non, Jean-Paul.

— Gâter la sauce!? Mais nous sommes des professionnels, ma petite Claire... Nous vois-tu aller animer ton émission ? Chacun son métier... Tu risques de te faire enlever toi aussi...

— Je ne pense pas... Ce que je veux de toi, c'est que tu restes en stand-by jusqu'à mon prochain appel, et je te dirai alors de quoi il retourne. Vu ?

— Où es-tu en ce moment ?

— Sur l'autoroute...

— Laquelle ?

— Celle du nord...

— A quelle hauteur ?

— En ce moment proche de Saint-Sauveur...

— Et où vas-tu ?

— Ça, c'est mon secret pour le moment... Si tu veux monter à Saint-Sauveur et y attendre mon appel...

— Tu n'as pas le droit de te substituer à la police. Ton attitude est déjà une entrave au travail d'un policier. Tu pourrais être citée en justice pour ça...

— Mon beau Jean-Paul, tu le veux le 'scoop' ou bien tu ne le veux pas ? Je raccroche et je vais te sonner plus tard...

— Attends...

182

Il était trop tard. La femme souriante rajusta ses lunettes et poursuivit sa route.

Les quatre ravisseuses et leur victime étaient réunis à la table de la cuisine. Gina soupira :

– Enfin dimanche !

François avec qui elle avait pu faire l'amour trois fois déjà, lui dit doucement, le sourcil inquiété :

– Mais, tu as trouvé le temps si long que ça ?

– Ben c'est que... j'ai souffert malgré tout...

Carole déclara :

– Pas nous, hein, les filles ?

– Et moi pas beaucoup, avoua François.

– Moi, pas du tout, assura Francine.

– Mais de quoi, toi ? demanda François.

– De la peur, dit Gina. Peur de la prison, de la police...

Francine éclata :

– Mais tu as peur pour rien. De nos jours, la police se fait protectrice du vrai monde.

– Les bavures...

– C'est rien, ça ! La peau n'un Noir, d'un Latino, ça fait parfois la une des journaux mais ce n'est pas si terrible. Ça fait exemple et ça fait peur aux autres immigrés trop énervés pour nous aimer comme on est. Et puis ça fait la promo des minorités visibles qui peuvent alors pleurer et geindre...

François n'écoutait plus que son coeur et il dit :

– Ah! chère Ananas, la fin approche... mais la fin, comme tu sais, sera un commencement...

Elle se demandait si elle devait y croire vraiment. Une fois libre, il refuserait de nouvelles chaînes. Cette idée-là ne la quittait pas. Carole prit la parole :

– Sur le coup de minuit, on va laisser François sur le bord de l'autoroute, les yeux bandés, les mains menottées...

Gina s'opposa vivement :

– Mais vous êtes malades, il pourrait se faire heurter, se faire tuer...

– Ne t'en fais pas pour moi, chère nana, je saurai bien me

débrouiller dans la circulation... Dieu me protégera, me donnera des signes de piste... il me l'a promis...

Carole voulut faire sa drôle :

– Il n'aura qu'à faire du pouce avec son nez...

Mais elle pensait aux farces qu'à trois, en l'absence de Gina, on avait faites sur l'ampleur du pénis de la star; et Francine et Sylvie l'accompagnèrent dans son éclat de rire.

Mais le regard sévère de Gina ramena Francine aux choses plus sérieuses :

– Le moment est très bien choisi car les médias ne parlaient plus beaucoup de l'affaire déjà...

Sylvie :

– On aurait dû envoyer un communiquer de presse pour revendiquer l'enlèvement et comme ça, on aurait tisonné un peu la promotion de l'histoire...

– C'est vrai, argua Carole dans le même sens. On aurait pu lire notre philosophie à l'écran comme en 1970...

– Entre deux téléromans de madame Payette...

Sylvie entra dans l'humour noir :

– On aurait pu aller chez Urgel Bourgie et acheter un doigt de cadavre. D'abord, eux autres, ils les brûlent. On l'aurait fait livrer par Purolator au grand Bernard Derome avec un message disant qu'il s'agissait d'un doigt de notre homme. La nouvelle aurait fait le tour du monde et on aurait vu le doigt partout comme quand la navette spatiale a explosé en 1986... Et au verso du message, on aurait dit à Derome de se fourrer le doigt à la bonne place...

Se sentant quelque peu mal à l'aise devant ce discours macabre et obscène sorti de la bouche d'une infirmière et donc d'une femme, François prit le bâton et bifurqua :

– Si le ciel nous avait fait signe dans cette direction, la télé aurait programmé du Stephen King cette semaine...

Mais il n'eut pas à en dire plus pour ramener les esprits sur terre. Un coup de klaxon se fit entendre.

Francine sursauta plus que les autres :

– Qu'est-ce que c'est ça ? Carole, attends-tu de la visite ?

– Absolument pas !

– Qui ça peut bien être ? Peut-être le fatigant de photographe de la Beauce...

– Je vais voir.

Et Carole se hâta d'aller à la fenêtre donnant sur la galerie et le devant du chalet.

– Pas la police toujours ? dit Gina.

– Non, une Mercedez vert bouteille...

– Ton mari ?

– La sienne est blanche...

– Qui c'est ? dirent ensemble les trois filles à table.

– Pas possible.

– Qui c'est ?

– Une femme...

François dit :

– Elle sera en panne... les femmes le sont souvent et ne savent pas comment régler cela...

– C'est madame...

– Madame qui ?

– Madame Latache en personne.

– Non ! dirent ensemble les quatre occupants de la table.

– Elle en personne, reprit Carole. Et il faut que François se cache au plus vite, elle monte sur la galerie.

François se leva en répétant :

– Où, mais où...

Francine prit les choses en mains :

– T'as pas le temps de monter dans l'attique ni de courir à la chambre... envoye sous la table... La nappe et nos jambes vont te cacher... Vite, vite...

Déjà, on frappait à la porte.

– Hou, hou... C'est moi, Claire Latache... hou, hou...

Les filles dirent toutes ensemble pendant que François se jetait sous la table tel que recommandé :

– Mais entre, voyons, fais comme chez toi ! On est là, rien que nous quatre...

La voix chanta :

– Je vais entrer, là...

– Entrez, dirent les filles en abandonnant le tutoiement pour un moment.

– J'entre là, dit madame Latache en touchant la clenche de la porte.

– Carole, qu'est-ce que tu attends ? Fais-la entrer voyons !

La maîtresse de chalet ouvrit enfin la porte et la visiteuse mit un seul pied à l'intérieur en répétant une fois encore :

– Je peux entrer ?

– Entre, Claire, entre ! dit Carole qui ouvrit la porte à son maximum.

La femme finit de pénétrer dans la pièce en même temps qu'elle tenait ses mains ouvertes et hautes pour montrer qu'elle n'avait rien dedans.

– Je vous aime, les filles, je vous aime bien gros et voyez, je n'ai aucune arme, aucun micro...

Carole dit sur un ton de grande sincérité des mots d'une totale hypocrisie :

– Si c'est pas Claire Latache, mais viens t'asseoir. Ça nous fait assez plaisir de recevoir ta visite ici dans les Laurentides. On t'invite à rester jusqu'à ce soir, et ça, même si on sait bien que tu ne fais que t'arrêter en passant. Après tout, tu es une grande vedette québécoise et nous autres des petites filles ben ordinaires... On imagine pas que tu pourrais passer tout un après-midi du dimanche avec nous autres... As-tu de la parenté, des amis dans le coin? J'imagine, autrement, tu ne serais pas là...

– C'est vous autres que je viens voir.

Elle fit le tour de la pièce du regard puis s'enhardit quelque peu :

– Vous allez vous demander comment il se fait que je sais que vous vous trouvez ici, hein ? Mais je vous conterai ça un petit peu plus tard.

Francine se leva pour lui tendre la main et l'inviter à prendre place à la table avec elles.

– Te rappelles-tu nos noms ?

– Mais si je m'en rappelle ! Carole, Francine, Gina et Sylvie, les quatre célèbres fondatrices du fan-club de François D'Amours. Depuis l'affaire de l'enlèvement, ils ont repassé plusieurs extraits de mon émission à la télévision et on vous a vues sur plusieurs réseaux étrangers... Vous n'êtes pas sans savoir cela, petites coquines que vous êtes !

186

– Ah! nous autres, on a assez pleuré depuis qu'on a appris la nouvelle ! s'exclama Carole. C'est-il pas effrayant, un enlèvement pareil. Crois-tu, Claire, qu'ils vont le retrouver vivant ?

– Qu'est-ce que vous en pensez, vous quatre ?

Claire prit place entre Gina et Sylvie, et Carole prit la chaise laissée libre par François.

– Dites-moi donc, demanda Claire, m'attendiez-vous puisqu'il y a cinq chaises autour de la table ?

Francine intervint aussitôt :

– En te voyant monter sur la galerie, j'ai approché une chaise en pensant que tu viendrais partager un verre avec nous autres.

– Vous ne croyez pas que je sois venue ici par hasard, toujours, vous autres !

– Ben... non... peut-être... dirent les comparses en s'échangeant des regards de doute.

– Je vous le dirai tout à l'heure. Et si on parlait un peu plus de notre ami François. Toi, Francine, penses-tu qu'il va nous réapparaître ?

– Certaine !

– Toi, Gina, aurais-tu tendance à croire qu'ils se trouve pas loin d'ici...

– Il est certainement encore au Québec...

Sous la table, le chanteur s'était recroquevillé afin d'éviter de toucher aux jambes de ces dames et il espérait que l'arrivante ne décide pas tout à coup de les allonger... Chacune portait une jupe de sorte qu'il pouvait voir dans les profondeurs des entrejambes, de quelque côté qu'il se tournât... Il mit sa main sur son regard tout en écartant parfois les doigts pour satisfaire sa curiosité...

– Saviez-vous que l'enquête piétine ?

– On s'en doute, dit Francine.

– Nos compétents enquêteurs déclarent qu'ils ont plusieurs pistes mais ils ne vont pas du tout dans la bonne direction... Qu'en pensez-vous ? Toi, Sylvie ?

– Si quatre faux policiers ont été assez intelligents pour enlever une superstar sans se faire prendre, ils l'auront été assez aussi pour ne pas laisser de grosses traces derrière eux, hein !

– Pourtant, moi, je pense qu'ils en ont laissé.

– Comment ça ?

187

– Quel criminel ne laisse pas sa signature d'une façon ou d'une autre sur les lieux de son forfait ?

– Quand un crime se déroule là où sont massées plusieurs milliers de personnes, les auteurs peuvent aisément se cacher au beau milieu de la foule, des empreintes laissées par des tas de gens etc... dit Francine.

– Ce n'est pas en se penchant sur les fibres qu'on peut reconstituer un fil conducteur dans ce cas, mais en faisant travailler ses méninges.

– Ce qui veut dire ?

– Je me comprends... Et ce que je comprends, je peux vous dire que... que ça fait du bien !

Et Claire éclata de son plus large rire qu'elle injecta d'une bonne dose de complicité. Puis elle dit :

– La police, c'est pas ce qu'il y a de plus intelligent au monde. Ces gens-là ne voient pas toujours ce qu'ils devraient voir. Rappelez-vous les champs de cannabis... Un champ, ça saute yeux quand on les ouvre, vous pensez pas ?...

Carole ne resta pas assise et se rendit au réfrigérateur tout en disant de sa voix la plus pointue :

– Claire, je suis sûre que tu boirais quelque chose.

– Rien d'alcoolique, je suis au volant.

– N'as-tu pas quelqu'un dans les environs qui pourrait te conduire si tu devais dépasser les limites ?

– Personne ! Dans le nord, je ne connais que quelques artistes mais je ne suis jamais allée les voir chez eux...

– Y'a Buissonneau qui reste pas loin, dit Carole.

– Celui-là, j'aimerais lui donner quelques coups de pied...

Elle donna un coup sous la table et François le reçut. Pensant qu'elle avait frappé dans le mou de la jambe de Gina, elle s'excusa.

– Il était venu me faire chier avec la gang de *Surprise sur prise*, vous rappelez-vous ?

– Si on s'en rappelle ! s'exclama Francine.

– Mais je lui ai pardonné et je l'aime bien quand même.

Carole cria :

– Un Pepsi diète peut-être ?

– J'aimerais de la bonne eau froide avec de la glace dedans, tu as ça ?

– Certainement, Claire, et tout de suite à part ça.

L'animatrice promena son regard autour de la pièce et s'enquit des êtres de la maison :

– Ton chalet, Carole, il paraît plus grand à l'intérieur... T'as une chambre en bas ? Et j'imagine deux en haut ?

– C'est ça, oui... Mais comment sais-tu que c'est mon chalet et pas celui de Francine ou Sylvie... Ah! le bottin téléphonique ?

Sous la table, madame Latache ouvrit largement les jambes, et François, non seulement pour ne pas voir à travers ses doigts, mais pour ne pas recevoir des ondes par trop sexuelles, se tourna vivement la tête... La femme donna un autre coup de pied et en même temps, elle observa le visage de Gina qui ne broncha point. Le gras qu'elle avait heurté n'était donc pas celui qu'elle avait d'abord pensé... Elle sourit largement quand Carole lui servit son eau...

François quant à lui grimaçait de douleur et il dut se rapprocher de Francine qui retira ses genoux du mieux qu'elle put afin de lui laisser un espace qu'elle devinait lui manquer...

21

— Autant vous dire tout de suite : je sais tout, annonça brusquement madame Latache maintenant qu'elle se sentait en parfaite confiance devant les présumées ravisseuses.

— Tout quoi ? demanda Carole avec des yeux agrandis par la dissimulation.

— Je sais tout, je vois tout, il est parmi vous.

— Qui donc ?

— Je le sens...

— Mais qui ?

— Je vous dirai bien humblement que je suis une femme qui réunit la flamme de l'intelligence à celle du flair et cela me vaut depuis des années des résultats. Où séquestrez-vous le beau François D'Amours ? En me servant de mon nez, oui, je sais qu'il est ou bien dans la chambre ou caché quelque part dans les toilettes comme certains uniformes de policiers... Où sont donc les toilettes ?

— Elles sont dans la chambre d'à côté; tu veux t'y rendre, dit Carole. Viens par ici...

— Je pense que François est là...

— Tu brûles, tu brûles, dit le chanteur sous la table.

Madame hocha la tête et se la frappa de la paume de la main en disant :

– Ah! que je suis donc bête, je ne vous ai pas encore dit comment j'ai fait pour savoir, comment j'ai suivi la bonne piste, comment j'ai trouvé la clef de l'énigme et donc comment j'ai pu en arriver à ce chalet...

Elles s'arrondirent les yeux, les doigts et la curiosité pour écouter la bonne dame qui se fit théâtrale et joyeuse :

– Tout d'abord, j'ai réfléchi... Et dans ma tête, une théorie s'est élaborée. Un, votre disparition longtemps avant la fin de l'enregistrement de mon émission. Deux, quatre, pas trois ou cinq, quatre policiers pas trop charpentés et qui ne s'intéressent aucunement au spectacle. Trois, je dois avouer que je nourris le même fantasme depuis des années; j'en enlèverais moi aussi des belles gueules du monde artistique. Buissonneau, un de mes meilleurs même s'il m'a fait chier avec la gang à Surprise sur prise... mais comment ne pas lui pardonner rien qu'à voir sa belle tête d'épagneul. Je lui trouve un petit air Gainsbourg, un autre que j'aurais kidnappé sans hésiter si la chance m'avait été offerte. Et le plus grand de tous, excepté bien sûr François D'Amours, le grand petit Aznavour, un mélange de René Lévesque et Jean-Pierre Ferland... Quand je pense à lui, ah! que ça fait du bien! Bien entendu, je suis plus âgée que vous et je choisis des vedettes de mon âge surtout mais admettez qu'elles ont toutes une image formidable, non ? En tout cas... Donc, pour en finir, les ravisseurs n'ont exigé aucun montant d'argent, rien réclamé du tout, pas même de faire lire un manifeste à la télévision; alors il ne restait plus qu'une hypothèse à envisager. La rançon de la gloire. Et une seule route à suivre: celle menant ici à ce chalet. Dans les livres du Centre sportif, j'ai lu vos adresses personnelles et après quelques appels téléphoniques, la boucle fut bouclée...

Francine se composa un air sceptique :

– C'est bien beau, tout ça, Claire, mais il y a un problème : ce n'est qu'une théorie.

Madame Latache se gratta le genou et sa main heurta le visage de François qu'elle explora et tâta tandis que Francine continuait à lui mentir :

– Tu sais, aimer François et le faire disparaître, c'est comme jeter son bébé par la fenêtre...

– Ou bien le mettre sous la table pour l'empêcher de pleurer, dit Claire avec un sourire sarcastique.

François sortit de sa cachette et il prit la chaise que Carole avait laissée libre en déclarant, penaud :

– Sais pas, mais je me sens un peu voyeur, moi...

– Ah! que ça fait du bien de voir que je le savais donc ! s'écria Claire.

Gina se fit casse-pieds quant à elle :

– Ça y est, on est bonnes pour plusieurs années derrière les barreaux, nous autres. Ça devait mal tourner et ça tourne mal. On est dans la merde.

– Bordel non! dit François. Pourquoi avoir peur ? Je ne vais pas porter plainte...

Claire lança, le sourire enlargi :

– Bien au contraire, Gina, c'est la chance de ta vie. Les filles, tant mieux si vous êtes poursuivies parce que vous aussi, deviendrez des vedettes. Comme François et comme moi. On vous verra la binette à la télé dans le monde entier. Laissez-moi vous expliquer. D'abord, on va obtenir un procès public c'est-à-dire devant les caméras de télévision comme aux États et moi, je serai l'avocate défenderesse. Ne soyez pas sceptiques, j'ai mon droit, vous savez. Et j'ai pratiqué cinq ans. Je gagnais deux causes sur trois, ce qui est une excellente moyenne. Et ça y allait par là, dans les couloirs du Palais de Justice. J'étais efficace comme Napoléon en marche. Même que d'aucuns m'ont surnommée Claire Lamarche... Quel nom !

– Non, pas trop fort comme surnom, dit François.

– Donc je demande au Procureur général un procès télévisé. Imaginez l'occasion pour le Québec de montrer sa petite grandeur. Mon bon ami Serge, le Procureur, ne repoussera pas la grande tentation de voir la moitié de l'humanité branchée sur le canal québécois. Encore mieux, je veux obtenir un procès se déroulant sur les lieux même du crime. Et pour finir, le frère jumeau de monsieur Planters, agira pour la Couronne. Ah! que de grandes et douces leçons pourront être tirées de cette affaire ! Ah! que ça fera du bien ! Mesdames, le monde nous sera offert sur un plateau d'argent; laisseriez-vous passer la parade ?

Francine montra par son regard que l'idée la pénétrait bien.

Debout derrière elle et François, Carole mettait des pourquoi pas dans ses mains et les muscles de son visage.

Sylvie déclara :

– A première vue, je ne suis pas contre.

Mais Gina s'inscrivit en faux :

– Je ne veux pas aller en prison.

Madame Latache lui concéda qu'elle avait quelque peu raison de se montrer inquiète :

– Comme de raison, quelques semaines...

– Pas un jour, pas une heure ! dit Gina avec obstination et détermination.

Claire se montra dubitative une seconde puis elle déclara :

– Disons que vous serez sans doute acquittées. Et voici comment. Une plaidoirie est en train de prendre forme dans ma tête. Vous pouvez dès maintenant partager ma conviction. Qui osera condamner le crime d'admiration ?

Gina insista :

– Pas une seule seconde en taule.

– Appprofondissons, dit Claire. Pour toi, Gina, on ne va pas plaider coupable mais innocente. On fera valoir que tu as suivi les autres mais avec pour seule intention de protéger François. Pas sa vie ni sa santé que tu savais en sécurité puisque tu connaissais très bien les intentions des ravisseuses, mais son âme et sa vertu. C'est pour cette raison que tu n'es pas intervenue. Et tu vas sortir de tout ça blanche comme de la poudre aux yeux. Tu pourrais même devenir une superstar d'héroïne. Et puis je vous regarde les regards, à toi et François, et ça ne me surprendrait pas du tout qu'une flamme grandisse entre vous deux...

– Je t'épouserai devant les caméras, ma Gina du Canada.

Madame Latache éclata :

– Ah! ah! ah! ah! ah! quelle magnifique demande en mariage! Je n'ai jamais rien entendu de plus beau. Ah! que ça fait du bien d'entendre ça, que ça fait donc du bien! Carole, tu devrais me servir encore de l'eau parce que ça aussi, ça fait du grand bien... Et toi, Gina, es-tu satisfaite maintenant ? Tu voulais éviter l'enfer, on t'offre le paradis.

Gina esquissa un sourire et François la regarda avec paternalisme et tendresse.

Francine demanda :

– Mais qu'adviendra-t-il de nous trois, Carole, Sylvie et moi? Je veux bien qu'on fasse en sorte que Gina soit acquittée et qu'en plus, elle puisse épouser François, mais tout cela ne va-t-il pas augmenter les risques pour nous ? On cherchera des baudets. Les gens adorent taper sur le dos des coupables pour se faire croire qu'ils ne sont coupables de rien du tout eux-mêmes...

– Pour vous trois, on va dessiner le profil d'aliénées mentales. C'est ce qui marche le mieux. C'est la défense la plus populaire. Pas une folie à demeure, là, mais une folie temporaire. Qu'une superstar comme François rende trois femmes follement amoureuses pour quelque temps, qui ne comprendra pas ça ? Si c'est un procès devant jury, c'est gagné d'avance. On va simplement démontrer noir sur blanc que c'est surtout la victime qui est responsable de ce crime...

– Attention ! dit François en hochant la tête.

– Écoute, responsable ne veut pas dire coupable. On te dira trop beau, trop grand, trop aguichant, trop érotique, trop physique, olympique, magnifique... Le monde entier verra jusqu'où on peut t'aimer et les chiffres de ventes de tes disques feront un prodigieux bond en avant...

– Ah! ça, ça fait du bien ! déclara François.

– Quant à vous, mesdames, pour un tel délit d'amour, c'est au plus deux mois de prison que vous aurez... et avec sursis. Vous risquez de vous en tirer avec deux ou trois week-ends en dedans.

François secoua la tête :

– Une question fondamentale me... m'interroge... Et elle s'adresse à vous trois, les filles. Et votre vie maritale dans tout ça? Vos mecs, ils vont prendre ça comment, eux autres ?

Carole qui servait de l'eau dit :

– Mon mec à moi, il travaille en Floride et tout ça ne lui fera aucun pli sur la différence.

Francine compléta la réponse à la question :

– Comme tu sais, Gina est séparée depuis un certain temps, quant à nous deux, Sylvie et moi, on a des maris qui se connaissent et partagent la même idée dont ils nous ont fait part plusieurs fois, hein, Sylvie !

– Hum, hum...

– Bien des fois, ils nous ont dit de nous laisser émerveiller par la vie. Comme des enfants. De réaliser nos fantasmes jusqu'au bout pourvu que ça n'aille pas jusqu'au petit bout...

Claire but un bon coup d'eau et dit en reprenant son souffle :

– Vous voyez bien que tout s'arrange au mieux. Formidable! On dirait que Dieu en personne veille sur vous et moi... Ah! qu'elle est bonne, cette eau !

Elle but un autre petit coup et dit :

– Faut pas vous gêner pour applaudir, là, vous autres.

On l'applaudit puis François fit une suggestion :

– Le procès télévisé, il faudrait l'ouvrir sur une prestation du trio Les Logicielles que je vous présente, madame. Un groupe déjà haut de gamme que j'ai fait pratiquer toute la semaine. Meilleures que les Milady's ou les Fontaine Sisters... Dans le genre un peu des Maguire Sisters...

– Je les ai bien connues dans le temps. Je ne suis pas née d'hier, vous savez...

Puis, après une courte pause, elle se leva de table et dit avec le plus grand enthousiasme et beaucoup d'emphase :

– Je réalise que vous chantez ! Mais tout cela devient digne d'une histoire hollywoodienne. Ah! que ça fait... beau de penser à ça. Je suis contente au bout. Et maintenant, je vais appeler le sergent Ladéroute pour qu'il vienne procéder à votre arrestation, les filles. C'est que voyez-vous, j'avais promis de faire de lui une étoile policière. Comme ça, il pourra témoigner devant la terre entière à ce qui deviendra le procès du siècle... O.J. Simpson pourra toujours aller se rasseoir sur son ballon de football. On va lui donner une allure olympique, à ce procès, et c'est pour ça qu'on va le tenir au Centre sportif... On va l'appeler... attendez que je réfléchisse... tiens, pourquoi pas Saint-Eustache 2002 ? Ça va faire oublier aux gens de Québec que les sept votes qu'ils ont récolté du Comité olympique leur ont coûté deux millions de dollars chacun...

Elle but encore puis, se tournant vers François, s'enquit de sa santé :

– J'espère que tes admiratrices ne t'ont pas trop magané toujours cette semaine.

– Magané ?

– Frappé, flagellé, flétri...

A chaque adjectif, il faisait la moue de la victime mais sans trop insister.

– Au commencement, le harnais... ça me faisait hennir un peu, vous comprenez, mais il y a un côté délicieux à se sentir enchaîné quand les geoliers n'ont pas l'intention de vous faire du mal, un grand sentiment de sécurité. Tout le contraire de la sensation qu'on a sur la scène...

Pour la première fois depuis son arrivée, Claire fut désertée par son large sourire.

– Je sais, oui, quand on se sent prisonnier du public et de la performance à accomplir... toujours se surpasser ou du moins ne pas se laisser dépasser... comme par le grand cadavre ambulant qui me suit en ondes à Télé-Star...

– Pourquoi c'est faire que tu restes pas tout l'après-midi avec nous autres ? demanda Carole.

– C'est bien ce que j'ai l'intention de faire mais d'abord, je dois appeler le sergent Ladéroute...

– Le téléphone est là, sur la table du coin...

– Je peux aller dans mon auto.

– C'est comme tu voudras, ce sera plus personnel...

– Sauf que si j'appelle d'ici, ce sera plus facile de faire ressortir votre collaboration lors du procès...

Elle établit la communication puis parla au policier :

– Tout est arrangé, mon Jean-Paul. J'ai trouvé François D'Amours comme je te le disais...

– Dis donc, j'ai pensé à ça après ton appel, tu serais pas mêlé à l'histoire, toi, Claire ? Pis moi, je ne serais toujours pas le complice involontaire d'un coup publicitaire bien monté pour servir les intérêts tout aussi bien de François D'Amours que de Claire Latache ?

– As-tu mangé des beignes à matin, toi, pour supposer un scénario pareil ?

– Je voulais juste que tu me dises que j'ai tort.

– Bon... j'ai persuadé les ravisseuses de se tenir tranquilles; il ne te reste plus qu'à venir les arrêter pour devenir le policier le plus en vue du Canada. C'est de valeur que tu soyes pas dans la GRC, tu pourrais arriver à cheval et en costume rouge. On te louangerait jusqu'au Népal en passant par Roberval et Laval...

L'heure qui suivit fut bonne pour tous. Même Gina avait l'air de retrouver son sourire. Sur le chemin d'en bas, un photographe revenu de la Beauce prenait des clichés des montagnes mais il n'osait pas se rendre au chalet où quelques jours plus tôt il avait aperçu dans une fenêtre cette femme nue qui ressemblait tant à la sienne et qui un quart d'heure avant cela lui avait si gentiment prêté un cric.

Un bon macho laisse le hasard le servir quand il a fait tout le millage nécessaire le conduire près du but. Le dieu des machos lui vint en aide une fois de plus à travers la personne du sergent Jean-Paul Ladéroute qui arriva dans sa voiture banalisée qu'il stationna dans l'entrée du sous-bois.

Pour Ladéroute, c'était là une chance exceptionnelle tout autant que pour l'autre. Il était inévitable qu'une symbiose se créât d'elle-même comme à partir de rien, ou peut-être que le dieu des machos et celui des policiers en vinrent à une entente dans une autre dimension...

Bel homme de plus de six pieds, mince, pas trente-cinq ans, Ladéroute s'approcha du trépied du photographe et Martin qui était à pisser parmi les aulnes et se dépêcha de venir.

– C'est ma caméra, je suis photographe, dit-il vivement pour faire taire les soupçons qu'il devinait chez l'autre puisqu'il s'agissait visiblement d'un officier de police ainsi que son accoutrement le démontrait.

– Pouvez-vous me montrer vos papiers d'identité, monsieur ?

Ce qui fut vite fait tandis que Martin amadouait son homme en racontant le plus qu'il pouvait de sa vie, de son milieu beauceron, et même de vedettes de par chez lui comme Édouard Lacroix dont le policier se fichait comme de sa première chemise, et Marcel Dutil qu'il connaissait par la télé et les Nordiques, mais dont il se balançait tout autant que du premier.

– Martin...

– Yes sir...

– Veux-tu faire les photos de ta carrière ?

– Comment ça ?

– Je m'en vais arrêter les ravisseurs de François D'Amours et délivrer cet homme dans le chalet qui se trouve au bout du ce chemin. Tu me suis et tu prends tous les clichés que tu peux prendre. Intéressé ?

– C'est des femmes qu'il y a là-dedans...

– Comment ça se fait que tu sais ça ? Serais-tu un complice?

Peut-être quelqu'un qui fait le guet pour signaler l'arrivée de la police ?

Martin se dépêcha de raconter sa panne du début de la semaine et son envie tout artistique de revoir l'étrangère nue afin de lui proposer une prise de photos à envoyer à Playboy. Pendant ce temps, Ladéroute prit dans son coffre de voiture un casque de sécurité sur lequel était fixé un gyrophare de même qu'une pile portable qui l'alimentait. Il mit le casque sur sa tête, l'attacha et, armé de la pile d'une main et de son pistolet de l'autre, il se mit en route suivi du photographe qui maintenant portait sa caméra en bandoulière après avoir délaissé son trépied.

— On risque pas de se faire tirer dessus ?

— Paraît que non, j'ai un contact à l'intérieur. Mais faut pas prendre de chance, qui dit que madame Latache ne m'a pas appelé sous le coup de la menace.

— Pas madame Claire Latache toujours ?

— En personne.

— Elle, une ravisseuse ?

— Non, c'est elle qui a trouvé le repaire... Suis de pas trop loin.

— C'est beau...

Quand on fut en vue du chalet, Ladéroute se mit à progresser par étapes d'un arbre à l'autre, caché par l'un, caché par le suivant. En même temps, il avait mis son gyrophare en marche. Martin faisait cliquer son appareil en se demandant les raisons d'une telle attitude contradictoire de la part du policier. Chercher à se dérober à la vue des ravisseurs et en même temps annoncer sa venue à l'aide de cette lumière intermittente... Bizarre ! Bizarre !

Quand les deux furent enfin parvenus au pied de la galerie, embusqués en un lieu où on ne pouvait pas les apercevoir de l'intérieur, Martin voulut connaître la logique policière.

— Facile à comprendre, mon pauvre ami, la lumière c'est pour m'identifier comme policier et la progression d'un arbre à l'autre, c'est pour pas être identifié comme policier...

— Justement, un va pas avec l'autre.

— Ton métier de photographe, tu le connais, hein, toi ?

— Ouais...

— Ben mon métier de policier, je le connais, depuis vingt ans quasiment que je le pratique. Ça fait que tu viendras pas m'en remontrer...

– Parfaitement confiance, parfaitement confiance...

Ladéroute vérifiait son arme afin d'être sûr qu'elle était bien chargée quand une voix joyeuse tomba sur sa tête :

– Si c'est pas notre beau sergent Ladéroute ! On te voyait venir par la fenêtre dans le bois; ça nous faisait penser au coyote des bandes dessinées...

– Madame Claire Latache ! s'exclama Martin qui prit aussitôt un cliché.

– Monsieur le photographe, il paraît qu'on vous connaît ici, à l'intérieur.

– Ah! j'ai rien à voir avec l'enlèvement, moi.

Ladéroute sauta sur ses pieds et, pile en main et arme au poing, il escalada l'escalier et se rendit s'embusquer à côté de la porte où il s'écria aussitôt :

– Au nom de la loi, je vous arrête. Sortez tous de la maison les mains sur la tête...

– Mais voyons donc, fit Claire, faut pas prendre ça comme ça! Les ravissantes ravisseuses ne sont pas dangereuses...

Martin intervint en montrant son arme à lui :

– Pour la photo, ça serait mieux comme il dit.

– C'est vrai, c'est vrai, j'avoue que j'y avais pas pensé... Les filles, sortez les mains sur la tête... Et toi, François, tu peux sortir avec le rouleau de bouleau qui sera... une pièce à évidence au procès...

François cria à travers le treillis :

– Est-ce que je dois l'enfiler, le rouleau ?

– Non, non, juste l'avoir dans ta main comme un symbole à la fois de liberté et de délivrance...

Francine sortit la première. Ladéroute l'attrapa, la poussa au mur et la tâta partout, surtout les seins et l'entrejambes. Puis ce fut au tour de Carole que Martin reconnut et salua joyeusement. Et enfin, Sylvie y passa.

– L'autre personne n'a rien à voir là-dedans, tu ne dois pas la fouiller, elle est innocente, insista Claire.

Et malgré son air encore très soupçonneux et ses sourcils à forme paranoïde, Ladéroute se résigna à rengainer tandis que les trois personnes arrêtées s'échangeaient des regards de "Aie, ça

200

commence ben !"

On prit une photo quand François sortit avec Ladéroute juste devant lui, revolver à nouveau sorti et pointé sur les ravisseuses qui se tenaient dans un coin de la galerie, vaincues, traquées, déjà punies de leur crime abominable...

On en prit une du policier et de madame Latache.

— Je vais mettre en valeur votre flair de fins limiers, dit le souriant photographe.

— Fine limière, insista Claire. Et lui, grande lumière !

Elle soupira :

— Ah ! que... mon micro me manque ! Mais j'y pense, j'ai ce qu'il faut dans mon auto. Jean-Paul, je vais aller chercher mon magnétophone portatif et tu vas faire une déclaration après avoir lu aux prévenues le texte de leurs droits... tu sais, 'vous avez le droit de ne rien dire et d'attendre la présence de votre avocate...'

— Je les tiens en joue... dit Ladéroute en dégainant une autre nerveuse fois.

— C'est dangereux, ce truc-là, dans les mains d'un policier, dit Claire. Serre-le là...

Ladéroute rengaina une fois encore mais il garda les ravisseuses à l'oeil, et les regards langoureux que Sylvie lui adressa ne firent que durcir les siens. Claire revint, magnétophone à mâchoires largement ouvertes, prêtes à dévorer l'information qu'on leur offrirait.

— Eh bien, chers amis, faute d'une caméra de télé pour enregistrer des images, moi, Claire Latache, je vais tâcher de vous faire vivre de l'intérieur, l'arrestation des ravisseuses de la star internationale François D'Amours. Le chanteur fut retrouvé vivant et, semble-t-il en excellente santé, ce jour même, ici dans un chalet des Laurentides, grâce à mon flair exercé, à mon intelligence supérieure. Je vous expliquerai lors d'une de mes émissions comment je m'y suis prise pour trouver la piste et la suivre, puis pour me lancer toute seule à la recherche de François et vous serez en mesure de savoir comment j'ai posé mes actions héroïques. Pour le moment, vous entendrez l'officier Ladéroute lire aux ravisseuses le texte concernant leurs droits, ce qui, comme chacun sait, n'est pas obligatoire au Canada. Mais le sergent est un homme courtois et respectueux des formes...

— Tu parles d'un respect ! murmura Sylvie à Francine en allusion à la fouille obscène dont elles avaient fait l'objet.

Ladéroute marmonna :

– Vous jurez de dire la vérité, rien que la vérité, toute la vérité, dites que vous le ferez quand c'est que votre avocat sera là... Pis vous avez droit à un coup de fil...

Aussitôt Claire tendit son cellulaire à Carole qui le passa à Francine qui le passa à Sylvie qui le refila à François qui le donna à Gina qui s'en débarrassa entre les mains de Martin qui le remit à Claire.

– Mesdames, messieurs, dit Claire au magnétophone, les prévenues viennent de passer un coup de fil québécois, c'est-à-dire que chacune a relégué à l'autre sa responsabilité et finalement, personne n'a parlé....

Pendant ce temps, entre deux photos, Martin s'entretenait avec François et le questionnait sur son enfermement.

– Je les ai vues en petite tenue, confia le chanteur à mi-voix avec un clin d'oeil.

Martin eut du mal à réprimer une larme de bonheur.

– Et celle qui s'appelle Carole aussi ?

– Aussi.

– Un beau sac d'os, hein ! Comme ma femme...

– Quand je l'ai vue, elle était rembourrée d'un bout à l'autre pour ressembler à Mae West...

– Je pense que je vais aller photographier les prévenues...

– Hey, on pourrait en faire une avec le harnais, suggéra François.

– Le harnais...

– Quand j'étais séquestré, on m'emprisonnait dans un harnais de cuir et de métal rattaché au lit avec des chaînes...

– Ah! ben certain, on en parle à madame Latache... Ça, ça va faire une bonne publicité !... Playboy, Penthouse, mets-en...

On se réunit à l'intérieur et plusieurs clichés furent pris tandis que François avait repris le collier et le harnais.

– René Angélil aurait jamais pu imaginer quelque chose d'aussi fort pour Céline Dion, dit Claire à un moment donné.

– Peut-être qu'il l'attache comme ça quand il la baise, osa dire Ladéroute.

Madame Latache prit le commandement des événements, disant après avoir consulté sa montre :

– Mesdames et messieurs, je pense que le temps est venu de mettre fin officiellement à la séquestration de notre ami François qui doit accompagner l'officier Ladéroute pour un court interrogatoire aux fins d'enquête policière. Puis notre vedette bien-aimée prendra un repos bien mérité afin de se remettre de ses émotions de la semaine, ce qui lui permettra de reprendre sa tournée demain soir lundi à Laval avec une semaine de retard. Une semaine qui l'aura grandi dans le coeur de tous ses fans à travers le monde. Carole, Sylvie et Francine seront emmenées à la prison Parthenais pour y être détenues en attendant leur interrogatoire demain et je peux vous assurer qu'elles seront libérées sur caution et je me charge de cela. Pour ce qui est de Gina, l'enquête préliminaire va la laver de tout soupçon et j'y veillerai... Enfin, je vous annonce que les trois prévenues, présumées ravisseuses de François D'Amours m'ont choisie pour les défendre car pour ceux qui l'ignorent encore, j'ai fait mon droit et je l'ai pratiqué pendant cinq ans.

Les derniers à quitter les environs du chalet furent Claire elle-même et le photographe qui échangèrent un bon moment autour de la Mercedez décapotable de l'animatrice. Elle lui fit comprendre que grâce à elle, à son émission, à son flair de détective et à son appel à Ladéroute, le hasard aidant, Martin deviendrait un photographe des mieux connus au Québec et des mieux payés. Il lui proposa de lui exprimer sa reconnaissance en nature et ils s'échangèrent des cartes d'affaires et donc des numéros de téléphone...

– J'suis pas grosse mais j'en ai dedans, dit-elle en refermant la portière.

– Je l'ai grosse pis y'en a dedans, répondit-il du tac au tac...

22

Télé-Star transforma à nouveau le court numéro un du Centre sportif en studio mais l'endroit servirait aussi de tribunal. L'enquête préliminaire de Gina avait eu lieu quelques jours plut tôt et la jeune femme avait été blanchie, javelée. Plus blanc que ça, tu tournes au bleu ! Et on savait maintenant qu'elle épouserait François sur l'émission de madame Latache, une émission qui serait constituée du procès des trois femmes accusées d'enlèvement et de séquestration de superstar.

Tout avait été minuté d'avance afin que le procès dure trente-cinq minutes, ce qui laisserait intact le temps des commanditaires de l'émission et permettrait quelques minutes pour montrer le début de la cérémonie du mariage du siècle.

Le décor était le même que celui utilisé aux émissions régulières de madame Latache. On y avait ajouté la tribune du juge sur la droite des fauteuils où les accusées étaient déjà à attendre non sans s'inquiéter des conséquences de leur crime d'amour.

Elles savaient déjà que la juge pencherait en leur faveur puisqu'on avait choisi une féministe reconnue pour présider le tribunal. Sur leur gauche, assis à une table et en train de mettre la dernière main au dossier, se trouvait Maître Planters, avocat de la Couronne portant la toge, et pas loin derrière lui, pour les besoins de la cause, on avait fait asseoir François D'Amours, la victime qui, ainsi, pourrait se rendre à la barre sans faire perdre au réseau de télévision des minutes à un million de dollars chacune. Le

205

chanteur cependant avait revêtu son costume de scène afin de rehausser le côté spectaculaire du procès.

Le jury était éparpillé parmi les assistants et il pourrait donner son vote à distance à l'aide de cartons sitôt après les plaidoiries.

Dans son vêtement d'avocate, madame Latache fit son entrée dans le studio sous les applaudissements de la foule. Mais la diffusion n'était pas encore commencée. Car il était absolument interdit d'applaudir une fois l'audience ouverte afin de préserver le souci d'impartialité du tribunal.

Elle se rendit à l'avant et se tint debout devant la caméra un qui ouvrirait l'émission. Son coeur battait la chamade. Combien seraient-ils de par le monde à l'écouter ? Elle se sentait comme la première fois où elle avait animé une émission de télé : petite dans ses petites culottes...

Le régisseur leva ses deux mains puis à l'aide de ses doigts fit un décompte silencieux tandis que l'animatrice plaçait le micro devant sa bouche.

"...six...cinq...quatre...trois...deux...un..."

– Bonsoir chers téléspectateurs de la planète terre ! Pour personne au monde, ce n'est chose secrète : voici que s'ouvre ici dans ce tribunal télévisuel le procès du siècle. Il est traduit dans plus de vingt langues sans compter quelques dialectes et est retransmis en direct dans plus de cent pays du monde. Et cela via une émission dont je ne peux que m'enorgueillir puisque c'est la mienne. Et que c'est la plus populaire ici au Canada français chez le petit monde. Je me présente, mon nom est Claire Latache. Vous êtes au Québec et plus précisément dans un petit bled du nord de Montréal qui a pour nom Saint-Eustache. Il n'y a pas si longtemps, ici même dans ce bel édifice, était enlevé en plein sous nos yeux une mégastar de la chanson internationale, François D'Amours, et cela dès son arrivée chez nous pour un séjour et une tournée de concerts et de promotion. Ce fut lors de son passage à mon émission que quatre admiratrices un peu trop chaleureuses ont kidnappé la belle victime et l'ont séquestrée pendant une semaine dans nos belles montagnes appelées les Laurentides et où demeurent beaucoup beaucoup de nos plus grandes vedettes du Québec et où viennent souvent des vedettes mondiales d'ailleurs, comme Crook Field... je veux dire Brooke Shields... enfin... Ce crime pourrait valeur à leurs auteurs la vie au bagne et c'est ce que nous allons voir à la suite de ce procès...

206

Le régisseur fit tournoyer sa main pour inciter Claire à accélérer mais elle n'en fit aucun cas.

— Par bonheur, François a pu être libéré grâce à moi, il faut le dire, et à mon flair de berger allemand combiné à l'étonnante acuité de mon jugement. Sans compter bien entendu ma courageuse intervention sur le lieu de la séquestration où je me suis présentée seule et sans armes sans savoir ce qui m'y attendait, et où j'ai tenu une astucieuse médiation entre les ravisseuses et la police qui s'apprêtait à donner l'assaut de la maison comme à Waco. Et voilà que la Couronne poursuit en Cour criminelle les trois personnes que vous pouvez voir assises dans les fauteuils des accusées à l'avant. Attention! ne jugez pas d'un simple coup d'oeil Carole, Francine et Sylvie. Car les apparences sont souvent trompeuses, on le sait. Et c'est particulièrement vrai dans ce cas-ci comme le procès le fera ressortir. A propos d'apparences, on sait qu'une quatrième personne présumée comparse fut lavée de tout soupçon voilà quelques jours à peine à propos de cet enlèvement. Après avoir clamé son innocence, la femme fut blanchie et mieux encore, son action s'est mérité le coeur de François. Et je veux vous rappeler que ces deux-là, soit Gina et François, vont convoler en justes noces à la fin de mon émission... J'en suis déjà émue... Ah!... En plus que devant les caméras, on va décerner à cette femme la médaille du courage et de la bravoure du lieutenant-gouverneur de la province de Québec et on dit qu'elle sera bientôt faite chevalière de l'Ordre du Canada... Que je savoure déjà ce moment unique et historique !

Le régisseur s'énerva mais Claire demeura imperturbable.

— Maintenant, je vais faire mon entrée dans ce tribunal en tant que défenderesse des accusées. Pour la partie adverse, c'est Maître Planters qui agira, un avocat qui remporte toutes ses causes avec éclat mais qui pourrait bien perdre celle-ci. Soit dit en passant, il est le frère jumeau du propriétaire de ce Centre sportif où débuta toute l'affaire comme nous le disions. L'audience sera présidée par l'honorable juge Patricia Buteau qui elle, se trouve la cousine de la juge Ruffo, une vedette locale de la scène judiciaire et femme qui fait couler beaucoup d'encre dans nos journaux et qui coûte très très cher à nos contribuables... On a obtenu du Procureur général de la province, un très bon ami à moi, la permission spéciale de tenir ce procès devant toute la nation et à cause de l'importance de François, le monde entier a voulu se brancher sur nous. Et quelle fierté pour le grand petit Québec ! Le jury est formé du public de la salle. C'est lui qui devra rendre le verdict final. Ce sont des gens très ordinaires. Pas super intelligents. Pas bourrés d'argent. Pas des intellos. Pas des nonos. Des gens dans la bonne moyenne quoi ! Mais du bon monde, ça, c'est certain. Suivez-moi donc car dans quelques petites secondes s'ouvre le plus grand procès jamais montré sur les ondes au monde...

La juge comprit le signal du régisseur et elle se mit à frapper du maillet sur sa table en disant d'une voix monocorde et blasée:

– Oyez, oyez, oyez, cette Cour est ouverte et elle est présidée par une Juge experte soit moi-même, mon Honneur Patricia Buteau, cousine de madame Ruffo et bien plus méritante qu'elle...

La femme de loi fut emportée par trois éternuements puis elle s'adressa à la caméra avec un large sourire en disant :

– Merci de vos voeux, vous Occidentaux et vous, Orientaux. Je salue aussi les quelques autres de l'hémisphère sud, l'élite de ces pays sans oublier les Noirs. Le procès du siècle commence...

Et elle se mit à lire :

– La Couronne contre Harley, Pistache et ... Quelle est donc le con qui a préparé ça ? Johnny Cur-Dents, qui c'est ? C'est quoi, ce papier ?

Francine leva le doigt et dit en timidité :

– Si je peux me permettre, Johnny, c'était moi.

La juge lui sourit :

– Pourquoi dite-vous c'était ? Et puis, je vous prie, levez-vous pour parler... les caméras vont mieux vous voir...

– Madame la Jugeote, si vous voulez, je vais démêler les noms que vous avez sur votre liste...

– Pourquoi madame la Jugeote ?

– On m'a dit que vous étiez une juge féministe, alors juge au féministe, je pense que ça fait Jugeote, non ?

– Soyons clair...

– Je le suis, dit madame Latache.

– Vous, attendez votre tour... Soyons clair ! Que le juge et l'avocate de la défense soient des femmes ne fait aucune différence: vous, innocentes injustement accusées serez jugées de façon impitoyable... tout comme si vous étiez de vrais garçons. Et toutes les rigueurs de la loi s'appliqueront...

Francine reprit :

— Elle, c'est Carole ou Pistache. Elle, Sylvie ou Harley. Dans la vraie vie, on n'a pas de surnoms mais on a formé un trio et c'est pour ça qu'il y a confusion. Au début, moi, je m'appelais Johnny Cur-Dents mais j'ai changé ça pour Mélodie...

— Très intéressant ! Ainsi donc, vous chantez ?

— On s'est pratiquées toute la semaine avec François qui nous a montré je ne sais plus combien de rengaines. Et on a repris plusieurs chansons des Milady's... Trois petits vagabonds... Monsieur Dupont...

— Ah! oui, je me rappelle... Vous voudriez pas nous faire quelques notes a cappella ?

— Pourquoi pas ?

Et Francine leva le doigt vers Sylvie pour qu'elle entonne leur cher *Hymne aux étoiles.*

— Mirage au fond de la télé, chanta Sylvie.

— Minute là, dit maître Latache, objection. C'était prévu pour tout à l'heure, après le procès, sur la fin de l'émission...

— Objection retenue ! dit la juge.

— Vous savez, votre Honneur, un show comme le mien, ça se prépare et c'est rigoureusement minuté...

— J'ai dit objection retenue, maître Latache.

— Compris.

— Je m'adresse d'abord au jury pour qu'il se rende bien compte de l'importance de sa tâche. Mesdames, messieurs, l'humanité vous contemple. Votre soin de la justice servira d'exemple. Vous ne devrez jamais rire ou vous amuser. D'ailleurs, riez une seule fois et vous serez récusés et remplacés. De plus, vous devrez quitter cette salle illico. Votre verdict, je vous le dis, aura des répercussions dans le monde entier et sur l'avenir de la justice elle-même en modulant la pensée judiciaire future... Surtout ne vous laissez pas influencer par le fait que la victime dans cette affaire est une star internationale, ce serait là une regrettable erreur car notre très cher François D'Amours que nous aimons tous, est bien plus encore qu'une super étoile, c'est un maudit Français prétentieux et de surcroît du sexe dit fort...

La juge donna un coup de maillet puis s'adressa aux accusées:

— Mesdames, prière de vous lever et de jurer que vous direz la vérité, rien que la vérité et toute la vérité...

Les trois accusées se levèrent et devant l'humanité dirent en choeur comme si elles eussent pensé en Logicielles :

– Nous le jurons ! Nous le jurons ! Nous le jurons !

La juge reprit :

– Et maintenant, je vais lire l'acte d'accusation tel que rédigé par la Couronne.

Et elle accéléra considérablement le rythme tout en se donnant le ton du parfait fonctionnaire indifférent :

– Le lundi, vingt mai dernier, à l'émission télévisée de madame Latache enregistrée au Centre sportif de Saint-Eustache dans lequel siège maintenant ce tribunal, vous, accusées, déguisées dans des uniformes de police, utilisant le mensonge et la malice, avez enlevé un homme soit François D'Amours ici présent, et après un long parcours, après l'avoir drogué contre son gré, vous l'avez conduit à un chalet de montagne appartenant à l'une de vous, l'y séquestrant, l'y gardant sous votre domination. Vous l'avez ainsi retenu six jours contre sa volonté et l'avez tripoté au deuxième degré. Coupable ou non coupable ?

Assise à l'autre extrémité de la table où siégeait Me Planters, Me Latache se leva d'un bond et déclara :

– Non coupables... en leur nom...

– Mesdames les accusées, asseyez-vous !

Maître Latache prit la parole sur un signe de la juge :

– Votre Honneur, l'avocat de la Couronne et moi-même avons convenu d'harmoniser nos voix à propos des faits survenus dans cette affaire, ce qui va d'ailleurs permettre d'entrer dans les délais imposés par la télévision. La Défense donc reconnaît tous les faits allégués par la Couronne et qui sont inscrits et décrits dans notre document conjoint. Par conséquent, aucun témoin ne sera appelé à la barre par la défense d'autant que nous disposons, je le redis, de pas une heure pour bâcler ce procès sans compter le temps qu'il faut allouer aux messages publicitaires de même que l'appel à tous qui permet d'éviter beaucoup de frais dans l'organisation d'émissions futures. Je vais me taire afin d'écouter l'avocat de la Couronne y aller de sa plaidoirie non sans vous dire que la Défense invoque l'aliénation mentale temporaire des accusées dans le déroulement des événements relatifs à ce crime, rendant leur état sentimental incontrôlable, excessif.

Maître Latache hocha la tête, la pencha, soupira un moment puis déclara, la voix émue :

— "Pardonnez-leur car ils ne savent pas ce qu'ils font !" Qui d'entre les vivants n'a jamais entendu cette parole sacrée ? Jésus lui-même demanda grâce pour ses bourreaux. On sait ce qu'il subissait alors de leurs mains sacrilèges. La victime, ici, François D'Amours, fut traitée aux petits oiseaux lors de son enfermement. Devrait-on condamner quelques admiratrices un petit peu trop chaleureuses ? Se poser la question, n'est-ce pas y répondre d'emblée?

Me Latache fit un signe de la main et de la toge et reprit sa place tandis que la juge invitait Me Planters à entrer en matière à son tour :

— A vous, Maître Planters ! fit Me Buteau avec un air qui laissait à penser que la cause était entendue d'avance et que l'homme se préparait à perdre du temps.

L'avocat se leva et il étala aussitôt le premier ingrédient de sa recette de plaideur gagnant en faisant longuement attendre la Cour, se raclant la gorge, promenant un regard hautain sur les accusées, espaçant plusieurs pas d'un bout à l'autre des yeux de la juge...

— Tout d'abord... je voudrais remercier la défense...

— Objection ! fit Me Latache. Remercier ainsi porte à interprétation étant donné que nous sommes à la télévision. Des gens, des téléspectateurs d'ici ou d'ailleurs pourraient croire à la collusion entre la Couronne et la Défense...

— Objection retenue ! dit la juge.

Contrarié, Me Planters attaqua autrement :

— Ces femmes accusées...

— Objection ! Il ne faudrait pas utiliser le mot femmes ici car il s'agit là de sexisme pur et dur.

— Objection retenue ! dit la juge.

Encore plus contrarié, Me Planters se dit qu'il prendrait un argument de la Défense et en ferait un boomerang. Comment pourrait-on s'objecter ?

— Dans le christianisme...

— Objection ! s'écria Me Latache. Se servir ainsi d'une doctrine contredit une loi de notre discipline.

Me Planters s'obstina sur l'objection :

— La Défense elle-même dans son préambule a cité Jésus-Christ

211

afin de rendre nul à l'avance l'ensemble des arguments de...

— Objection retenue ! jeta la juge.

— Mais votre Honneur, je...

— Ob-jec-tion re-te-nue ! dit la juge en frappant la table de son marteau agressif.

Maître Planters fit la moue et poursuivit :

— Crime prémédité, cela veut dire médité avant coup, préparé d'avance, concocté. Quand les trois accusées ont mijoté leur plan ici même au salon des bêtes fauves, décidant de fonder un fan-club afin de mieux s'approcher de monsieur D'Amours, ce n'était pas là l'action de personnes folles. Elles savaient très bien ce qu'elles faisaient alors...

Maître Latache se leva d'un bond et déclara afin de déstabiliser l'adversaire pour essayer de le jeter hors du périmètre du combat tel un lutteur de sumo :

— Votre Honneur... pas d'objection !

— Hélas ! dit la juge. Poursuivez Maître... Peanut... pardon, Maître Planters...

— Après une heure, elles ont pris la décision d'enlever la victime : n'allez-pas dire que c'était là de la folie. Elles savaient très bien ce qu'elles faisaient alors. Elles se sont déguisées d'un commun accord, usurpant l'identité d'honnêtes policiers : doit-on qualifier ces gestes d'inintelligents même si on doit constater qu'ils ne sont pas très brillants...

— Objection ! Voilà que l'avocat de la Couronne se permet d'insulter mes clientes.

— Objection retenue !

— Elles ont caché des costumes ainsi que des moustaches fabriquées : était-ce là l'oeuvre de personnes illuminées ? Non. Elles savaient très bien ce qu'elles faisaient alors. Ayant piqué leur victime comme des guêpes vicieuses, elles ont traîné son corps et l'ont emporté dans le nord comme un saucisson de Bologne : elles savaient bien ce qu'elles faisaient alors. Puis elles ont enchaîné leur proie à un lit pour mieux la souiller ensuite : ah! quel affreux délit ! Il me répugne tant d'en faire la description...

L'avocat s'arrêta un moment pour montrer sa répugnance et sa propre douleur.

— De leurs mains impudiques et de leurs longs doigts retors, elles l'ont sali ! Et elles savaient fort bien ce qu'elles faisaient alors. Dieu du ciel... donnez-moi la force d'aller jusqu'au bout, jusqu'où elles ont poussé l'audace criminelle... Elles ont fabriqué de leurs mains obcènes un instrument de torture en écorce de... de bouleau, madame le président du tribunal... Et elles ont intimé à la victime l'ordre de battre la mesure de leur numéro. L'homme, le pauvre homme perdu dans les montagnes du Canada, triste et abandonné, fut obligé de mettre cette chose vilaine en un endroit de son corps que je ne vais pas nommer et... Non, je n'irai pas plus loin... Votre Honneur, voici la pièce à conviction. Peut-être que la victime pourrait montrer à cette Cour comment elle devait utiliser sur elle-même ce... cette espèce de compte-tours...

– Objection ! dit Maître Latache. Pareille démonstration dépasse et de loin la mission de la télévision qui est d'informer d'abord, pas de livrer des messages à caractère pornographique...

– Retenue !

Me Planters :

– Elles ont libéré leur otage de ses liens, il est vrai, mais c'était pour mieux ériger une cage psychologique autour de lui, le menaçant constamment à l'aiguille bourrée de cortisone, le retenant dans le chalet grâce uniquement à la peur. La preuve, jamais elles n'ont écouté une des leurs qui les suppliait, le visage en pleurs, de relâcher la victime sans lui faire de mal. Elles savaient très bien ce qu'elles faisaient alors. Et au bout de tout ce processus infernal, elles ont mis le chapeau sur leur oeuvre, la cerise sur le gâteau, en se livrant à un chantage que la Défense ne voudra pas reconnaître mais qui est évident et qui consiste en ceci : elles n'ont libéré la victime qu'après avoir obtenu la promesse formelle de madame Latache d'agir comme défenderesse dans leur cause. Madame Latache animatrice et avocate ad hoc déjà appuyée par des centaines de milliers de jocrisses qui la regardent tous les jours à la télévision. Elles savaient très bien ce qu'elles faisaient alors en exigeant d'être défendues par une star.

L'avocat fit une brève pause et reprit :

– Leur aveuglement amoureux ne corrobore aucunement l'idée de la Défense voulant que leur amour fût aveugle. De plus, tout comme la marâtre dans l'affaire d'Aurore, l'enfant martyre voilà plus de trois quarts de siècle, elles sont assez fines pour se faire passer pour folles. Jury, honnête et intelligent jury, ne te laisse pas aveugler par des entourloupettes, ne te laisse pas rouler dans

213

la farine. Le verdict à rendre : coupables ! Enlever une mégastar, c'est perpétrer un crime crapuleux contre toute l'humanité. La planète peut-elle se passer d'Elvis Presley, de Pavarotti, de Céline, de Voisine ? Non. Eh bien! François D'Amours est tout ça et bien plus encore. Leur crime est dans la lignée de ceux de Hitler et de Staline encore qu'on peut leur en pardonner à ces deux-là puisqu'ils étaient eux-mêmes des mégastars... Je termine en disant que le châtiment se doit d'être exemplaire afin que l'humanité se souvienne. Et pour paraphraser Paul VI, disons "Plus jamais un enlèvement aussi terrible !"

Maître Latache se leva et s'accrocha les pouces dans les hauts plis de sa toge.

— Heu, heu, heu, heu, Maître Planters, pauvre, pauvre de vous qui n'y connaissez rien dans les tempéraments féminins et dans les moeurs de la femme. Et moi, je pense...

— Objection ! dit l'avocat de la Couronne. La Défense questionne ma compétence.

— Objection rejetée ! dit la juge.

— Mon collègue pense comme un homme...

— Objection ! Sexisme !

— Rejetée.

— Ainsi que je le disais, le Procureur met de côté tout ce qui est beau et il raisonne avec ce qu'il y a de bête en lui...

— Objection ! lança Planters. Ceci s'avère une attaque dirigée contre ma personne.

La juge regarda les deux avocats tour à tour en disant :

— Merci ! Objection... re-je-tée...

La Défense reprit :

— L'amour des accusées pour François n'a rien de coupable. Ce n'est pas un amour fondé sur la jalousie, la chicane, la passion, les coups bas, la guerre, la peur, la suspicion, vous savez, ce genre d'amour que l'on ressent pour son conjoint... et grâce auquel je peux faire beaucoup d'émissions et beaucoup de pognon itou... ou bien le genre d'amour que l'on sert par mégarde à son amant... non, ce n'est pas ça, c'est un amour admiratif qui a dépassé un peu la mesure. Et retenez bien cette expression : amour admiratif devenu excessif au point de vouloir pour soi seulement la chose désirée, surtout que François est une star qui appartient au public.

On va même violer la loi pour se l'accaparer. C'est une façon d'embrasser son appareil de télévision. Ah! beaucoup d'hommes se payent cette fantaisie, vous savez, quand c'est mon show. Je sens que par millions, les téléspectateurs me baisent... et ça fait du bien... Non, c'est vrai, ça ne m'use ni ne m'abuse... Bon, trêve de promotion et comme la Couronne, suivons le cheminement que ces dames ont suivi pour passer de l'amour honorable à l'amour à l'image de l'image de François D'Amours... Regardons avec les yeux du coeur...

Elle fit quelques pas et désigna le long salon en poursuivant :

– Comme le disait Maître Planters, elles se sont réunies au salon des bêtes empaillées inspirées des meilleures intentions du monde soit de fonder un fan-club pour mieux honorer et aimer leur idole qui est, qui l'ignore encore, une icône de la France et de la planète entière. Mais quelle étrange atmosphère dans ce salon où tout est à l'enseigne du péché écologique, du viol de la nature elle-même, un univers cauchemardesque où le trophée de chasse est le principal élément de culture... Plutôt d'un safari sanglant comme celui qui a permis cet affreux empaillage, elles ont choisi un safari non violent... ou si peu, vers un panache de grande vedette. Et panache est ici pris au figuré. Phase un donc : obsession de type paranoïde qu'un environnement favorable infantilise et qu'une violence froide omniprésente dans leur milieu du moment banalise. Non, elles ne savaient pas ce qu'elles faisaient, déjà là.

L'avocate-animarice fit une brève pause, en profitant pour jeter à la terre entière son oeil pétillant.

– Uniformes cachés, endossés dans les toilettes : on voit fort bien là un refoulement scatologique... cela se sent d'ici... Et... quand une accusée pique la victime pour la geler, c'est pour la mieux protéger contre elle-même mais en même temps, cela indique une peur du réel qui confine à la frayeur névrotique. Et le plus probant quant à leur aliénation, c'est la séquestration dans le grand nord, patrie des maringouins, des cousins et des frappe-à-bord, de Jean-Pierre Ferland, Dominique Michel, Pierre Péladeau, Michèle Richard, Yvon Deschamps, tous des gens qui rient et qui chantent pour fuir la réalité... Non, elles ne savaient pas ce qu'elles faisaient encore là. Enchaîné et touché de leurs mains impures, dit la Couronne. Convenons que ce n'est pas de l'inconscience, mais quels gestes délicats, doux et mesurés ! François ne s'en est jamais plaint. Voyez ce visage au regard d'enfant bourré de candeur et qui ne montre aucune trace d'attentat à la pudeur. Oui, cette fois, elles savaient ce qu'elles faisaient, mais comme elles le faisaient avec respect ! Sur cette route de l'irréel donc, voici un moment de lucidité, ce qui constitue la phase deux du processus.

– Soyez claire ! intervint la juge.

– N'est-ce pas là ma spécialité, dit Claire.

– Poursuivez !

Maître Latache prit le rouleau de bouleau et le brandit.

– Cet objet a fait couler bien du liquide. De l'encre dans les journaux, de la salive de journalistes. Ah! langues perfides, quand vous nous tenez ! Mais il vient du coeur, ce rouleau de bouleau, pas de la raison. C'est un suprême et sublime cadeau fait à la pudicité d'un homme puceau : qui pourrait le nier ? Ainsi que Dieu dans sa grande bonté gratifia nos premiers parents de la feuille de vigne, les accusées roulèrent de leurs mains cette écorce protrectrice du colosse nain. Elles savaient très bien ce qu'elles faisaient cette fois. Mais peut-on trouver plus grand respect de la victime et de son quant-à-soi ?

Elle remit le rouleau sur la table du juge et poursuivit :

– Libérer François de ses liens, voilà un geste qui relève de la folie pure. Quelle femme ignore que détacher les liens d'un homme, c'est le voir aussitôt prendre la clef des champs ? On voit bien une autre fois qu'il n'y a aucun rapport avec la réalité. Quand à cette cage psychologique inventée de tous barreaux par notre prolifique et prolixe avocat de la Couronne, elle n'existe en fait que dans la tête de mon collègue. Car ce n'était pas François, le prisonnier, c'étaient elles. Oui, elles, prisonnières de son image télévisuelle brillante qu'il traîne avec lui partout à travers le monde. Et si on regarde un moment du côté de la victime, on se rend compte qu'elle n'en est pas une du tout. N'a-t-elle pas suivi les faux policiers sans résister, démontrant par la une naïveté tout à fait incroyable. S'est-elle battue le moindrement contre les seringues ? A-t-elle cherché à s'emparer d'un des pistolets des policiers? Non à ces questions. J'ai beau être une grande fan de François, ma raison, pas mon coeur, me fait dire ceci : "Je crois que c'est lui qui en ce moment devrait se retrouver sur un fauteuil des accusées."

– Maître Latache, prière d'en arriver à la conclusion !

– Votre Honneur, j'y arrive justement. Vous savez, j'étais là, ce fameux dimanche dramatique où François fut retrouvé. Je fus témoin de leur reprise de conscience au bout du processus chaotique lorsque guidée par ma grande intelligence, je les découvris. Je les ai vues reprendre la vraie bonne route grâce à moi et un peu aussi au policier Ladéroute qui a procédé à leur arrestation et qu'on peut voir là, juste derrière la victime... Si les caméras veulent bien faire un gros plan de lui... merci ! Et j'ai vu s'atténuer leur grave état psychotique et j'ai vu décliner leur schizophrénie catatonique. Bref, je fus témoin en personne de la phase finale. Et maintenant, si on voyait un peu les résultats de tout ça... Chacun y a trouvé plus que son compte. François a pu intérioriser, dénicher en lui-même des facettes inconnues tandis que les accusées apprenaient à chanter comme de véritables professionnelles. Sous le nom des Logicielles, elles forment maintenant un trio fort décontracté. Ainsi, tous ont pu tirer profit de l'affaire pour eux-mêmes mais le meilleur ira à toute l'humanité puisque et François et les accusées en sortent grandis et peuvent devenir par le fait même de nouvelles étoiles. Profit pour l'humanité entière, je le redis encore et à ce propos, je dis moi aussi, comme la Couronne, que c'est piétiner tous les drapeaux du monde que de toucher aux cheveux d'une mégastar. Mais juger les accusées comme des malfaiteurs, ce serait condamner le coeur des femmes du monde entier. Planète, avec toi, je réclame le seul verdict incontournable : l'innocence.

Et c'est sous d'interminables applaudissements silencieux que l'avocate retourna à sa place, le coeur content.

– Jury, dit Maître Buteau, elles sont là, toutes les évidences. La faiblesse de la preuve de la Couronne est mise en face de la force de celle de la Défense. Ce qui s'impose s'impose... Entre les mains de plusieurs parmi la foule qui forment le jury sont des pancartes sur lesquelles on trouve des dessins. Chacun en a deux, l'une sur laquelle se trouve le signe du dollar et l'autre où apparaît un oeuf. Le signe de piastre veut dire non coupables et l'oeuf, c'est coupables. A vos images ! Vous avez dix secondes pour trancher cela et entre-temps, vous entendrez une musique de circonstance pour aider à votre réflexion...

Gerry Boulet entonna "Les Yeux du caoeur", les pancartes se levèrent les unes après les autres et Maître Planters calcula en même temps que la juge. Au bout du décompte, il éclata de rire :

– Trois douzaines d'oeufs : coupables, ha, ha, ha, ha, ha, ha...

Bravo populo ! Bravo démocratie !

– A l'ordre, vieux sacripant de calvènusse! ordonna la juge en s'aidant de son maillet malin. Dis plutôt phallocratie ! Le verdict est stupide mais la sentence sera exemplaire comme il se doit. Et sans appel. Accusées, levez-vous...

Craintives, elles se tinrent sur leurs jambes flageolantes et le couperet tomba, implacablement :

– Vous êtes condamnées par cette Cour à effectuer la tournée des prisons du Québec... pour un donner un concert gratuit et vous irez aussi donner un spectacle au Parlement. Quant aux quinze dollars de cachet que vous toucherez pour votre participation à l'émission de madame Latache, vous en ferez don à une cause humanitaire. Les pauvres comptent sur la générosité des artistes pour ne pas mourir d'ennui... Cette audience est levée...

Le maillet ferma les becs.

23

Personne ne bougea car le spectacle se poursuivait et les animateurs de foule promenaient des pancartes sur lesquelles était inscrit le mot silence.

Maître Latache s'empressa d'ôter sa toge et elle se rendit à l'avant pour s'adresser à son public téléspectateur.

— Et voilà, chers amis de la planète, ceci va mettre fin au suspense que nous avons tous traversé depuis un bon mois, depuis l'enlèvement joyeux de notre cher François superstar. On a déjà reçu des appels par centaines de partout dans le monde de gens qui voudraient engager les Logicielles sans même les avoir entendues. A ce sujet, le groupe fera très bientôt l'Olympia de Paris et le jour suivant le Tonight Show. Que de bonnes nouvelles ! Que ça fait donc du bien d'entendre ça! Le plus grand moment de cette émission s'en vient soit le mariage promis. D'ici là, je voudrais faire un appel à tous et il me fait plaisir de dire que nous accepterons dans notre studio des gens de partout dans le monde et pas seulement des Québécois. Pour bientôt, on aurait besoin de personnes qui font l'amour avec leur tête. Des gens qui ont leur bibliothèque entre les deux oreilles mais qui peuvent refouler leur cerveau entre leurs jambes. Par exemple, ils feront cela en discutant d'existentialisme ou encore en rédigeant une dictée de Bernard Pivot. Après la pénétration, ils font jouer sur les mots au rythme de la ponctuation. La virgule sera un arrêt léger et doux. Un point-virgule, ce sera un arrêt profond. Tantôt ils s'échangent des points d'interrogation, ensuite, ils se mangent sur des points d'exclamation. Et d'autres coquins, dit-on, drapent leurs fesses avec le Devoir : libertins !

Claire hocha la tête et rajusta ses lunettes puis aligna ses seins en reprenant :

– On dit même que la très cérébrale madame Bissonnette – pour l'humanité qui écoute, il s'agit de la rédactrice en chef du quotidien le plus élitiste au monde et ça nous appartient à nous aussi les Québécois et nous payons le gros prix pour subventionner ce trésor inestimable dont pas beaucoup de monde ne veut mais qui fait notre fierté– que disais-je! ah! oui, madame Bissonnette ne fait jamais l'amour sans avoir ses lunettes, histoire de garder le bon contact... Enfin... vous avez une grosse tête et bien compacte et vous aimez bien la couchette, alors appelez-nous...

Soudain, la Marche nuptiale entra dans le studio et dans tous les micros. Madame Latache se tut et sortit son mouchoir à pois pour essuyer quelques larmes en voie de formation et qui montaient à l'assaut de son regard.

Puis entrèrent l'une après l'autre Carole, Francine et Sylvie qui avaient retrouvé leur uniforme de policières et que l'on avait choisies pour servir de garçons d'honneur.

– Ah! que c'est beau, que c'est donc beau ! Je n'en reviens pas et ça me fait du... du... du... du chagrin de penser que ces pauvres filles vont devoir donner un concert gratuit au Parlement. Tout un châtiment pour un si petit crime de lèse-étoile! Les voilà, ils sont là, ils arrivent les époux et j'en ai des larmes plein les yeux de mon grand coeur. Voici les mariés précédés des garçons d'honneur et qui seront unis pour la vie avec honneur par son Honneur la juge Buteau qui tranchait dans l'affaire D'Amours voilà quelques instants... Ah! la robe ! Ah! la robe ! Si vous voyiez de près. Unique au monde. Il n'en fallait pas moins pour s'accorder avec l'éclat d'une telle icône. Incidemment, notre virtuose nous offrira en cadeau tout juste avant la cérémonie son succès mondial *Un sentiment divin* et j'en pleure d'avance... Ah! que ça fait du bien ! Ah! que ça me fait du bien ! AHHHHHHHHHHHH ! Sa voix me va et me vient entre les reins et que ça fait donc donc du bien ! AHHHHHHHHH !

Affublé de sa guitare, François entreprit sa chanson mais le son n'y était pas et on n'entendait encore que la Marche nuptiale par dessus laquelle une voix venue d'une autre dimension déclara avec emphase :

– Si Jean de La Fontaine vivait de nos jours, il écrirait devant ce jugement de Cour : "Grâce à la télévision, bien des crimes punissables deviennent des affaires grassement profitables."

Épilogue

Ils se marièrent donc, vécurent plutôt malheureux pendant quelques années et n'eurent pas un seul enfant. Légende vivante, François D'Amours multiplia les tournées mondiales, entouré d'une équipe de spécialistes qui fabriquaient à mesure son image afin de s'en nourrir eux-mêmes et de l'en sustenter, lui. Et la star continua de parler à Dieu et Dieu continua à l'encourager et à lui dire qu'il lui faisait honneur partout dans le monde en se montrant d'une telle grandeur et d'un si total égocentrisme.

Gina fut considérée comme un trouble-fête et quitta la France en claquant des dents; mais à son tour, elle se bâtit une carrière et une **image** quand elle se découvrit des talents d'actrice. Elle en est à son septième film, un autre navet à succès hautement subventionné par Téléfilm Canada et imposé aux téléspectateurs par Radio-Canada.

Madame Latache en arrive à sa dixième année à Télé-Star. Elle a dépassé en rating l'animateur cadavre qu'elle détestait tant. Et parfois, pour soigner son image, elle s'effondre sur le plateau afin que les journaux en parlent dans les nouvelles régulières et pas seulement dans les potins artistiques. Elle s'est pris un amant : un photographe de la Beauce qui adore les sacs de vieux ossements décalcifiés...

FIN

Avertissement : toute ressemblance entre les personnages de ce roman et des personnes réelles ne serait que pure coïncidence. L'auteur ne connaît aucune Madame Latache, aucun Monsieur Planters, aucun François D'Amours et surtout aucune femme qui admire les stars au point d'acheter toutes les semaines Télé-Sept-Jours, le Lundi, TV-Hebdo... pour les lire... aux toilettes... à part des recycleuses de papier poreux...

Un sentiment divin

pièce en 5 actes

Et maintenant, place au théâtre !

Pour le même prix, je vous propose le roman que vous venez de lire, mais sous forme de pièce écrite en 2576 alexandrins soit 5 de plus que Cyrano. Un pur hasard et non l'intention de prendre la mesure de Rostand, pas avec mes petits moyens...

Bien entendu, c'est la qualité qui compte. J'ai fait de mon mieux pour provoquer le rire ou le sourire; le public en jugera.

D'aucuns m'ont dit : le théâtre moderne ne voudra pas d'une écriture qui n'est plus de mode (alexandrins). Ouais! les classiques sont toujours de mode, mais c'est pas pareil eux autres... Qui voudra d'une pièce moderne se donnant des airs d'antan ?... *Si quelqu'un est assez fou pour l'écrire, il se trouvera bien quelqu'un d'assez fou pour la lire... et peut-être l'adapter...*

D'autres m'ont dit : du théâtre, ça se vend pas dans les librairies et tu vas manger ta chemise à vouloir en mettre sous la couverture sans être subventionné. Alors j'ai répondu : *je vais le donner en l'incluant sans frais à un roman.*

D'autres encore m'ont averti : ça ne marchera pas parce que ça s'est jamais vu, un livre avec un roman au début et ce roman transformé en pièce ensuite. Surtout des vers ! Si ça s'est jamais fait, ça peut pas se faire! J'ai donc répondu avec une logique égale à la leur : *ça va se faire et ça va réussir parce que je vais le faire et le réussir...*

D'autres m'ont dit enfin : cinq livres dans une même année, ça n'a aucun bon sens. *Pourquoi ?* Parce que c'est trop... Trop, c'est trop! Trop nuit ! *Pourquoi faut-il que cinq livres soient écrits par cinq auteurs différents ?* que je leur ai demandé. Parce que c'est comme ça! qu'ils m'ont répondu avec brio. Eh bien! tant pis, j'en crèverai! Et ce pauvre public devra entendre parler de moi cinq fois plutôt qu'une. Encore que les médias, comme toujours, vont m'ignorer cinq fois plutôt qu'une! Qu'importe, on fera un feu de plaisir avec les invendus; après tout, mes livres ne sont pas subventionnés contrairement à la production de tous nos éditeurs. Je serai seul à en assumer le coût...

Droits

Pour négocier les droits, on s'adressera directement à l'auteur dont on obtiendra le numéro de téléphone le plus récent auprès de l'Union des écrivains, après avoir essayé le 819-357-1940.

Au besoin, on peut réduire la durée de la pièce en biffant les vers suivants:

355 à 383
397 à 409
1017 à 1045
1663 à 1911 (rôle de Dieu)
1257 à 1271 (hors Québec)
1333 à 1337 (hors Québec)
2449 à 2453 (hors Québec)

On notera que le rôle de Dieu contient à lui seul tout l'esprit de la pièce et qu'il n'exige pas un acteur de plus puisqu'on pourra utiliser une voix préenregistrée.

ADAPTATION

Comédie satirique dont le thème est le vedettariat, cette pièce se doit d'inclure des noms de stars de l'heure et vedettes d'ici.

Mais 5 ans, 10, ça coule vite, et les étoiles sur pellicule ont l'éclat souvent bien éphémère. Ceux qui alors seront chargés de l'adaptation n'auront qu'à changer certains noms (effacés des mémoires) au besoin en trouvant d'autre rimes, d'autres rires.

(Note: on aura intérêt à faire participer le public comme dans un vrai talk-show, mais ce n'est pas obligatoire.)

PERSONNAGES

1.	D'AMOURS (François)	Star internationale (Français)
2.	PLANTERS (Jean-Louis)△	Homme d'affaires
3.	CAROLE	Admiratrice de François
4.	FRANCINE	Admiratrice de François
5.	GINA	Admiratrice de François
6.	SYLVIE	Admiratrice de François
7.	LOISELLE (Nathalie) √	Serveuse
8.	LATACHE (Claire)	Animatrice et avocate
9.	BUTEAU (Patricia) √	Juge féministe
10.	PLANTERS (Jean-Luc) △	Procureur de la Couronne
	VOIX DE DIEU	Préenregistrée
	VOIX DU RÉGISSEUR	Préenregistrée (ou technicien)
	ADMIRATRICES	Personnes de l'assistance

(7 et 9 pour une même comédienne; 2 et 10 aussi)

AVERTISSEMENT

Que les 'alexandristes' et rimailleurs tous azimuts se le tiennent pour dit : tous les mots en 'sion' (s en z) font 'sion' (1 syllabe) et non pas 'si-on' (deux syllabes)

Aussi quelques mots font partie d'un langage très québécois comme "flag-zo" ou "sibole" mais ils sont très rares.

Affreux libertinage !

PLAN

PREMIER ACTE

CRIME D'IMAGINATION

La cafétéria d'un Centre Sportif. Pièce voisine d'un salon pour artistes où des têtes d'animaux empaillées sont accrochées sur les murs. (Le décor est séparé en 2 parties séparées par une cloison.)

Trois femmes sont attablées et achèvent leur repas. Vêtues en sportives, ce sont visiblement des amies de longue date.

Scène première

GINA, CAROLE, FRANCINE, SYLVIE
Une serveuse

La serveuse essuie des tables en arrière-plan

GINA, *arrivant à la table en coup de vent*
Ça y est, il s'en vient, je le sais.

CAROLE
Qui dis donc ?

GINA, *s'asseyant, excitée*
Notre beau François D'Amours, qui d'autre voyons !

FRANCINE
Comment as-tu appris la joyeuse nouvelle ?

GINA
Par les ondes et aussi le journal...

CAROLE, *pressante*
Mais lequel ?

GINA
5   Le Matin.

CAROLE
Incroyable !

FRANCINE, *affirmative*
Gina ne ment pas.

SYLVIE
Et tu nous apprends ça à la fin du repas ?

231

GINA

Quoi de mieux, dites-moi, qu'un bel homme au dessert ?

SYLVIE

Mets-en !

FRANCINE

Mets-en, mets-en !

CAROLE, *pâmée*

Je suis tout à l'envers.

GINA, *avec emphase*

Ah! si du ciel j'avais obtenu la faveur
10 De l'amour éternel d'un aussi beau chanteur,
Que de plénitude et que de félicité !
Quelle reconnaissance au Bénédicité !

CAROLE

Je pense au nid douillet que je préparerais
Pour lui. Et pour loger nos merveilleux secrets.

FRANCINE, *sensuelle*

15 Et pour vivre à fond notre sexualité
Loin, là-bas, à l'abri, dans notre intimité.

SYLVIE

Que les filles de France sont donc généreuses
De nous envoyer leur star la plus glorieuse !

GINA

A nos grand-mères, elles avaient prêté Maurice;
20 A nos mères, Tino, Montand et le beau Luis
Mariano.

CAROLE

A nous écouter toutes quatre,
Il me vient une idée dont je voudrais débattre
Si vous en avez le goût.

GINA

        Ça sent le défi.

FRANCINE, *à la serveuse*

C'était bon, mais je crois que pour moi, ça suffit.

SERVEUSE

25   Une crème glacée, un morceau de gâteau ?

SYLVIE

Non merci, on a tout le sucré qu'il nous faut.

GINA, *à la serveuse*

Un café.

FRANCINE, *à Carole*

        Quel est cette pensée prometteuse

Dont tu parlais à l'arrivée de la serveuse ?

CAROLE

Un fan-club.

FRANCINE

        Un fan-club ?

SYLVIE

            Un fan-club ?

CAROLE

                Un fan-club.

GINA

30   Brillant !

FRANCINE

        Je vois au-dessus de ta tête un globe

Avec une petite lumière dedans.

SYLVIE

Enfin quelque chose à nous mettre sous la dent !

GINA

Rêvons mes soeurs, rêvons toujours; c'est bien beau dire
Mais comment faire ? Entre parler et s'ébaudir
35 A y songer, il y a une différence
On ne peut agir au petit bonheur la chance.

CAROLE

C'est justement pourquoi je vous ai dit tantôt
Qu'il nous fallait en délibérer au plus tôt.

FRANCINE

Dans quatre cerveaux de femme, on peut tout trouver.
40 Il suffit de se laisser aller à rêver.

CAROLE

Allez les filles, ce n'est pas si compliqué.
Faut avoir l'adresse...

GINA

                          Dès là, tout peut bloquer.
Où l'obtenir ?

SYLVIE

                    Par l'agence qui organise
La tournée. Pour ça, aucun besoin d'expertise.

FRANCINE

45 Et qui nous donnera le nom de cette agence ?

SYLVIE

Les gens de la télé vont faire diligence
Pour nous fournir tous les meilleurs renseignements.

GINA

Ensuite est-ce qu'on va écrire à sa maman ?

CAROLE

    A son agent pour une autorisation
50   De lancer le club, aussi sa promotion.

FRANCINE

    Simple comme bonjour et clair comme de l'eau
    De roche.

GINA

             Mais comment la faire, la promo ?

CAROLE, *en haussant les épaules*

    Facile: on fera des communiqués de presse.
    On sait qu'aux stars, tous les médias s'intéressent.
55   Même qu'ils ont du mal à parler d'autre chose :
    C'est comme s'ils étaient poignés par la sclérose
    En pages.

SYLVIE

           Tant mieux pour nous et notre projet !
    Mais ne nous faudrait-il pas un petit budget
    Pour répondre aux lettres qu'on va nous envoyer
60   De tout partout ?

GINA

              Ça, j'ai peur qu'on va nous noyer
    De courrier.

CAROLE

         Pour l'amour d'une super vedette
    Comme lui, je me ferais de petites dettes.
    La joie de lui parler serait si grandiose
    Que toute ma chair déjà se métamorphose,
65   Rien que d'y penser un peu.

FRANCINE

                  Cache ce fantasme
    Que je ne saurais voir.

GINA, *se levant à moitié, bras au ciel*
                         Mon Dieu, j'ai un orgasme
      Cérébral. Ah!... Comment pourra-t-il se passer
      Quand il viendra par ici, de nous embrasser.
      J'en tremble : regardez mes mains, mes yeux, mes lèvres
70   Touchez mon front, il est déjà bourré de fièvre..

FRANCINE
      Gina, voici la serveuse avec ton café.
      Prenons donc son idée, on pourrait la greffer
      Aux nôtres.

SYLVIE
                  Une jeune fille qui sert aux tables
      C'est pas toujours ce qu'il y a de plus fiable.
75   C'est rare que ça connaît le dictionnaire.

CAROLE
      Je dis qu'il ne faut pas se fier à son air.

GINA
      C'est son coeur qu'on fera parler, pas son esprit.

SYLVIE
      Espérons que ça n'ajoutera pas au prix.

FRANCINE
      On voudrait savoir votre nom, mademoiselle.

SERVEUSE, *en montrant son insigne*
80   C'est écrit: Nathalie.

FRANCINE
                  Nathalie qui ?

SERVEUSE
                              Loiselle.

SYLVIE

    Et quel est ton âge ?

SERVEUSE, *pince-sans-rire*

                J'ai bientôt dix-huit ans.
    Et à chaque année, cela va en augmentant.

GINA

    Aimes-tu la musique ?

SERVEUSE

                Oh ! oui, moi, je l'adore.
    J'en écoute tout le temps, même quand je dors.
85 Du classique, du western, du rock et du jazz.
    De quel genre voudriez-vous que je vous jase?

FRANCINE

    Ta chanteuse préférée ?

SERVEUSE

                Céline Dion.

SYLVIE

    La pauvre, elle est ballottée comme un ludion.
    A gauche, à droite, Paris, New York, Tokyo :
90 Aujourd'hui à Saint-René, demain à Rio.
    Mais c'est la rançon de la gloire de ne plus
    S'appartenir quand au monde entier on a plu.

CAROLE

    Et qui aimes-tu le mieux des chanteurs du jour
    Serait-ce comme nous quatre François d'Amours ?

FRANCINE
95 Le meilleur...

GINA

                Le plus brillant...

CAROLE

Le plus séduisant...

FRANCINE

Beau comme un coeur.

GINA

Super sexy.

CAROLE

Et soi-disant
Célibataire.

SERVEUSE

Vous voulez une idée franche ?

FRANCINE

Parle en toute liberté: tu as carte blanche.

SERVEUSE

François pour moi, c'est tout d'abord la belle France
100   Notre grand-mère patrie. Ah! quelle souffrance
– Et que cela demeure entre nous un secret ! –
De le voir si loin et de le sentir si près
De mon coeur...

FRANCINE, *en confidence à ses amies*

Je vous l'avais dit qu'une idée vraie
Et typique des gens ordinaires viendrait
105   De la bouche – naïve – de notre serveuse.

SERVEUSE, *en montant sur une chaise*

Je vous dirai, madame *(en confidence au public)* la prétentieuse
Et à vous toutes, femmes savantes et physiques
Que le beau François est aussi mon Amérique,
Mon Espagne, mon Italie, mon Canada.
110   L'aimer, en rêver, je n'ai pas plus grand dada.
Quand j'entends sa chanson 'Un sentiment divin'
Mon corps, mon coeur, ma vie plongent dans un ravin

De joie, d'euphorie, d'extase, de quiétude.
Je suis alors transportée par la certitude
115 Que nous devenons les moitiés d'un même moi,
Que je suis souveraine et que j'en fais mon roi.
Je nous vois parfois sous un grand saule pleureur,
Moi sa Joséphine et lui mon fier empereur,
À l'abri de l'ennui, à l'abri du malheur,
120 A nous regarder pendant des heures et des heures.
Si l'on vivait au siècle du grand Périclès,
Son nom ne serait pas D'Amours mais Héraclès.
Il est mon Caruso et mon Pavarotti;
Parfois c'est mon Sacco, parfois mon Vanzetti.
125 Quand pour l'admirer mieux, je mets mon pyjama
Et ouvre ma télé pour voir du cinéma,
Je le trouve encor plus fort que Kevin Costner
Incarnant le flamboyant général Custer.
Son regard comme celui du chef Sitting Bull
130 Clame la détermination d'un pit-bull.
L'image de mon héros me métamorphose
Et transforme toute ma personne en sa chose.
Sensuelle: moi sa Mae West, lui mon Joe Louis.
Romantique: moi devant lui, évanouie.
135 Oh! mon si beau Valentino, mon Cyrano.
Vocale: lui mon ténor, moi sa soprano,
Sa diva et sa prima donna. Musicienne:
Mon Mozart, mon Patrick Norman, mon Beethoven,
Mon professeur de violon, mon Debussy.
140 Scientifique: mon Léonard de Vinci,
Mon Albert Einstein et moi sa Marie Curie.
Présidentielle: mon Clinton, son Hillary.
Guerrière: je voudrais être son Éva Braun.
Judiciaire: qu'il me soit fait selon Brown,
145 Nicole Brown-Simpson...

FEMMES EN CHOEUR
                    Attention, wô, trêve !
Mais alors, jeune dame, ce n'est plus un rêve,
Ni un ravin, mais un abîme, un cauchemar.

SERVEUSE

    Ah! mais on oublie tout quand on aime une star !

    Adorer, c'est disparaître, c'est abdiquer

150   C'est signer sans conditions, sans critiquer.

CAROLE

    Quant à ça, c'est ben vrai; en ce cas, continue !

SERVEUSE

    Sportive: l'ai-je dit, je ne me souviens plus.

    Mais non, comment oublier qu'il est mon O.J. *(djé)* ?

    Télévisuelle: qu'il est grand Michael J.

155   Fox, en dépit de sa charmante petitesse !

    Diabolique: il faut bien que je le confesse.

    Lui mon Léviathan et moi sa diablesse.

    Et je ne voudrais surtout pas que ça vous blesse

    Mais il m'est forcé de dire aussi Canadienne.

160   Lui mon Chrétien et moi son Aline. Acadienne:

    Quand je vais de François d'Amours à Roch Voisine,

    C'est comme quitter le salon pour la cuisine.

    Vampire: mon cher Dracula, mon déficit.

    Politique: mon gouvernement, ma bullshit.

165   Si j'étais coeur, il serait mon adrénalyne;

    Si j'étais moteur, il serait ma gazoline.

    Laissez-moi m'arrêter si vous êtes d'accord.

    C'est tout cela François, mesdames, et plus encore.

    Bref, il est une superstar, une lumière,

170   Bien mieux qu'un demi-dieu, c'est un dieu de la terre

    Capable quand c'est la tempête dans mon âme

    De commander à l'ouragan qui se désâme,

    Pour le changer dès le premier de ses sourires

    En la tornade des plus excitants désirs.

FILLES ENSEMBLE

175   Bravo ! Bravo ! Bravo !

SERVEUSE

                    Merci, je m'applaudis

    Moi-même !

SYLVIE

Ah ! que cette tirade nous grandit !
Heureusement qu'en ce bas monde les modèles
A imiter foisonnent. Nous serons fidèles
Au plus grand parmi les plus grands. Des fanatiques
180 Nous en trouverons par milliers, c'est fantastique.

FRANCINE

Il m'étonne fort de constater que Sylvie
Notre Sylvie s'enflamme devant ton avis
Elle toujours si réservée.

GINA

C'est vrai.

FRANCINE

Veaux d'or,
Vaches consacrées: c'est ceux que le monde adore,
185 Les amuseurs que l'on encense et que l'on flatte,
Eux dont la vie nous fait oublier nos vies plates.

SERVEUSE

Excusez-moi, voici venir monsieur Planters,
Mon patron.

CAROLE

Un homme exemplaire aux bonnes moeurs.
Il passe aux tables pour saluer les clients
190 Du Centre Sportif.

SYLVIE

Moi, je trouve ça chiant !

SERVEUSE

En léchant le petit monde l'on devient riche;
Évidemment, ça aide itou si on les triche.
La serveuse quitte

241

Scène deuxième

LES MEMES, Monsieur PLANTERS

PLANTERS, *arrivant et la serveuse quittant*
     Mesdames, c'est toujours un plaisir de vous voir
     Ici. Et laissez-moi vous dire que ce soir,
195 L'une d'entre vous aura droit à un repas
     Gratuit.

FRANCINE
               Hein, les filles, que dites-vous de ça ?

GINA
     C'est notre journée, on dirait.

PLANTERS
                         Je me rends compte
     Que ma serveuse a l'air d'aimer ce que racontent.
     Ces dames.

FRANCINE
               C'est quelqu'un d'un peu trop émotif
200 Pour travailler ici dans ce Centre sportif.

PLANTERS
     Qu'est-ce donc qui dans votre conversation
     Lui aurait causé autant d'excitation
     Jusqu'à grimper comme elle l'a fait au plafonnier ?

GINA
     Une grande nouvelle nous a empoignées...

CAROLE
205 François d'Amours, la superstar...

PLANTERS

                              S'en vient nous voir
    Oui, je le sais. Mais ça vaut-il de ne pouvoir
    Garder sur ses épaules et son coeur et sa tête ?

FRANCINE

    Dur de ne pas avoir son esprit à la fête
    Quand on apprend que bientôt sa plus grande idole
210 Viendra fouler de son pas sacré notre sol,
    Traversant le ciel comme une étoile filante.
    Une femme, vous devez savoir, est vibrante
    Bien plus qu'un homme.

PLANTERS

                        Mais encore, qu'a-t-elle donc ?
    En pâmoison pour une vedette quelconque !?

FRANCINE

215 Pour vous, mais pas pour mademoiselle Loiselle.
    Qui, disons, a peut-être fait un peu de zèle.

PLANTERS

    J'avoue que vous, les femmes, vous me dépassez
    Parfois.

SYLVIE

          On en met trop ou alors pas assez

PLANTERS

    François d'Amours n'est toujours pas la mer à boire
220 Pourquoi donc son image dans un ostensoir ?
    On pourrait saisir si c'était Johnny Mathis.
    Qui dira qu'il n'est pas le meilleur des artistes ?
    On pourrait comprendre si c'était Dick Rivers
    Que j'ai pu applaudir l'an passé à Bathurst,
225 Ou peut-être si vous me parliez des Platters...

CAROLE

    Ah! que vous êtes démodé, monsieur Planters !

Mais on ne pourrait même pas faire de troc
Avec ceux que vous nommez.

SYLVIE

C'est l'heure du rock.

CAROLE

Et les chansons que tout le monde se rappelle
230 Sont beaucoup trop faciles pour n'être que belles.
De nos jours, il faut imiter le chant du coq
Pour qu'on prenne votre mesure.

PLANTERS

Ça me choque !
Jamais vous n'entendrez ici d'autre musique
Que celle de ma jeunesse ou bien du classique.

GINA

235 Prenez au moins la peine d'écouter François
D'Amours...

FRANCINE

Et si vous n'en faites pas votre choix
Premier, vous apprendrez à l'aimer.

PLANTERS

Ouais, ouais, ouais,
Je veux essayer, je veux bien essayer, mais
C'est parce qu'il est votre préféré.

CAROLE

Merci !

PLANTERS

240 Bon appétit ! Bienvenue tous les jours ici !

FRANCINE

Justement, vous, millionnaire instantané

N'auriez-vous pas quelques conseils à nous donner,
Que nous puissions toutes les quatre avec aisance
A un fan-club pour un héros donner naissance ?

PLANTERS

245   Vous ne deviendrez jamais riches à ce jeu-là.

CAROLE

Notre fortune à nous se situe au-delà
Des espèces sonnantes et d'un compte à la banque.
Ce sont les plaisirs du coeur qui jamais ne manquent
A ceux qui les cultivent.

PLANTERS

                              Vous m'en direz tant!
250   Jouissance, argent, confort, ce n'est pas important ?
Les sports, la bouffe, les voitures de grand luxe...
Voyez ce lustre: savez-vous combien de lux
Il emploie pour le seul agrément de vos yeux ?
Le bonheur terrestre, ce n'est pas pour les gueux,
255   C'est pour les sens.

FRANCINE

                              D'autres joies ne se comptent pas.
Et sont à la portée de tous même ici-bas.

PLANTERS

Bien entendu, bien entendu, je vous taquine
Car j'adore aussi les héros, les héroïnes.

FRANCINE

Vous ayant le sens de l'organisation
260   Fournirez-vous la réponse à ma question ?
François s'en vient, François arrive, le temps presse
Suggérez-vous une conférence de presse ?

PLANTERS

Vous savez: ce que télé veut, peuple le veut.
C'est elle qui le mieux peut combler votre voeu.

265 Que dire d'une émission de Claire Latache
Enregistrée chez nous, ici, à Saint-Eustache ?
Oui, ici même dans ce Centre...

CAROLE

                              Formidable!
Et François n'aura plus qu'à s'installer à table
Quand il nous arrivera.

FRANCINE

                    Non, il faut attendre
270 Qu'il soit là afin qu'il nous aide à bien mieux vendre
Au grand public de partout l'idée fantastique
De faire partie d'un groupe de fanatiques
Ce sera le plus beau cadeau du mois de Claire.

CAROLE

Mieux que Vanessa Paradis, que Julien Clerc.

GINA

275 Mieux que Sardou, que Hallyday, que Charlebois
Sans aucune comparaison avec Dubois.

SYLVIE

Ce projet m'excite et je dois dire oui, oui.

PLANTERS

Moi, je leur téléphonerais dès aujourd'hui
A la réalisatrice ou aux recherchistes.
280 Je vous prête gratis le salon des artistes.
Je suis à mon bureau, venez prendre la clef.

FRANCINE

On y va dès que ce repas sera bâclé.
Les lumières s'éteignent.

246

Scène troisième

GINA, SYLVIE, CAROLE, FRANCINE
(Au Salon des artistes)

FRANCINE *(raccrochant le téléphone)*
    Ça y est, les filles, l'affaire est dans le sac.
    La venue de François cause tout un ressac
285 Déjà à Télé-Star où on vient de l'apprendre
    Notre idée d'émission, c'est sûr qu'on va la prendre.
    Et madame Latache est d'accord pour venir
    Animer en ce lieu dans un proche avenir,
    En fait au cours de la tournée du beau D'Amours.
290 Nous pourrons lui parler, lui faire nos mamours
    Nous serons invitées, elle l'a dit, c'est certain.
    C'est ainsi que l'on peut fabriquer son destin.
    Je vous l'avais bien dit.

CAROLE
                    J'espère qu'on pourra
    L'avoir à nous quatre à l'écart des caméras.

GINA
295 Oui, parce que de le partager avec tous,
    C'est bien moins drôle.

CAROLE
                    J'ai encore une idée. Pousse
    Ta carcasse, Sylvie, je m'assoies avec vous
    Sur le divan. Profitons donc du rendez-vous
    Que nous donne un destin commun pour accomplir
300 Ensemble un exploit capable de nous remplir
    Des plus grands émois... Ah! mais... j'hésite, je doute...

GINA
    C'est trop tard pour t'arrêter.

247

FRANCINE

                          En si bonne route !

SYLVIE

Quand on commence à dire, il faut finir de dire.

CAROLE

On devrait s'emparer de lui juste pour rire.
305 L'enlever pour une heure à tous ceux qui l'admirent
Lui de nous et nous de lui être un point de mire,
Le temps de nous rassasier quelques moments.

GINA

Oh! oh! oh! oh!

FRANCINE

             Oh! oh! papa!

SYLVIE

                    Oh! oh! maman!

GINA

C'est la prison, ça, c'est certain, le lendemain.

SYLVIE
310 Pour deux ans.

CAROLE

               Pas si on sait y mettre la main.
En tant qu'invitées sur le plateau, nous serons
Insoupçonnées. Bien sûr, nous nous déguiserons
Pour faire le coup.

FRANCINE

              Pourquoi pas en techniciens ?

SYLVIE

Ou en gardes du corps ?

FRANCINE

Il a déjà les siens.

CAROLE

315 Quand prendra fin le show de madame Latache,
On va s'habiller en policiers à moustaches.
Un: cachons des uniformes dans les toilettes
Souliers, pantalons, veste, ceinture et casquette.
Deux: on disparaît en douce après l'entrevue
320 Pour aller changer d'allure tel que prévu.
Puis sous prétexte de vérifications
On procède vite à son arrestation
Et on l'emmène et on l'embarque. Alors voilà,
Mes soeurs!

FRANCINE

Bravo! C'est du vrai génie ! Oui, mais là
325 On lui fait quoi, on l'emporte où ?

CAROLE

Imaginez
Selon vos fantaisies.

GINA

Je vais le lutiner.

SYLVIE

Je l'obligerai à chanter la sérénade
Pour moi toute seule.

FRANCINE

Je veux une ballade
Sa chanson indienne ferait mon affaire.

GINA

330 Et toi, Carole, que voudras-tu le voir faire
Pour ton plaisir ?

CAROLE

                    Je vous laisse penser à quoi
     Je pense.

GINA

          Lui faire l'amour en québécois ?!

FRANCINE

     Le viol est un délit mineur s'il est commis
     Par une femme.

SYLVIE

                    Surtout si c'est entre amis.

GINA

335 Quel homme ne rêve pas de se faire prendre
     Par la force ?

FRANCINE

                    Force de femme est force tendre!

CAROLE

     Excusez-moi si je suis encore à songer...
     Je me demande s'il ne faudra prolonger
     Sa présence avec nous afin d'apprivoiser
340 Comme il faut notre bonhomme et pour l'apaiser.

SYLVIE

     En peu de temps, l'agneau se laissera-t-il tondre ?
     Poser la question, c'est bien sûr y répondre.

FRANCINE

     Le moment arrive de prêter un serment
     Qui nous unira dans un même sentiment,
345 Une même pensée vers un commun projet :
     Une fleur unique dans un jardin secret
     Que nous partagerons.

SYLVIE, *avec emphase*

A chacune son rôle !
Que de notre vie, ce crime soit le plus drôle !...

RIDEAU

DEUXIEME ACTE

CRIME D'ADMIRATION

Un studio de Télé-Star monté au Centre Sportif.

Les invitées de l'émission, Gina, Carole, Francine et Sylvie, sont alignées sur une tribune, assises dans des fauteuils confortables prêtes à livrer le fond de leur coeur à tout un pays en attendant la vedette des vedettes qui viendra bientôt après s'être fait désirer par tous.

Chacune porte sur son visage un sourire angélique, euphorique, un peu embarrassé. Le trac qui leur est valu par la présence de la foule, des caméras, de l'idée que des millions de téléspectateurs les regarderont et plus encore par l'arrivée très prochaine de leur héros François D'Amours...

Monsieur Planters occupe le cinquième siège des invités pour bien montrer que les hommes aussi aiment les vedettes... surtout quand elles vous apportent une grande couverture médiatique...

Madame Latache fait dos au public, mais le moment venu, elle le fera intervenir.

Les répliques du public sont écrites sur des pancartes qui, le moment voulu, seront brandies par un animateur de foule (technicien ou comédien).

Scène première

LE PUBLIC *à l'arrière.*
GINA, CAROLE, FRANCINE, SYLVIE
MONSIEUR PLANTERS
MADAME LATACHE

On entend la rumeur des gens en fond.

MADAME LATACHE, *multipliant les soupirs*
    Notre cadeau du mois, ou celui de l'année ?
350 Plutôt celui de tous nos talk-shows combinés
    Le voici enfin pour vous, c'est la grande étoile
    Du jour. Est-il encore besoin que je dévoile
    Son nom magique car de tous les attendus,
    De notre monde, il est certes le plus vendu.
355 Que l'on se trouve à St-Eustache ou à Rigaud,
    Que l'on achète au Métro ou au Provigo,
    Que l'on porte bobettes ou combines ouatées
    Qu'en Floride, on passe l'hiver ou ses étés,
    Que l'on soit vétéran de la guerre d'Oka,
360 Buveur de thé, de Maxwell House ou de Sanka,
    Qu'on aime la porno ou le sado-maso,
    Ou l'autre télévision, qu'on soit un flag-zo
    Libéral, péquiste, à droite, à gauche ou au centre
    Qu'on mange en oiseau ou qu'on se bourre le ventre
365 Qu'on fasse l'amour par l'avant ou le côté,
    Qu'on se pâme pour Julie Masse ou la beauté
    De Lise Watiers, que l'on écoute mon show
    Tous les jours... ou rarement celui du nono
    Le grand cadavre ambulant qui vient après moi
370 Sur les ondes de Télé-Star, ou que l'on soit
    Président, cardinal, avocat, général,
    Bourré ben dur ou sur le bien-être social,
    Qu'on vive à Montréal, à Québec, à Lingwick,
    Qu'on vienne de Sherbrooke, Laval ou Warwick,
375 Que l'on soit Abénakis, Mohawk ou Micmac,

Excité par la poutine ou par les big-macs
Les gros pets de nonne, les oreilles de crisse,
Qu'on souffre d'hémorroïdes ou de chaude-pisse,
Qu'on soit comme moi un personnage célèbre,
380 Qu'on travaille dans l'ombre, les pompes funèbres,
Que l'on gise sur un lit d'amour ou de mort
Qu'on vive à l'est, à l'ouest, au sud ou bien au nord,
Nous tous et toutes, Québécoises et Québécois
Aimons, adulons, adorons le beau François
385 Venu d'Europe et qui a le monde à ses pieds
Chanteur, maire de son bourg et super-pompier,
Super-nova dans la galaxie des vedettes,
Super-étalon menant sa super-Corvette
Dans les grandes avenues du vaste royaume
390 De la célébrité.

VOIX, *traînante*
                    Arrête donc ton psaume
Et présente-nous les invités!

MADAME LATACHE, *avec condescendance*
                    Vous Gina
Qui êtes d'origine espagnole, Tina
Labonté, ça vous dit-il un peu quelque chose
Je vous le demande avant d'aller à la pause...

VOIX
395 Y'en aura pas de commercial, madame Claire.
Vous savez qu'on a perdu nos commanditaires
A force de charger cher...

MADAME LATACHE, *se grattant la tête*
                    J'ai perdu le fil...

GINA
Tina Labonté, je connais pas : c'est utile ?

MADAME LATACHE
Elle n'est pas une star, elle est une fille,

256

400 Paraîtrait-il, de Benezra qui elle, brille
Dans la constellation de quatre-saisons,
Entre la queue de poêle et le groupe Orion.
Sans doute devinez-vous le lien qu'il y a
Entre notre invité du jour et Sonya :
405 C'est fort simple, il s'agit du vedettariat.
En me préparant à la cafétéria,
Tantôt avec ma productrice déléguée
On s'est dit comme ça, histoire de blaguer,
Qu'adviendrait-il donc de notre pauvre planète
410 Si un jour, elle était privée de ses vedettes...
Disons de la politique. Quel avenir
Serait nôtre sans elles ? Comment subvenir
A nos énormes besoins de divinités ? ...

VOIX, *lancinante*
Tais-toi, la vieille, et fais parler tes invités.

CAROLE
415 Justement, on est là, Gina, Sylvie, Francine...

MADAME LATACHE
Oui, oui, on plongera tantôt dans la piscine,
Mais avant ça, préparons l'eau pour que François
Puisse nager à son aise, le coeur en joie.
Je disais donc que serait le monde futur
420 Privé de ses meneurs, de ses grandes pointures
César, Attila, Néron, Hitler ou Saddam...

VOIX, *insistante*
On veut entendre les participants, madame.

MADAME LATACHE
Pouvons-nous imaginer la littérature
Sans Michel Tremblay, la guerre sans MacArthur ?
425 Le cinéma de demain sans ses Polanski ?
Et la musique sans de nouveaux Tchaïkovski ?
Peut-on seulement penser à un monde pire
Que celui-là dépourvu de ses Shakespeare ?

Sans les grands noms, l'humanité serait perdue
430 Car grâce à eux, la race humaine est éperdue.

VOIX, *ben tannée*
Jésus-Christ, ferme ta trappe.

MADAME LATACHE, *main au pavillon de l'oreille*
J'entends, j'entends
On me prie de parler de Jésus : je comprends.
Le super Seigneur qui pour nous tous a saigné,
Le roi des rois, la star des stars accompagnée
435 De sa croix pour nous chanter ses douces louanges
A nous dont le nom d'or côtoie celui des anges...
Je parle ici de ceux dont la brillante image
Est télévisée et transformée en mirage...

VOIX
Tais-toi, tais-toi avec ton délire mental
440 Ou bien on t'emmène tout droit à l'hôpital.

MADAME LATACHE
Tout à l'heure, Gina, nous nous disions combien
Dans la vie, il importe que chaque chrétien
Ait la chance en son coeur d'aduler son idole.
Du petit monde, on en a parfois ras-le-bol
445 Et quand on peut caresser l'image mentale
D'un modèle à singer, c'est bon pour le moral.
On pourrait dire que c'est votre cas à vous
Et à toutes ces dames qui sont avec nous
Sur le plateau et ont choisi, à votre instar
450 De célébrer avec amour leur superstar
Dites... dites-nous donc comment vous est venue
L'idée super-super de dire bienvenue
Au beau François d'Amours en lançant son fan-club
Québécois ici même dans ce lieu très snob...
455 C'est sûrement pour honorer en quelque sorte
L'étonnante beauté d'une voix aussi forte,
Et l'ampleur, peut-on dire, et faut le souligner
Du talent du plus grand parmi les chansonniers

De notre temps, celui qu'on voit sur les écrans
460 Du monde entier, un homme de coeur et de cran
Qui chaque semaine apporte de la fierté
A ceux qui nous bombardent de divinités
TV Hebdo, Télé-Sept-Jours et le Lundi
Ciné-Photo, La Semaine et sans contredit
465 Le Journal de Montréal dont la une fait
Chaque matin, se basant sur un simple fait
Divers, un nouveau nom fameux qui durera...
Toute la journée. C'est sûr que l'on n'oubliera
Pas de parler également de Dernière Heure...
470 La revue du Nouvel Age est avec bonheur
Au même diapason que toutes les autres,
Et récite aux gens consacrés ses patenôtres...
On m'a dit même que le prétentieux Mongrain
Va bientôt faire une chronique au Vers Demain.

VOIX, *sur un ton décidé*
475 Si tu ne te tais pas, je coupe ton micro
Et je te scelle la bouche avec du velcro.

MADAME LATACHE
Et si maintenant on passait à vous, Carole.
Paraît que d'entre les quatre, c'est vous la bolle.
On m'a dit que l'idée du fan-club, c'était vous;
480 Mais cela veut dire que votre cher époux
N'est pas jaloux, et qu'il accepte qu'un morceau
De votre petit coeur puisse porter le sceau
D'une étoile ? Avant d'entendre votre réponse,
Je m'adresse à monsieur Planters, un gars qui fonce
485 Qui brille à sa manière, vedette locale
Qui a bâti ce lieu si beau, si amical.
En tennis, vous êtes ici monsieur Planters
Ce que pour l'Amérique fut Jimmy Connors :
Pourriez-vous élaborer, nous en dire un mot ?

PLANTERS
490 Oui...

MADAME LATACHE, *consultant ses cartes*
        Ha, ha, ha... Vous aimez beaucoup Adamo
Et l'autre célébrité que vous chérissez
C'est Al Capone, un peu votre maître à penser...

PLANTERS
    Non...

MADAME LATACHE
        Que ça promet, que ça promet aujourd'hui !
On va poursuivre ce talk-show jusqu'à la nuit.
Elle s'adresse à la voix de la régie.
495 Hey toi, monsieur l'anonyme, monsieur la chose
    Il serait pas temps de s'en aller à la pause ?

VOIX
    Ta yeule, ta yeule... Continue!

MADAME LATACHE
                Bon allons !
Le petit monde n'a pas le respect trop long...
S'adressant à Planters
On va revenir à vous, monsieur, tout à l'heure
500 Là, nous parlerons un peu du divin chanteur
    De la mégastar au firmament des vedettes
    Qui de tous les journaux du monde a la manchette,
    Avec Francine. Dites-nous donc ce qu'il est
    Dans votre moi profond. Ce qui en lui vous plaît
505 Le plus, c'est sa personne en général ou bien
    Un aspect précis, un je-ne-sais-quoi, un rien.
    Moi, je dirais que c'est son petit côté France
    Ah! ça vraiment, ça fait toute la différence.
    En plus que par sa mère, il a un côté slave
510 Ce qui fait que voilà un Français qui se lave.
    Et comme il sent bon mesdames, vous allez voir.
    Son odeur naturelle a de quoi émouvoir
    Aussi quand elle épouse son eau de toilette;
    C'est pour ça que dans les coulisses, les starlettes
515 S'évanouissent quand elles sentent de près

François...

VOIX
      Madame Latache, le monde est prêt
A s'exprimer. Le monde est prêt à s'écouter
Parler lui-même... Pourquoi ne pas écourter
Le préambule...

MADAME LATACHE
           Et vous, là, ma chère Sylvie
520 Parlez à votre tour. Il compte votre avis :
Celui de la majorité silencieuse
Qui ne dit rien et passe parfois pour niaiseuse,
Ce qui est vrai mais pas toujours, pas tout à fait.
Et puis c'est grâce à tout ce monde qui se tait
525 Si nous les glorieux de la télévision
Pouvons prospérer comme marchands d'illusions.
Il en faut des têteux, chers téléspectateurs
Comme vous pour applaudir les animateurs
Et gonfler leur orgueil et leur compte de banque
530 Merci à vous au nom de tous les saltimbanques
De la politique, des arts, de la finance
Et des sports sans lesquels vous seriez dans l'errance
Mentale. Pensez comme vous seriez confus
Sans la Bombardier ou sans le gardien de buts
535 Des Canadiens. En partant de Québec, on sait
Les Nordiques emportèrent au fond de leurs goussets
Une part du génie de notre capitale
Trente étoiles qui partent, c'est fondamental.
Eh bien là-dessus, à vous cinq, je dis bravo
540 Ça fait du bien de vous entendre et ça me vaut
Bien plus d'argent que vous, crétins, ne le pensez
Et le maudit problème de le dépenser.
Cette fois, c'est vrai, nous nous rendons à la pause
Ensuite, il sera là, l'unique virtuose
545 De la chanson mondiale, le top du top,
François d'Amours, le magnifique. Allez hop ! hop !
Merci encore, ce fut un très beau lancement.
Et maintenant, ce sera le plus grand moment

De la télé québécoise. Dans deux minutes !

VOIX
550 Fatigante !

MADAME LATACHE
                    Énervant !

VOIX
                              Taisez-vous, chut!

MADAME LATACHE   Ah! zut!

Scène deuxième

MADAME LATACHE, FRANÇOIS, le public

MADAME LATACHE
      Allez-y, allez-y, les amis, applaudir
      Tout comme faire l'amour et comme grandir
      Ou bien manger ou encore aller aux toilettes
      Sortir de la maison pour faire ses emplettes,
555   Est une inclinaison tout à fait naturelle.
      Ah! que cette minute est donc intemporelle!
      Dans quelques secondes à peine, va apparaître
      Ici, devant nous la quintessence de l'être
      Dans sa lumière et dans sa grâce formidable,
560   Le divin rejeton, l'enfant incomparable,
      A la fois Mars, Hercule, Apollon, Adonis,
      Quelle voix, quelle tête, quel corps, quel... pelvis!
      Il arrive ce jour tout droit de l'Hexagone
      Où la presse l'appelle monsieur Mégatonne,
565   Ça, c'est cent mille fois monsieur cent mille volts.
      Il prend une audience et il vous la survolte.
      Il nous charme tout d'abord puis nous électrise;
      On dit que parfois, ce n'est pas dans une prise

262

De courant continu qu'il branche sa guitare
570 Mais plutôt –pourrait-il s'agir de racontars ?–
Dans son nombril...
    (Commence le rataplan du tambour.)
        Battez tambours, tambour battant
Enfin voici celui que tout le monde attend.
La minute est grave, l'instant est solennel...
Là, il nous arrive directement du ciel :
575 C'est pas une comète, c'est pas un oiseau,
Public en délire applaudis amoroso
C'est superstar François D'Amours.

FRANÇOIS, *s'embrassant la main, le bras*
             Ah! que je m'aime!
Salut à toi, ô vaste Canada! De même
Qu'à toi, ô petite nation du Québec :
580 Ce soir, t'es ma nana et moi, je suis ton mec.

MADAME LATACHE
Asseyez-vous. Bienvenue à Claire Latache.
Faire mon show, c'est à coup sûr faire du cash.
Que je suis contente de vous avoir enfin
Devant moi, plus beau qu'un bébé dans son couffin
585 Si vivant, si près, si là, en chair et en fesses...

FRANÇOIS
Je me bidonnais en écoutant les gonzesses :
Ça, pour en avoir, elles en ont dans le buffet
Prenez ma parole que j'en fus stupéfait
De les voir lancer ce club d'admiration.
590 Faudrait une adresse pour les inscriptions.

MADAME LATACHE
Je vais la donner: je l'ai ici sur ma carte.

FRANÇOIS
Crayon, baluche, bon, faites-en des pancartes
Bordel de merde. Ah! oui, je vous aime bien quoi,
Vous, les Canadiens et surtout les Québécois,

263

595 Oui, c'est vrai, je vous trouve sympa.

MADAME LATACHE

                        Qu'il est grand,
Ce troubadour qui devant le tout premier rang
Verra à tout jamais le char de son renom
Avancer sur un feu sacré.

FRANÇOIS

                    Ça vient, ce nom ?

MADAME LATACHE
    Fan-club François D'Amours, dix-huit rue de l'Écho
600 Ste-Agathe, P.Q. J0T 1E0 *(dire O et non zéro)*
    J'espère que tous ont eu le temps de noter
    Parce que je n'aime pas trop me répéter.
    Vous inquiétez pas, on verra à l'écran
    L'adresse parfois. Là, passons au plus sacrant
605 A quelques questions. Madame, il est à vous.

ADMIRATRICE A
    Je tremble comme une folle de tout partout.

MADAME LATACHE
    Il n'est pas le diable, il est un demi-dieu:
    Et comment être nerveux dans un pareil lieu ?

FRANÇOIS
    Ouais, ça, on peut dire, elle est pas mal, cette piaule.

MADAME LATACHE
610 Quel est votre nom ?

ADMIRATRICE A
              Manon.

FRANÇOIS
                    Vas-y, Manon, miaule,
    Je t'écoute.

ADMIRATRICE A, *hésitante*
>Je ne sais pas trop si je dois...

FRANÇOIS
>Moi, je réponds à tout et à n'importe quoi

ADMIRATRICE A
>C'est quelque chose de très intime...

FRANÇOIS
>Va, cause !

ADMIRATRICE A
>Je veux savoir si... Comment... qu'est-ce que... Je n'ose
615 Demander ça... je suis mille fois trop gênée.
>*Elle prend une grande respiration.*
>Qu'est-ce que vous faites de vos crottes de nez ?

MADAME LATACHE
>Très, très bonne question, pourquoi vous en faire ?
>C'est le fun, ça met encore plus d'atmosphère.

FRANÇOIS
>Mais madame, ce n'est un secret pour personne :
620 Le demander ne dit pas que vous êtes conne.

MADAME LATACHE
>Ben non et pas non plus que vous êtes colonne
>Encore bien moins que vous êtes une cochonne...

FRANÇOIS, *faussement naturel et prétentieux*
>Un article là-dessus demain dans Sept-Jours
>Enchantera celles qui se sentent en amour
625 Avec les petits à-côtés de mon talent.
>Bon, bon, que fais-je avec ces petits riens collants
>Eh bien, comme tout le monde, moi... je les roule
>Entre mes doigts pour en faire des mini-boules
>Que je collectionne simplement.

265

MADAME LATACHE, *à l'admiratrice*

> Contente
630 De la réponse ?

FRANÇOIS

> J'ai pas fini, je commente.
> Cette question mérite que l'on s'y arrête...

VOIX

> On va à la pause, madame, êtes-vous prête?

MADAME LATACHE

> Nous voilà sur le point de percer un mystère
> De star et vous voudriez que ce beau parterre
635 Attende deux longues minutes. Quel grand fou,
> Ma parole! François, parlez à votre goût.

FRANÇOIS

> Je disais donc qu'après être allé à la pêche
> Je fais des petites boules rondes et sèches
> Que je conserve dans ma poche de chemise
640 Et qu'ensuite, rendu chez moi, bon, je remise.

ADMIRATRICE A

> Je suis émue. Ça me donne le goût de...

MADAME LATACHE

> Quoi ?...
> Vous n'avez pas à être gênée par François...

ADMIRATRICE A

> De demander s'il lui arrive d'en donner...

FRANÇOIS

> Tout à fait. On a des téléthons chaque année
645 Chez nous en France, et l'un d'eux ramasse des fonds
> Pour la recherche...

MADAME LATACHE
                              Nous aussi, nous en avons
        Des téléthons...

FRANÇOIS
                          Je disais pour de la recherche
        Sur le pif des gens célèbres. Un labo en Perche.
        On étudie la queue des comètes, on peut bien
650   Scruter le nez des stars ? Par exemple le mien,
        Mon appendice nasal a plus d'influence
        Que les planètes sur moi, sur mon existence.
        Cette proéminence est le plus grand atout
        De ma carrière et sachez que je lui dois tout.
655   Voilà pourquoi j'en ramasse les fruits séchés.
        Et les gens du téléthon viennent en chercher
        Qu'ils vendent aux gens à la télé en direct.

MADAME LATACHE
        Ça doit se vendre à prix d'or à des gens sélects ?

FRANÇOIS
        Cela va de soi !

MADAME LATACHE, *excitée*
                          Que c'est donc passionnant!
660   Je dirais même que c'est impressionnant !
            Et changeant de ton
        François, dans la première partie, je disais...

FRANÇOIS
        J'ai entendu vos conneries... non, je voulais
        Dire la causerie avec ces belles dames.
        A propos, je me demande pourquoi madame
665   Ne les avez-vous pas gardées sur le plateau,
        Ces jolies nanas qui s'y exprimaient tantôt.

MADAME LATACHE
        Soyez tranquille, elles sont là dans l'assistance.
        Je leur parlais donc de la très grande importance

Que signifie votre différence pour moi.

FRANÇOIS, *air coquin*
670 En toute modestie, je vous dirai, ma foi
Que vous n'êtes pas la première que fascine
Ma... disons divergence.

MADAME LATACHE
                    Madame Francine,
Une de nos quatre invitées de tout à l'heure
Me faisait noter que vous êtes fin causeur.
675 Elle aussi se sent transportée par votre langue.
Qu'il est donc charmant d'entendre votre harangue,
Quand vous parlez dans votre français savoureux !
Nous on appelle ça un parler généreux.
Ma nana du Canada, que c'est romantique !
680 Je m'tire au lieu de je pars, c'est plus authentique.
Un mec par ci, un pot par là, que c'est bien dit !
Nous, c'est un christ par citte, un chum par là, maudit,
Que c'est affreux! Vous, c'est le pognon ou l'oseille,
C'est clair, c'est frais; mais nous, c'est donc dur à l'oreille
685 Notre bacon pis nos bidous.

FRANÇOIS
                    On dit qu'ici
Les artistes étrangers qui ont réussi
À avoir du foin dans leur crèche ont dû parler
Joual. Je ne voudrais pas me faire recaler
Je vais ajouter désormais à mon argot
690 Un zeste, un soupçon de votre langue à gogo.
Et ma différence va entrer dans la vôtre :
Un mariage profitable aux uns comme aux autres.

MADAME LATACHE
Allons-y d'une question!... Que le temps passe
Quand on a avec nous un invité de classe,
695 Quand on est emporté sur les ailes magiques,
De propos sophitisqués, de mots fantastiques.
Nous entendre, c'est presque lire le Devoir,

Et vers François

Un journal qui chez nous sert un peu de miroir
À nos intellos, et qui n'a pas grand défaut
700 Si ce n'est celui de faire tout ce qu'il faut
Pour ne pas se vendre du tout.

ADMIRATRICE B, *arrachant le micro*
                              François, dis-moi

Crois-tu en Dieu ?

MADAME LATACHE, *multipliant les hochements de tête*
                          Ça, c'est la question du mois !

FRANÇOIS

Tous les soirs, on a un entretien d'homme à homme
Et je dois dire que chaque nuit, il me nomme
705 Général en chef de son armée de vedettes.
Dieu est mon ami. Je le connais. Quel poète
Avec ça !

MADAME LATACHE

            Il doit parfois avoir un message
Pour nous tes admirateurs ?

FRANÇOIS

                          Des pages et des pages
Qu'il écrit sur de la pierre. Comme il vous aime!

MADAME LATACHE

710 Oui, mais lui, en tant que big bang du star-system
Laisse-t-il les choses aller ou intervient-il ?
Croire en ses faveurs est-il utile ou futile ?

FRANÇOIS

Le commun n'obtient rien sans avoir du piston;
Il arrive que Dieu écoute son fiston
715 Avec lequel je suis comme ça : les deux doigts
De la main. Deux vrais pots, deux frères. Je lui dois
Autant qu'à la télé qui m'a fait une image.

269

Sa grâce à lui et ses ondes et son ampérage
C'est l'amour, l'amour...

LE PUBLIC

Oui, oui, oui.

MADAME LATACHE

Que c'est donc vrai !

FRANÇOIS

720 Dites vos besoins, je les lui dirai sans frais.
Pourquoi pensez-vous que j'ai écrit ma chanson
Un sentiment divin, qui donne des frissons
A toutes les femmes du monde ?

MADAME LATACHE

Moi, je dis
Qu'il y a dans les mots l'odeur du paradis.
725 Voilà pourquoi partout elle a eu les grands prix.

FRANÇOIS

Chère madame, vous m'avez très bien compris.

ADMIRATRICE B (ou une autre)
François, as-tu une petite amie ?

FRANÇOIS

Plusieurs.

ADMIRATRICE B
Oui, mais en as-tu une qui est la meilleure ?

FRANÇOIS

Ça dépend pour quoi. Pour s'occuper de mes fringues ?
730 C'est pas la même si c'est pour faire la bringue.

ADMIRATRICE
Couches-tu tout nu ?

MADAME LATACHE

          Aïe, aïe, ça, c'est personnel.

FRANÇOIS

    Vous savez, je crois au péché originel
    Et la feuille de vigne, pour moi, c'est sacré
    Mais on peut s'en payer si on est consacré.
735 Je vais donc laisser en suspens la question
    Et supputez dans votre imagination.

ADMIRATRICE

    Aimes-tu ça, toi, venir nous voir au Québec ?

FRANÇOIS

    Ah! comme vous dites, c'est se sucrer le bec.
    C'est au poil, votre truc.

MADAME LATACHE

          Ah! que nous vous aimons !

ADMIRATRICE

740 Peux-tu mesurer ton goût de nous. Ben mettons
    Un petit peu, pas mal, beaucoup, terriblement ?

FRANÇOIS

    Y'a un mot pour le dire et c'est 'totalement'.
    Je vous aime au grand complet.

ADMIRATRICE C

                Ben comment tu trouves
    Tout ce beau monde qu'aujourd'hui ben tu découvres ?
745 Les Québécois, comment qu'ils sont ? Les filles icitte...

FRANÇOIS

    Les mots me manquent et pour répondre, je te cite
    Un proverbe latin: "Etre digne d'éloges
    Vaut mieux que d'être loué."

ADMIRATRICE

Moi, je m'interroge.
Et je te demande... les Québécois ont-ils
750 Un problème d'identité ?

MADAME LATACHE

C'est difficile.
Pour François qui ne nous connaît pas. Je réponds
Pour lui. Si nous réfléchissons à ça à fond
Faut dire un gros gros non. Depuis que nos photos
Paraissent sur nos cartes –c'était pas trop tôt–
755 D'assurance-maladie, qui peut renoter
Que nous avons un problème d'identité ?
C'est con !

ADMIRATRICE

De quel bord du lit mets-tu tes pantoufles
Le soir en te couchant.

FRANÇOIS

Tu sais, je m'emmitoufle
Et les garde aux pieds. C'est plus vite le matin
760 Pour une star assumant vraiment son destin.

ADMIRATRICE

A quel âge es-tu venu au monde, toi, là ?

FRANÇOIS

Bonne question ! Attends un peu... je crois... voilà...
J'ai oublié... Je demanderai à maman.

MADAME LATACHE, *super enthousiaste*
Il n'est pas une perle, il est un diamant.
765 Mais qu'on le veuille ou non, il nous faut interrompre
L'entrevue. Le charme, il ne faudrait pas le rompre
Alors revenez après ces quelques messages,
Sur le gâteau, nous allons mettre le glaçage.

Lumières éteintes

272

Scène troisième

MME LATACHE, FRANÇOIS, M. PLANTERS, le public
QUATRE POLICIERS (Gina, Carole, Sylvie, Francine)

POLICIER 1 (Carole) *s'emparant du micro de madame Latache*
    Madame, ceci n'est pas Surprise sur prise
770 Je me présente, je suis Lieutenant Laprise
    De la ville de Saint-Eustache. Salut gang.
    Quand on écoute la police, tous y gagnent !
    Restez calmes. Surtout ne partez pas en trombe
    On a reçu un appel, mais y'a pas de bombe.
775 On est là pour stopper un acte criminel.
    Selon nos sources, des bandits professionnels
    De l'enlèvement vont tenter de s'emparer
    De la personne de monsieur pour l'embarrer
    Dans un lieu secret.

FRANÇOIS, *se levant et s'énervant*
                 Qui donc veut me séquestrer ?

POLICIER 2 (Francine)
780 Un pareil crime ne saurait être orchestré
    Que par la mafia.

PUBLIC
           Hon!

MADAME LATACHE
           Non!

FRANÇOIS
              Que doit-on faire ?

273

POLICIER 3 (Sylvie) *à côté de François*
    Étant donné qu'il s'agit d'une grosse affaire
    Que ce n'est pas un, deux mais trois super canons
    Qui sont visés, c'est-à-dire deux très grands noms,
785 Vous, Claire, vous François, et la télévision
    Elle-même, notre noble institution
    Au service de la richesse et de la gloire,
    Il nous faudra frapper très dur, il va falloir
    Tendre tout un piège à ces monstres scélérats
790 Qui veulent s'attaquer au vedettariat.
    Et pour cela, nous avons établi un plan
    Basé, comme la télé, sur du faux semblant.
    Sergent Toulouse, expliquez-leur.

POLICIER 4 (Gina)
                                    Écoutez-bien!
    Pour protéger monsieur, nous l'emmenons. Combien
795 De temps ? On verra comment se dérouleront
    Les événements.

MADAME LATACHE
                Holà! les gens n'aimeront
    Guère qu'on les prive de leur gâteau des rois
    Au coeur du show et qu'on s'empare de François.
    Ça n'a aucun maudit bon sens de faire ça.

POLICIER 1 (Carole)
800 Si c'est les bandits, ce n'est que vice versa
    Tandis que si c'est nous, dans une heure, il est là.

MADAME LATACHE
    Halte !

POLICIER 2
        Justement non, poursuivez le blabla.
    Quelqu'un remplacera monsieur dans son fauteuil
    Aux kidnappeurs, il servira de trompe-l'oeil.

POLICIER 3

805 Monsieur Planters, c'est vous qui êtes volontaire

PLANTERS

No way! Que se passera-t-il quand les gangsters
Découvriront le pot aux roses ? Il m'en cuira.

POLICIER 4

Nous, on connaît un dossier qui vous détruira
Beaucoup plus si vous refusez d'aider.

PLANTERS, *mettant perruque et veston de star*

O.K.!

810 Tout le monde, toute ma vie va se moquer
De me voir déguisé en star de la chanson.
Au fond, ce sera ça la pire des rançons.
Mourir vite ou mourir à petit feu, qu'importe
Dans les deux cas, ce n'est vivre d'aucune sorte.
815 Assassinez-moi tout de suite. J'avais beau
Ne pas me montrer bon.

MADAME LATACHE

Mais non, vous serez beau.
La perruque vous va. Les pantalons roulés,
Ça vous rajeunit. Elles voudront roucouler
Auprès de vous, les ingénues, les jouvencelles.
820 La télé multipliera votre potentiel.

PLANTERS

En ce cas-là, donnez-moi vite la guitare
Puisque les ondes guérissent toutes les tares,
Qu'une simple apparition fait des miracles.

MADAME LATACHE

Je dois vous dire qu'un premier petit obstacle
825 Se présente. Vient le moment d'une chanson
Voudriez-vous nous en faire une sans façon
C'est sûr qu'un sentiment divin, c'est un bon choix...

275

PLANTERS
Oui, mais, moi, je n'ai pas le talent de François.

FOULE, *à qui on montre des pancartes*
On veut François, on veut François.

PLANTERS

Ben vous voyez.
830   Apportez une chaise, je vais essayer.
Mais François, lui, serait bien plus apprécié.

MADAME LATACHE
Il doit partir avec les quatre policiers.
Ne soyez pas timide, vous serez très digne
Même que François pourra vous faire des signes
835   Avant de s'en aller pour vous encourager.
(S'adressant à la foule)
Mes amis, cet homme n'a pas peur de plonger
Il remplace François D'Amours à pied levé.
Il nous propose un chant qui va nous élever...

PLANTERS *(air de Le Petit bonheur) (un peu faux)*
Un sentiment divin que j'avais ramassé
840   Sur le bord du ravin: j'étais pas trop pressé.
Quand il m'a vu passer, il s'est mis à parler
M'a dit mon grand tarla, vas-tu me cajoler ?
Les gens m'ont oublié et moi je ne sais pas
Quoi faire. J'veux être avec toi, t'ap'ler papa
845   Pis passer l'hiver. Je serai tendre et nono
J'te donnerai bonne conscience. Tes bobos,
C'est fini. J'suis encore sur la garantie...

MADAME LATACHE *(applaudissant seule)*
Que votre interprétation est donc sentie !
Du François en Félix par un millionnaire,
850   Y'a rien au monde de plus extraordinaire !
Et une émission de télé avec ça :
Quel whopper culturel ! On dira "Il cassa
La baraque avec sa poutine chantée" dans

Vingt ans, un demi-siècle.
(Elle court à François qu'entourent les policiers)
                              François, dis-nous en
855 Quelque chose, je te renverrai l'ascenseur
     A ton retour. Où trouver plus grand connaisseur ?
     Je te tutoie, tu vois, c'est que je suis si fière
     Qui aurait pu imaginer Félix à Claire
     Par personne interposée?

FRANÇOIS
                              Je n'ai qu'un seul mot :
860 Génie. C'est comme si j'entendais mon jumeau.

MADAME LATACHE
     Je t'en prie, je t'en prie, embrasse ma fierté.
     Je suis au top de la super félicité...
     (Ils s'étreignent à plusieurs reprises)
     Je pleure...

FRANÇOIS
     Je coule aussi...

MADAME LATACHE
                         Je me meurs.

FRANÇOIS
                                        Je ris.
     Ma nana du Canada !

MADAME LATACHE
                         Mon coeur de Paris.

FRANÇOIS
865 Je reviens très bientôt.

MADAME LATACHE
                         Tu seras protégé.

277

POLICIER 1

Et son absence ne va pas se prolonger.

MADAME LATACHE

Va, va, nous pouvons faire face à la musique.

FRANÇOIS

Vous parler, c'est boire une pinte de logique.
De tous les talk-shows, voici le plus réussi.

MADAME LATACHE

870   Ah! que je m'aime !

FRANÇOIS

Ah! que je m'aime moi aussi !

Encadré de fort près, François est emmené.
Madame Latache revient vers le public en s'essuyant les yeux.

RIDEAU

TROISIEME ACTE

CRIME DE SUSPICION

François D'Amours est tenu prisonnier dans un chalet des Laurentides. Il ignore encore où il se trouve et croit qu'on l'a enlevé pour obtenir une rançon.

Le chalet comporte deux pièces contiguës: un salon-cuisine et une chambre dans laquelle le jeune homme habillé d'un harnais du type sado-maso est enchaîné à un lit. Il se réveille.

Scène première

FRANÇOIS, CAROLE *(en policier)*

FRANÇOIS, *découvrant ses chaînes, criant sans voir Carole*
Qui donc a osé s'attaquer à ma personne,
A une star dont le nom tout partout résonne.
Je ferai plainte à la police.

CAROLE *sortant un calepin*
                              Ah! oui ? J'écoute.

FRANÇOIS
Tu m'as enlevé, cela ne fait pas de doute.

CAROLE
875 Génial, mon cher François D'Amours.

FRANÇOIS
                              Qui es-tu ?
Je t'ordonne de me répondre.

CAROLE *elle flatte les cheveux de François*
                              Te crois-tu
En position pour ordonner quoi que ce soit ?
Ne t'agite pas, n'aie pas peur oh! cher François.
Si tu savais seulement tout ce qui t'attend,
880 Tu serais de tous les hommes le plus content.

FRANÇOIS
Attendez que je me rappelle... C'est obscur
Dans ma tête.

CAROLE
                   On t'a donné une piqûre.
Et tu t'es endormi comme un petit bébé.

FRANÇOIS
    Où suis-je ?

CAROLE
        Tout doux! Tout doux! Tu n'es pas tombé
885 Sur de gros méchants.

FRANÇOIS
            Je ne suis pas une tante.
    Ne me touche pas !

CAROLE
            Je sais, mais cela me tente.
    Au Québec, on dit tapette, mais ça veut dire
    Aussi tue-mouches.

FRANÇOIS
            Tu voudrais bien me redire
    Ton nom ?

CAROLE
        Je ne me suis jamais identifiée.

FRANÇOIS
890 Ce costume, il est clair qu'il ne faut pas s'y fier.
    Qu'est-ce qui se cache en dessous ? Pas un bâton
    De gendarme en tout cas. On verrait à tâtons.
    Pour mener une vie de star, il faut du nez
    Je l'ai dit tantôt à la dame prosternée.

CAROLE
895 C'était hier.

FRANÇOIS
        Plaît-il ?

CAROLE
            Aujourd'hui, c'est mardi.
    Ton enlèvement, ça s'est déroulé lundi.

282

C'est relaté dans tous les journaux du matin
Et partout dans le monde entier jusqu'aux confins
De la Mauricie. Bien plus qu'une mégastar
900   Désormais, tu seras quasiment *(dire couasiment)* un quasar.

FRANÇOIS
    A la fin, vas-tu me dire quel est ton nom ?

CAROLE
    Pistache.

FRANÇOIS
        Sobriquet mafieux!

CAROLE
                Gentil surnom!

FRANÇOIS
    Pistache, toi et tes copains voulez des francs ?
    Soit! Mais la vérité derrière mon écran
905   De fumée de vedette n'est pas aussi rose
    Qu'on le croit. Sache que ne vaux pas grand-chose,
    Je dépense tout ce que je gagne à mesure.
    Ma maison, c'est une cahute, une masure,
    Pas même une cabane au Canada. Paumé!
910   Pas un sou en banque. Vous me surestimez.
    Et où sont-ils, ces trois lascars, ces trois larrons
    Que je leur dise à eux que je n'ai pas un rond.

CAROLE
    Pourquoi tant te fatiguer ? C'est pas pour l'argent
    Que tu es là.

FRANÇOIS
            Mais où sont-ils, ces trois agents?

CAROLE
915   Ils vont venir ce soir.

FRANÇOIS

Vous êtes irresponsables,
Ma parole! Mais tout cela n'est pas croyable.
Si c'est pas pour l'argent que vous me détenez
Ce sont des terroristes qui m'ont enchaîné.
Ou des fondamentalistes de quelque chose...
920   Ou des toqués d'une secte tout juste éclose.

CAROLE

Nos motivations n'ont rien de religieux.
Pour nous, la politique, ça ne vaut pas mieux.

FRANÇOIS

Que reste-t-il ?

CAROLE

Je vais te le dire ce soir.

FRANÇOIS, *s'énervant*

Je donne un concert, moi.

CAROLE, *se rendant à une table prendre quelque chose*

Je vais te décevoir.
925   T'en as pour sept jours à éclairer cette chambre.

FRANÇOIS

Éclairer ? Serai-je celui que l'on démembre
Pour en faire de la cire ou bien des chandelles ?
Ai-je affaire à des maniaques sexuels ?
Qui donc est votre inspirateur ? Est-ce Landru,
930   Jack L'Éventreur, ou tout est-il de votre cru ?

CAROLE (*approchant avec une seringue*)

Calme-toi, t'auras besoin de toutes tes forces
Ne t'agite pas si fort, tu risques une entorse.

FRANÇOIS

Que fais-tu, que veux-tu, mais t'es tout à fait dingue.
Ne me touche surtout pas avec ta seringue.

284

CAROLE

935 Cela contribuera à te tranquilliser.
Juste dix secondes et tu seras apaisé
Pour plusieurs heures.

FRANÇOIS

                    Ah! ah! c'est qu'on veut m'impliquer
Dans un coup de drogue. Tu veux m'intoxiquer.
Soit c'est une histoire montée par la police
940 Qui veut montrer qu'elle surveille les coulisses;
Soit une affaire de la mafia qui tente
D'inciter les jeunes à emprunter cette pente
Dangereuse. Je ne servirai pas d'exemple.
Mieux vaut mourir!

CAROLE

                    Mon ami, comme je contemple
945 Ta grande et belle âme ! Heureusement tu te trompes.
T'aurais beau tout faire pour que je te corrompe,
Je ne le ferais pas.

FRANÇOIS, *un doigt pointant sa tête*
                    Un coup publicitaire
Pensé par mon gérant. C'est le tour de la terre
Que fera la nouvelle qu'on m'a vu gelé.

CAROLE

950 Ce serait trop risqué.

FRANÇOIS

                    Un risque calculé.
On me fera comme à Lennon, à Vanessa
Paradis.

CAROLE

                    Non, ce n'est absolument pas ça !
Je sais piquer : t'auras pas mal...

285

FRANÇOIS

Je t'interdis...

CAROLE

Détends-toi, tout ça n'est pas une tragédie.

FRANÇOIS

955 Si tu oses faire un pas de plus, je te fesse.

CAROLE

Tu as le choix : ou c'est ton bras ou c'est ta fesse.

FRANÇOIS

Y'a une autre possibilité, tiens j'y pense.
Je me souviens, c'était dans un film à suspense
De Polanski.

CAROLE *à voix très douce*

C'est la peur qui te fait causer.
960 Tu vas dormir jusqu'à ce soir, te reposer.

FRANÇOIS

Un mélange de valises à l'aéroport.
Justement, j'en ai vu deux pareilles au départ.
La mienne et une autre, côte à côte, voisines.
Quelqu'un m'a dit que l'autre était à Roch Voisine.
965 C'est lui qu'il faut arrêter.

CAROLE

Oui, mais tu prétends
Que je ne suis pas de la police.

FRANÇOIS *menaçant avec ses jambes*

Va-t'en!
Je me laisserai piquer si tu me révèles
Illico l'authentique raison que recèle
La prise en otage de ma personne.

286

CAROLE

                    Non!
970 Ce soir, tu sauras pourquoi nous te détenons,
Pas avant.

FRANÇOIS

             Bon, plante-toi la dans le zizi,
Ton aiguille de merde... *(Sarcastique)* Ça sera quasi
Impossible à en juger par ton gabarit.
Un flic avec des gros muscles qui se marient
975 Avec son cerveau. Si t'as le même cadrage
Que pour la tête un peu partout, le calibrage
De ta... fierté d'homme se mesurera
Sans fatigue.

CAROLE *faisant mine d'ouvrir sa braguette*
             Je te montre et tu jugeras.

FRANÇOIS *se sentant menacé*
      Non, non, non, je ne mange pas de ce pain-là.
980 Libère-moi, il me faut prendre mon bain, là.
Je dois me préparer à mon show de ce soir.
Les gens d'ici ne peuvent pas ne pas me voir.
C'est la première de ma tournée québécoise
Je m'en vais commencer l'étape lavalloise...

CAROLE
985 Le Québec sait attendre.
      Elle le pique sur une fesse.

FRANÇOIS

                    Grand Dieu, on me tue.

CAROLE
      On n'en serait pas là, non, si tu t'étais tu...

Scène deuxième

CAROLE, FRANCINE, SYLVIE, GINA *(toutes en policier*
FRANÇOIS *(encore endormi)*

Elles le regardent dormir

GINA

Il est encor plus beau dans un lit que sur scène.
J'espère qu'il n'a pas trop mal avec ses chaînes.

SYLVIE

C'est un harnais super de luxe, tout confort.

FRANCINE *à Carole*
990   S'est-il plaint ? A-t-il réclamé du réconfort ?

CAROLE

Il se fait cinquante idées excepté la bonne
Sur son enfermement. Sans cesse, il questionne.

GINA

Que lui as-tu répondu ?

CAROLE

                      Absolument rien !

FRANCINE

Pas un mot ? Pourtant tu fus son ange gardien
995   Ici au chalet toute la journée. Raconte !
Quoi que tu aies fait aujourd'hui, n'en aie pas honte !

CAROLE

Il a dormi tout le temps. Et puis notre pacte ?
On fait tout ensemble. Ce kidnapping est l'acte
De nous quatre et de chacune. Les circonstances

288

1000 Font que je suis la seule à connaître la chance
De disposer d'un chalet dans les Laurentides
Et d'avoir un mari parti pour la Floride.
Vous trois aviez à faire un saut à la maison
Depuis hier.

FRANCINE
Tu as parfaitement raison
1005 Tout cela fut décidé d'un commun accord
Et se poursuivra même sans savoir encore
Où ça nous conduira. On voudrait seulement
Que tu nous prépares quelques divins moments
Avec le héros qui n'appartiendra qu'à nous
1010 Toute la semaine.

GINA
Il ronfle comme un minou.
Que sa chevelure est bellement cotonnée!
Et ses mains, regardez, pas du tout maganées.
Créées, on le dirait, pour livrer un message
S'il pouvait s'en servir pour me faire un massage.
1015 Ah! mon Dieu, qu'allons-nous en faire ?

FRANCINE *montrant une trousse*
Le vider...
De son agressivité. Tel que décidé:
Rappelez-vous !... J'ai apporté les éléments.
Nécessaires pour que ses moins bons sentiments
Sortent, ce qui nous permettra de découvrir
1020 Ses faces cachées. Oh! il va un peu souffrir
Mais c'est pour son mieux-être...

SYLVIE
Et pour le nôtre aussi.

FRANCINE *mettant des petites fioles sur la table*
Asseyons-nous. Tout ça vient de la pharmacie
Du coeur 'Gens Foutus'.
Elle montre une pancarte avec les mots écrits dessus

289

(Et met un verre au milieu de la table pour la concoction)
D'abord dix gouttes de peur.

CAROLE

Belle bouteille, quelle marque de frayeur ?

FRANCINE

1025 Peur Bleue numéro cinq. Ça vient de la Bosnie.
Plus huit gouttes d'agressivité.

CAROLE, *prenant la fiole*

Zizanie.
Une bonne marque aussi.

FRANCINE

Et ça s'appelle
Le Vatican numéro six: sorte nouvelle.
Une petite quantité et ça va faire,
1030 Sinon le pauvre, il aura le moral à terre
–Et autre chose– une partie de la semaine.
La formule de son injection prochaine
Sera colère, effroi, tristesse et tiens mettons
Un peu de luxure. C'est un vrai feuilleton
1035 Par Victor-Lévy Beaulieu.

CAROLE

Sylvie, toi, mélange !
Réaliser, c'est pas trop ça qui te dérange.

SYLVIE

J'ai l'habitude. C'est quoi, là, cette autre fiole
Ça ressemble à de la graine de tournesol.

FRANCINE

N'en mettons pas, c'est de la graine de violence
1040 Il se ferait du mal. Ah! un brin d'insolence
Pourrait nous montrer quelque passion latente
J'en ai un tube de marque Polyvalente.
Ça endort le respect et ça rend arrogant.

A Sylvie qui charge maintenant la seringue
Envoye, Sylvie, mets-en, mets-en, c'est pas d'l'onguent.

GINA *rendue à la porte de la chambre et observant François*
1045 On dirait les filles qu'il va se réveiller.

CAROLE *à voix retenue*
Dire 'les filles', c'est pas trop à conseiller
Attention ou alors il va nous démasquer.

FRANCINE *se levant*
Allons le voir.

SYLVIE
Bonne idée! Viens Carole.

CAROLE
O.K.!
Attendez, il est curieux comme une belette
1050 Il voudra savoir nos identités complètes.
Entendons-nous d'avance. Moi, j'ai dit Pistache
Comme nom.

FRANCINE
Réunion en rond ! Carole, tâche
Elles forment un cercle style footballeurs
De nous résumer l'essence de vos échanges.
Je veux savoir : depuis tantôt, ça me démange.

CAROLE
1055 Il pense que nous sommes des gens de la pègre.
Et pour un policier, il m'a trouvée trop maigre.

FRANCINE
Faisons tout pour qu'il nous croie des mafiosi
Pistache, c'est un nom superbement choisi.
Moi, ce sera Johnny Cur'-Dents et toi, Gina.

291

GINA
1060 À brûle-poupoint...

FRANCINE
                    Première idée.

GINA
                                        Ananas.

FRANCINE
        Sylvie, c'est à ton tour.

SYLVIE
                    Je vais dire Harley.

FRANCINE *désignant chacune à tour de rôle*
        Pistache. Ananas. Harley. Et moi, c'est... allez ?!...

ENSEMBLE
        Johnny Cur'-Dents.

Scène troisième

CAROLE, FRANCINE, SYLVIE, GINA *(toutes en policier)*
                    FRANÇOIS

FRANÇOIS
                    Vous autres, là, je vous entends.
        Je vous somme de venir, je suis mécontent.
                Elles entrent et vont s'asseoir sur le lit.
1065 Si vous me libérez, je vous paierai le prix.
        Mais si vous me gardez, vous en paierez le prix.

FRANCINE
        Relax ?

292

FRANÇOIS

       Détachez-moi; ce soir, j'ai un concert.

FRANCINE

       Tenter de bousculer la vie, à quoi ça sert ?

FRANÇOIS

       Quel est ton nom, toi, espèce de kidnappeur ?

FRANCINE

1070 Suis Cur'-Dents, Johnny Cur'-Dents.

FRANÇOIS

                      Pfut! je n'ai pas peur
De petits truands dans votre genre. Dix ans :
Voilà ce que prennent les salauds malfaisants
Osant toucher aux stars internationales.

SYLVIE

       S'ils se font prendre... Notre système pénal
1075 A nous est plutôt indulgent quant aux sentences.
Pour un assassinat, une bien pire offense,
On reçoit ça, pas plus.

FRANÇOIS

                 C'est quoi, ce pays-là,
Bordel de... bordel de ?... Et qui c'est, celui-là ?

FRANCINE

       Il a pour nom Harley, diras-tu que ça sonne
1080 Mal à tes oreilles ?

FRANÇOIS, *avec sarcasme*

               L'autre, c'est Davidson
Je suppose. C'est clair : vous êtes trafiquants.
Moi, ce que je veux, c'est partir et savoir quand.

FRANCINE *désignant Gina*

       Lui, là, c'est Ananas.

FRANÇOIS

T'es con, ça, ma nana?

FRANCINE

Je n'ai pas dit ta nana, j'ai dit Ananas.

FRANÇOIS

1085 L'histoire, ça fait une journée qu'elle dure,
Que vous commerciez de la drogue douce ou dure,
Peu m'importe : je n'en vends pas ni n'en achète,
Je veux, faut-il encore que je le répète,
Foutre le camp, lever les feutres, disparaître.

FRANCINE

1090 Te faire disparaître, on y pense. Peut-être...

FRANÇOIS, *à Gina et en baissant le ton*

J'ai rien dit : recommençons. Qui est le patron
Parmi vous quatre ? C'est toi, le gonflé du tronc ?

CAROLE

Chacun de nous détient sa propre autorité
Jamais besoin de faire l'unanimité!

FRANÇOIS

1095 Police, pègre, motards, ces gens ont des chefs.
Et dans toute leur hiérarchie; enfin, bref,
Vous n'êtes pas ce que vous voulez faire croire.

FRANCINE

Les apparences sont parfois contradictoires.

FRANÇOIS *faisant semblant de pleurnicher*

Je vous en supplie, cessez donc tous ces mystères.
1100 J'écoute. Je ne dis plus rien. Je veux me taire
Gardez-moi ici dix ans si vous le voulez
Mais de grâce, je vous en conjure, parlez!
Quel gain espérez-vous donc en me séquestrant ?
Ananas, Harley, Pistache, c'est si frustrant,

294

1105 De vivre en aveugle, les pieds, les poings liés.
Délivrez au moins mon esprit de son collier.

FRANCINE, *soupirant*
Il nous est impossible de te soulager
En disant tout. Mais tu seras moins mélangé
Si, des raisons qui n'en sont pas, nous t'instruisons.
1110 Diras-tu après ça que nous te détruisons
Par incertitude ?

FRANÇOIS, *un peu d'accord*
            Je serai moins inquiet.
Sachant ce qui n'est pas, je saurai ce qui est.

CAROLE
Tu ne serviras pas à extorquer des fonds.

GINA
Nous ne sommes pas des gens venus des bas-fonds,
1115 Même si nous en avons un petit peu l'air.

SYLVIE
Quant à démontrer que la police a du flair
Voilà qui, de nos soucis, prend le dernier rang.

CAROLE
Coup de promotion ? Qui connaît ton gérant ?

FRANÇOIS
Me direz-vous que je suis là par accident ?
1120 Trouvez autre chose à me mettre sous la dent.
Kidnappe-t-on une star ou un président
Comme un simple mec du coin, un... Johnny Cur'-Dents ?
On m'a enlevé au hasard, comment le croire ?...

FRANCINE
Non pas...

FRANÇOIS
> J'ai trouvé : vous l'avez fait pour la gloire.
1125 Vous profiterez de moi par de l'auto-stop
Promotionnel. Vous courez tout droit au flop,
Mes agneaux. Et votre petit détournement
De célébrité ne durera qu'un moment.
J'y verrai en personne.

FRANCINE
> T'es dans les patates.

FRANÇOIS
1130 Si ce n'est pas l'adon comme je le constate
Ni le gain, ni l'orgueil, en bonne vérité
Quoi d'autre peut faire marcher l'humanité ?

Elles se ruent sur sa personne et commencent à l'embrasser. Une par jambe et une par bras. Il va s'écrier...

Le sexe !!! Bordel! quatre policiers tue-mouches.

Il aperçoit la seringue dans la main de Sylvie.

Mais laissez-moi tranquille! Et toi si tu me touches,
1135 Ma vengeance sera terrible... et efficace.
Il regarde au ciel
Papa au paradis, protégez ma carcasse.
Maman qui êtes à Paris, inspirez-moi !

Il se débat de toutes ses forces et donne des coups.

Tiens, ça, c'est pour toi. Et tiens, attrape ça, toi...

Elles cessent d'embrasser et se reculent pour se regarder...

FRANCINE
Je t'avertis : arrête-toi de nous barber
1140 Ou alors tu connaîtras l'effet Barnabé.

FRANÇOIS
    Quoi c'est encore ?

SYLVIE
                    Barnabé, c'est notre étoile
    Du coma. Bon, on a voulu le mettre à poil
    Et monsieur a résisté. On s'est mis à quatre
    Pour le maîtriser et aussi pour mieux le battre.
1145 On en a fait une vedette pathétique,
    Un homme à plaindre, à l'image charismatique.
    Et les pauvres policiers, eux, n'ont récolté
    Que mesquinerie ! Y'a de quoi se révolter !

FRANÇOIS
    On a un fameux comateux aussi en France.
1150 Depuis quand le vôtre a-t-il perdu connaissance?

FRANCINE
    Plusieurs années.

FRANÇOIS
                    Ah! le nôtre, c'est beaucoup plus.

CAROLE
    Il nous distrait. On était à parler phallus.

FRANÇOIS *reprenant peur devant la seringue*
    Je vous défends de me toucher, de m'approcher.
    Cette merde, ça sert à quoi, à m'accrocher,
1155 A briser ma volonté pour me rendre homo ?
    Vous m'épargnerez le pire de tous les maux.
    Je ne veux pas ce que vous voulez, est-ce clair ?

FRANCINE *aux autres*
    Bon, en rond...
        Elles se réunissent comme des footballers. Francine poursuit.
                    Il ne faudrait pas trop lui déplaire
    Si la peur de nous entre trop profondément
1160 Dans son subconscient, on ne saura plus comment

297

Le tranquilliser.
François tend l'oreille mais en vain...

GINA

Passer pour une pédale
C'est pire qu'une chirurgie des amygdales
Pour d'aucuns. Pire que la guerre, que la mort.
De ce côté, on devrait pas pousser trop fort.

SYLVIE

1165 Je vais cacher l'aiguille pour une secousse.
A chaque fois qu'il l'aperçoit, il prend la frousse.
J'ai pas besoin de lui injecter du 'mauvais'.
Il est bête au naturel.

CAROLE

Ben, c'est un Français.

FRANCINE

Au lieu du bâton, essayons donc la carotte
1170 Nous allons libérer ses mains de ses menottes.
Et comme raison de le détenir, disons
Que c'est une belle cause. Ainsi sa prison
Se transformera en un refuge doré
Il redeviendra notre François adoré.

GINA

1175 Nos ondes lui diront que c'est la vérité,
Qu'il ne nous inspire aucune animosité.

FRANCINE

Retournons.

FRANÇOIS

Je sais ce qui trotte dans vos têtes
Mais ne croyez pas que je serai assez bête
Pour vous le dire... N'approchez pas, non, non, non...

GINA

1180 Tu tiens à savoir pourquoi nous te détenons
Eh bien voilà, c'est pour une très belle cause.
Ils ne sont pas rares celles et ceux que la chose
Fait prisonniers.

CAROLE

Nous ne sommes pas des méchants.

FRANCINE

Même que tu pourrais nous trouver aguichants.
1185 On va libérer quelque peu tes mouvements.
Tu pourras t'étirer, prendre tes aliments
Toi-même, aussi marcher à côté de ton lit.

Il se laisse déchaîner et saute sur ses jambes sur le lit.

FRANÇOIS

Ah! ah! une très belle cause, avez-vous dit !
Assis tous les quatre !...
Et à l'écart, au public
Leur aveu de bonté
1190 Dites-moi, c'est un aveu d'insécurité,
Non ? Donc de faiblesse. Je dois me fâcher noir
Ce sera la meilleure façon de savoir.

Aux policiers
La tête au lit!
Elles obéissent. Il met un pied sur une tête, sur l'autre...
Pour qui sont ces serpents qui sifflent
Sous mes pieds ? Les tantouses, moi, je les renifle
1195 A moins d'une verge. Votre si noble cause
Ce sera celle du sida, je le suppose.
Vous les recherchez, les nouveaux et frais adeptes
Du mal du siècle, de la maladie vedette.
Il vous sourirait de me Rock-Hudsoniser.
1200 Au grand temple du syndrome, m'introniser?
Il devient dubitatif
Cette idée à force de trotter prend du poids

Là, dans mon cerveau... Une belle cause: pouah!

FRANCINE *se levant*
    En rond!...
        Elles forment le cercle
                Tant qu'il nous verra déguisées en gars
        Tout ce qu'on dira va virer en beau dégât.
1205 Il ne croit qu'en de mauvaises intentions.
        Cet uniforme ajoute à ses réactions.
        Servons-lui au moins une demi-vérité.
        Rassurons-le quant à notre moralité
        Montrons notre orientation sexuelle !

FRANÇOIS *fait des gestes efféminés*
1210 Je vous entends là, vous autres, les tourterelles.

GINA
        Quel casse-tête, si j'avais su...

FRANCINE
                        Faut partir...

FRANÇOIS
        Restez ici, ne quittez pas !

GINA *dernière à sortir elle se retourne et lui adresse un baiser volant*
                        Enfant martyre!

        Il grimace et balaie l'air de sa main pour refuser le baiser.

Scène quatrième

FRANÇOIS

Il examine la situation, ses chaînes, le matelas, le bruit. Saute en bas du lit.
Il marche, sonde, constate qu'il ne peut aller bien loin.
Son harnais, ses chaînes: tout est solide.
Mais il peut aller à la fenêtre et voir qu'il se trouve dans la forêt.

FRANÇOIS *s'étonnant*
    Je suis pris dans une cabane au Canada.
    Bois à gauche, bois à droite : la taïga !
1215 Du bois tout partout. Non, mais c'est-il Dieu possible,
    Une histoire pareille ! Dis, grand invisible,
      Yeux levés au ciel
    On n'est pas copain toi et moi depuis un bail ?
    Pourquoi me foutre dans une telle pagaille ?
    Hein!? Me laisser kidnapper par quatre pédés.
1220 Du Québec en plus. Y'a de quoi se suicider.
    Au moins si t'avais choisi des mecs réguliers
    Truands, voleurs, fraudeurs, tueurs, mauvais gibier.
    Pourtant, on dit que les prisons, les parlements,
    Ça ne manque pas ici et qu'en ce moment,
1225 Ils sont remplis. Non, toi, tu m'abandonnes
    Entre des baluches impures et cochonnes
    Tu me laisses tomber dans un nid de pédales...
      Il écoute en regardant le ciel.
    M'évader ? En pleine forêt ? En plein dédale ?
    T'as dit ça à Jésus quand il était en croix;
1230 Quand t'as pieds et poings cloués, hein, essaye-toi !
    Facile à dire quand on est hors de l'action;
    Viens en bas, tu vas changer de partition.
    Devant ta télévision et sur le terrain
    C'est pas pareil. On en reparlera demain.
      Il s'avance vers le public, croise les chaînes, réfléchit...
1235 Non, mais quel peuple spécial que ces Québécois.

J'ai pris des cours d'histoire, j'avais pas le choix.
Si tu veux t'en faire aimer, faut que tu les flattes.
Tu leur passes la main entre les omoplates.
   Il hoche la tête
La chance énorme que ces gens-là ont ratée.
1240 Et fort peu d'entre eux ont l'air de le regretter.
Un si formidable rendez-vous historique :
Loupé. Incroyable, l'esprit patriotique !
Deux siècles leur ont donné l'opportunité
De s'angliciser... Mais non... Immaturité !
1245 Une pareille occasion nous autres, Français,
On l'aurait transformée en un super succès.
   Courte pause de réflexion
Et leurs vedettes, non mais vous avez vu ça ?
Ce Roch Voisine, une vraie tête de forçat.
Dites donc qu'a-t-il que moi, je n'ai pas, ce type ?
1250 Je suis bien mieux: suffit de comparer nos clips.
Et la Céline, ce n'est pas un écrivain
Ainsi que je le croyais. Elle chante. Enfin...
Six millions à penser : 'Après eux, le déluge'.
En tout cas, c'est pas l'humilité qui les gruge.
1255 Ne leur dites pas, ils me feront du grabuge
Les prétentieux ne prisent guère qu'on les juge.
Il paraît que pour les mettre tous dans ta poche,
Tu glisses dans ton propos des noms qui sont proches
De leur coeur. René Lévesque, Lucien Bouchard,
1260 Jean Chrétien, Julie Snyder, Michèle Richard.
Tu peux faire mieux: il y a ceux qu'ils adorent.
Surtout des gars : Denise Bombardier, Guildor,
Guilda, le frère André, Soeur Angèle, Ga...ron.
Y' a des gens plus fameux encore, des fleurons.
   Il chantonne comme Renaud
1265 Edith Butler *(Butlère)*, André Arthur, Marcel Aubut
Gaston L'Heureux, Dan Lebigras, Jean-Marc Chaput,
Super Lise Payette, et cousine Ginette
Madam' Dion, Madam' Taillefer, Madam' Ouellette.
Voilà la liste de ceux qu'il faut leur nommer.
1270 Avec ça, tu es certain de te faire aimer.
Et maintenant, soyons un peu plus terre-à-terre.

302

Faisons quelques analyses de caractère.

Il retourne s'asseoir sur le lit, se couvre avec les chaînes

J'ai devant moi quatre personnages inconnus.

Pas tant que ça. Là-dedans *(désignant sa tête)* j'en ai retenu,

1275 Des choses qu'ils ont dites. Et même qu'ils ont tues.

Je les ai pénétrés comme s'ils étaient nus.

J'en vois déjà passablement sous leur costume

Je veux dire au-delà de leurs us et coutumes

Gestes efféminés

Particuliers. Prenons par exemple Pistache.

1280 On remarque vite son petit oeil bravache.

Faut pas s'y fier. Cet homme n'a aucun panache.

Il a pas l'air d'un 'beu', il a l'air d'une vache.

Harley lui, a un pneu autour de la poitrine.

Il se soucie de son image masculine.

1285 Et donc il fait beaucoup d'exercice physique.

Conclusion : il est vaniteux et narcissique.

Le plus efféminé, c'est encore Ananas.

C'est pourquoi mon autorité le domina,

Le subjugua. Si je veux être libéré

1290 Au plus coupant, il me faudra agglomérer

Sa faiblesse et mon étonnante fermeté.

C'est clair : la voilà, la clef de ma liberté!

Quant à ce zigoto nommé Johnny Cur'-Dents,

Il faut bien le dire, c'est le plus emmerdant.

1295 Si c'était lui, ce chef qu'ils croient ne pas avoir

Sa verve dispose de tout un réservoir.

C'est d'abord lui que je devrai neutraliser.

Il s'étend

Ces fils de pute ont voulu me traumatiser,

Ils verront de quel bois je me chauffe... Dodo!

1300 Je suis reposé. Je me repose. Rideau!

RIDEAU

QUATRIEME ACTE

CRIME DE SEDUCTION

Même décor.

Le chalet comporte deux pièces voisines : un salon-cuisine et une chambre dans laquelle le jeune homme est revêtu d'un harnais de type sado-maso qui maintenant lui donne une certaine liberté dans ses mouvements.

Scène première

SYLVIE, GINA, FRANCINE

*Les filles sont vêtues en costumes de bain, mais elles ont gardé cas-
quette de police et moustache. Un conciliabule à 3 est en cours... L'une
tient un seau d'eau. L'autre une brosse. Une troisième des serviettes.*

FRANCINE
    Il pourra ainsi voir notre féminité
    Et nous pourrons protéger notre identité.

GINA, *s'examinant*
    J'ai des livres de trop.

SYLVIE
                    Et moi, c'est des kilos.

FRANCINE
    Je suis mince, mais je fais beaucoup de vélo.

SYLVIE
1305 Faire partie des 'Guetteuses de poids', ça aide
    Beaucoup plus encore que le vélocipède.

FRANCINE
    Y'aurait un tout nouveau régime amaigrissant.
    Facile à suivre et au surplus très nourrissant.
    A base de spaghetti : ça vient d'Italie.

GINA
1310 Moi, les pâtes, ça me fait faire des folies.

FRANCINE
    On dit que c'est basé sur un raisonnement.
    L'idée consiste à produire un ajustement
    Entre votre voix de l'estomac et l'oreille
    De votre subconscient.

SYLVIE

                          Ah! que ça m'émerveille!
1315 On ne s'adresse pas qu'à son côté physique
     Mais aussi à son psychique.

FRANCINE

                          Je vous explique.
     Étant donné que l'objectif, c'est de se voir
     Mince comme un fil de nylon dans son miroir
     Au lieu de manger ton spaghetti par gros tas
1320 Enterrés d'un tas de sauce au steak haché gras
     Tu l'avales un seul brin à la fois. C'est pareil
     Pour l'estomac, mais l'inconscient lui, en éveil,
     Saisit le signal, perçoit que tu ne veux pas
     Passer ta vie à ressembler à un gros tas,
1325 Que tu veux être mince comme une ficelle.
     Bien reçu! Et puis tirer sur tes vermicelles
     Avec ta bouche, ça aide à creuser tes joues,
     Ce qui te fait paraître plus maigre qu'un clou.
     Sur la rue, on te croit Marlène Dietrich.
1330 On en fait état dans le traité de Maastricht,
     De ce régime qui va sauver des milliards
     En chirurgies tous azimuts sur le billard,
     Aux Européens, de l'Atlantique à l'Oural.
     Faisons pareil de Mégantic à Roberval.
1335 Ça permettrait de fermer au moins la moitié
     Des hôpitaux qui nous restent dans les quartiers.

SYLVIE

     On peut l'appeler un régime intelligent.

FRANCINE

     Et il convient à la majorité des gens.
     Très populaire du côté des intellos.
1340 Une approche globale.

LA VOIX DE CAROLE

                     Allô! Allô! Allô!
     J'arrive, c'est moi...

Scène deuxième

LES MEMES, CAROLE

CAROLE, *entrant, chantonnant*
>   J'ai trouvé tout ce qu'il faut.

Son costume de bain est rembourré à la poitrine et aux fesses. Elle tient un rouleau dans sa main et le brandit

FRANCINE, *les yeux agrandis*
>   On dirait, hein!

CAROLE, *en s'avançant vers le groupe qui fait la moue*
>   Quoi, trouvez-vous que ça fait faux ?

FRANCINE
>   Veux-tu nous dire comment tu t'es amanchée
>   On dirait quasiment que tu viens d'accoucher.

CAROLE
1345 Vous le savez que je n'ai pas grand devanture
>   Ça fait que je me suis cousu quelques bourrures.
>   Miser sur pas grand-chose, il ne va pas nous croire.
>   Bon, j'ai la poitrine comme une patinoire.

FRANCINE
>   Tu trouverais pas que ta mise est un peu forte ?

CAROLE
1350 Je ne voudrais pas ressembler à une morte.
>   De nos jours, les amies, le meilleur capital,
>   C'est les apparences. L'image, c'est vital.

FRANCINE, *avec reproche*
>   Ton capital va soulever son intérêt,
>   A notre héros.

309

SYLVIE

T'as investi, on dirait,
1355 Des sommes assez coquettes du côté des fesses.

GINA

Ça lui assure un avenir plein de promesses.

CAROLE

Pour équilibrer mon budget, le rembourrage
A un bout comme à l'autre de mon emballage,
Ben, c'était quasiment une obligation.

FRANCINE

1360 Bon! faisons le point sur la situation !
D'abord, toi, Sylvie, as-tu toujours ton aiguille ?

SYLVIE, *l'arborant*

Oui. Ça, c'est notre atout numéro un, les filles.
Une seringue est une arme cent fois meilleure
Que le plus pesant de nos quatre revolvers.
1365 On peut tenir le gars en joue tout aussi bien.
C'est sûr qu'un pistolet, ça assomme un chrétien:
Un bon coup de crosse pour que ton homme dorme.
Mais si tu dépasses rien qu'un peu trop les bornes,
Ton patient pourrait ne jamais se réveiller.

FRANCINE, *riant*

1370 Perdre notre François, il faudrait l'empailler:
Une star mondiale avec un tel panache...
Vérifiez toutes l'état de votre moustache,
L'heure est venue d'aller voir notre Roméo.

GINA, *inquiète*

J'ai le sentiment que l'on fait un rodéo.
1375 On a lancé la corde, attrapé l'animal,
On le tient bien et on lui fait beaucoup de mal.
Arrêtons avant de lui faire trop de tort.

SYLVIE

Désolé, Gina, mais il est déjà trop tard.

CAROLE

Bien au contraire, il vit sa plus grande aventure.

FRANCINE

1380 On ne lui fera subir aucune torture.

GINA

Ce harnais. La peur de la police. Une cage...

FRANCINE

C'est notre quotidien depuis la nuit des âges,
A nous, les femmes. Malgré tout, nous t'écoutons.
Que voudrais-tu faire ?

GINA

Je ne sais pas... Mettons
1385 Qu'on pourrait l'emballer dans un grand sac postal,
Le déposer à l'urgence d'un hôpital...

CAROLE

Le pauvre, il risquerait de rester à la porte
Jusqu'à l'année prochaine, traité de la sorte.

FRANCINE

Ces établissements sont moins hospitaliers
1390 Depuis les coupures, c'est un fait régulier.
On pourrait très bien tomber sur un cadenas
Et alors, dis, on fera quoi, chère Ananas ?

SYLVIE

Suivons notre plan!

CAROLE

Moi, je suis de cet avis.

FRANCINE, *à Gina*

    Chérie, pense que jamais de toute sa vie
1395 Il n'aura aussi énorme publicité.
    Partout au monde, il est aux actualités.
    Pour lui, ça vaudra plusieurs millions de fois
    Ce fan-club que nous avons fondé pour lui.

GINA

                                    Soit!
    Mais qu'il ne lui soit fait aucun mal excessif!

FRANCINE
1400 Non, voyons, notre amour n'est pas vindicatif,
    Il est admiratif.

SYLVIE

            Allons voir, il s'agite...

CAROLE
    Allez Gina, ne fais pas la mine contrite!

Scène troisième

LES MEMES, FRANÇOIS

Elles entrent, vont déposer les objets qu'elles ont sur une table de chevet. François parle avec ses yeux sidérés mais il reste muet.
(Les comédiens peuvent s'échanger des vers silencieux de leur cru, François exprimant la stupéfaction et les filles se pavanant comme des mannequins.)

FRANÇOIS
    Bordel de merde! les tapettes qui reviennent
    En travestis. Si au moins c'étaient des lesbiennes...

FRANCINE
1405 Nous sommes des femmes, voyons, des authentiques.

312

FRANÇOIS

Et moi, je suis le président de l'Amérique.

GINA

Nous sommes venues te rassurer, te calmer,
Te faire sentir qu'on ne veut pas te brimer.

FRANÇOIS

En vous pavanant devant moi au féminin ?

FRANCINE

1410 Trouves-tu que nos attributs sont masculins ?

FRANÇOIS

Vous êtes pas mal plus, comment vous dites ici...
Des tue-mouches.

CAROLE

Il appelle les pédés ainsi.

FRANÇOIS

C'est pas moi, c'est vous. Et toi, t'as dû en tuer,
Des mouches avec ta devanture... infatuée !

FRANCINE, à Carole

1415 Tu vois, t'aurais pas dû te rembourrer, Carole.
Il ne voudra jamais croire en notre parole.
Et nous allons devoir lui prodiguer des preuves.

FRANÇOIS, à son papa qu'il invoque

Mon papa, tu vois bien qu'ils font tout ce qu'ils peuvent
Pour me tromper. Ils sont tordus comme des hommes
1420 Politiques. Ils veulent que je morde à la pomme,
Que je leur donne le mandat de m'abuser.

GINA

Vois que nous trois, nous sommes bien moins déguisées...

313

FRANCINE, *désignant les seins des trois au naturel*
Qu'est-ce que tu crois que c'est donc, ça, ça et ça ?

FRANÇOIS, *hautain*
Des faux semblants...

CAROLE
Ne te gêne pas, vois en bas.

FRANÇOIS, *regardant puis tournant la tête*
1425 Des faux-fuyants...

FRANCINE
Pourtant, on est vraies jusqu'au cou:
Veux-tu tâter ?

FRANÇOIS
Je ne suis pas un touche-à-tout.

SYLVIE
Il est têtu, il ne veut pas se rendre compte...

GINA
C'est juré, tu peux croire ce qu'on te raconte.

FRANÇOIS, *hésitant un moment puis plongeant*
Si vous êtes vraies, si vous êtes telles quelles
1430 En ce cas, c'est que vous êtes transsexuelles.

GINA, *impatiente*
Mais non, on est nous autres, pas du demi-monde.

FRANÇOIS
Qui donc est encore soi-même en ce bas monde ?

GINA
Toi !

314

FRANÇOIS

      A part moi.

CAROLE

           Le pape.

FRANÇOIS

                   Excepté moi et lui,
Qui sont les vrais dans nos sociétés d'aujourd'hui ?

SYLVIE
1435 Les présidents.

FRANÇOIS

          Lesquels ?

SYLVIE

                Ceux de n'importe quoi.
Y'a des millions de présidents : t'as le choix.

FRANÇOIS

      Bon, alors sauf moi, le pape et les présidents...
Ajoutons peut-être les vice-présidents...

FRANCINE

      C'était quoi la question ?

FRANÇOIS

              Qui est transparent
1440 De nos jours à part les hommes de premier rang ?

CAROLE

      Et les femmes ?

FRANÇOIS

         Mais non, voyons, la transparence
C'est pas leur truc. Pour elles, c'est les apparences
Qui importent... Hey, heureusement, pour une fois,
Que vous êtes des mecs !

FRANCINE, *en fronçant les sourcils*
                    On t'aime moins, François.

CAROLE
1445 Ouais, tu commences à nous rafraîchir les idées.

FRANÇOIS
        Tant mieux, je préfère vous savoir débandés.
        Mais en quoi ce que j'ai dit vous affecte-t-il ?

FRANCINE, *retirant casquette et moustache*
        C'est qu'on est vraiment de l'autre sexe, imbécile.

Les autres font de même et François garde la bouche bée, debout devant son lit.

FRANÇOIS, *hésitant, ébahi*
        Johnny Cur'-Dents... Harley... Ananas... et Pistache

FRANCINE
1450 Francine, Sylvie et Gina de Saint-Eustache
        Pis la Mae West, c'est Carole de Laval-Ouest.

CAROLE, *s'approchant de lui d'un pas à ressorts, susurrante, style Mae West*
        Passe me voir... un bon soir, on fera... la sieste...

FRANÇOIS, *sautant sur le lit et s'agitant, mains levées vers le ciel*
        Oh! mon papa rendu aux cieux depuis vingt ans
        Vous, maman, à Paris depuis pas mal de temps,
1455 Et toi, Jésus, mon pot, mon frère dans le sang:
        A vous tous, comme je suis donc reconnaissant
        De m'avoir mis sur le chemin de criminelles
        Qui ne m'ont pas enlevé en pensant à elles.
        Pas pour l'oseille, pas pour l'orgueil ou le sexe,
1460 Mais par admiration. Je veux un Kleenex:
        Je vais pleurer. Les plus grandes divinités
        Possèdent les plus grandes sensibilités.
        Je pleure.

FILLES ENSEMBLE
Et nous pleurons aussi, c'est si touchant.

FRANÇOIS
Mon joyeux fan-club!... Détachez-moi sur-le-champ !

FILLES ENSEMBLE, *pleurant*
1465 Non.

FRANÇOIS, *stupéfait*
Comment non ?

FILLES ENSEMBLE
Notre pacte nous le défend.

FRANÇOIS, *autoritaire*
Nanas du Canada, fini, ce jeu d'enfants !

FILLES ENSEMBLE
Mais une vedette appartient à son public !

FRANÇOIS
Ce n'est pas une vérité évangélique.
On dit ça pour faire meilleure impression
1470 C'est bien dans nos campagnes de promotion,
Mais il y a des limites, bordel de merde !
La clef de ce harnais avant que je ne perde
Mon sang-froid !

GINA
Nous ne voulons pas te délivrer.
Ne courrais-tu pas aussitôt pour nous livrer
1475 A la police ? Tandis que dans quelques jours
Tu auras compris le vrai sens de notre amour.

SYLVIE
Et nous savons qu'avant la fin de la semaine
Tu te seras toi-même enchaîné à tes chaînes.

317

CAROLE
En vertu du syndrome de Patricia Hearst
1480 Ainsi que nous en a parlé monsieur Planters,
Un homme qui s'y connaît dans ces choses-là.

FRANÇOIS
Pour le moment, on ne parle pas de cela.
J'exige d'être libéré sans plus attendre.

FRANCINE
Donne-nous au moins quelques jours, nous serons tendre.

FRANÇOIS
1485 J'ai pour vous, mesdames, une petite nouvelle.
Trente-six heures que les choses s'amoncellent.
Ne savez-vous donc pas que même une vedette
A besoin aussi parfois d'aller aux toilettes ?
Ne pensez pas que je suis dans tous mes états
1490 Comme cette fois où j'ai fait Taratata;
Je suis dans un seul... et c'est l'état d'im-plo-sion.
Mon abdomen est remué d'im-pré-vi-sion.
Et si ça continue quelques minutes encore
Je ne répondrai plus mesdames de mon corps
1495 Et vous aurez sur la conscience une ex-plo-sion
NUCLÉAIRE. Ne prenez pas de décision,
Et vous allez me voir quitter tous mes états
Pour péter dans un formidable coup d'éclat.

SYLVIE
On a prévu de t'installer sur la bassine

FRANÇOIS
1500 Me torcher, je suppose, avec un magazine !

CAROLE, *en présentant un magazine*
TV-Hebdo, c'est le papier le plus poreux.
Tous ceux qui l'utilisent se déclarent heureux.

318

FRANÇOIS

Je ne vais toujours pas vous montrer mon derrière !

FRANCINE

A Sylvie seulement, qui est une infirmière.

CAROLE

1505 Pour te cacher le devant, voici un rouleau.
Je l'ai fait moi-même en écorce de bouleau.

GINA

Tout est prévu pour ton confort...

SYLVIE

                                    Total !

FRANÇOIS

                                    Harley,
J'ai ma pudeur de star qui ne saurait aller
Là où celle de l'homme commence à rougir.
1510 Les journaux du monde se mettront à mugir,
Entendant conter mon incarcération.
Du risible, ils me feront l'incarnation.
Serait-ce là le sort que vous me préparez ?
Ne m'avez-vous point élu votre préféré
1515 D'entre tous les artistes ? Et à très juste titre
D'ailleurs ! De grâce, que je ne sois pas le pitre
Du show-business ! Seul un séjour prolongé
En banlieue d'Hollywood, sur un lit allongé,
Au sanatorium qui vous soigne l'ego
1520 Me guérirait de cette attaque de ragots.

FRANCINE

Les filles, en rond !
Elles s'éloignent pour tenir conciliabule.

FRANÇOIS, *chantonnant*

                        Il pourrait bien être trop tard...

319

FRANCINE

    Devons-nous laisser la décision au hasard ?
    Ou si on s'en remet à la démocratie ?
    Lui dire non serait de la phallocratie.
1525 A caractère féministe.

CAROLE

                Votons vite,
    Avant qu'il ne soit emporté par le va-vite.

GINA

    Je suis d'accord pour qu'il puisse aller aux latrines.
    On ne peut le condamner à la catherine.
    Le coup serait trop dur pour sa célébrité.

SYLVIE

1530 Mais non, puisque personne ne va l'ébruiter.

GINA

    Qu'il puisse aller au cabinet en toute aisance.

FRANCINE

    D'accord, d'accord, épargnons-lui notre présence
    Au petit coin, mais faudra l'avoir à l'oreille
    Sinon à l'oeil, et que l'une d'entre nous veille
1535 A ce qu'il ne s'évade pas.

SYLVIE

             Oui : volontaire !
    Quand il y sera, je serai près des waters.

Elles retournent à François qui a tendu l'oreille en vain.

CAROLE, *insérant la clef du cadenas du harnais*
    Si tu promets d'agir en homme réfléchi.
    Ceci n'est pas le signe que l'on t'affranchit.

FRANÇOIS

    Je vous donne la plus ferme de mes paroles

1540 A toi, Sylvie, à toi Gina, à toi Carole,
A toi Francine... A vous quatre. Lisez mes lèvres :
Aucune évasion !

Libéré, ii enfile un pantalon puis il entre aux toilettes tandis que Sylvie quitte par l'autre pièce.

Scène quatrième

LES MEMES

SYLVIE, *seringue menaçante, suivant François aux culottes pas relevées*
Je vous ramène le lièvre.
Qui fuyait par la lucarne.

CAROLE
C'est pas gentil
Pour son fan-club que de se faire aussi petit.

FRANÇOIS, *penaud*
1545 Un homme a quand même le droit de s'essayer.
Au public
Je n'ai même pas eu le temps de m'essuyer.
Puis l'air complice
Je dois maintenant user de psychologie.
Utiliser les bonnes vieilles stratégies
Qui font des miracles avec les femmes modernes
1550 Comme jadis avec leurs mères des cavernes.

FRANCINE
Allons cher François, il faut te déshabiller.
N'aie crainte, ce n'est pas pour te tripatouiller.
Nous te ferons une certaine ablution.
Qu'en penses-tu ? Feras-tu des objections ?

321

FRANÇOIS

1555 Mais pas du tout ! Je veux devenir votre objet.
Et je n'agirai plus contre votre projet.

CAROLE

Plus un seul mot ?

FRANÇOIS

La plus totale obéissance.

CAROLE

En pleine forêt : partir et braver la chance ?

FRANÇOIS

Ah! surtout pas ! J'aurais dû y penser avant.

GINA, *tendrement exclamative*

1560 Le soin que nous prendrons de toi dorénavant !...

FRANÇOIS

Je n'en doute pas.

FRANCINE, *approchant un paravent du lit et le déployant*

Nous avons notre pudeur

FRANÇOIS

On peut en apercevoir toute la grandeur
Dans vos yeux extraordinaires.

SYLVIE, *battant des paupières*

Non, pas tant !...

FRANÇOIS, *à Sylvie*

Ai-je à te parler de ton regard épatant

1565 Puisque ton miroir le fait avec éloquence
Quand tu lui souris ? Non, mais quelle coïncidence :
Être ravi par les regards des ravisseuses.
Pour la proie, quelle fatalité bienheureuse !

322

CAROLE, *lui mettant des choses sur le lit*
    Voici l'eau, voici le savon et les serviettes;
1570 Et nous avons aussi dérobé en cachette
    Ta guitare et l'un de tes costumes de scène,
    Escomptant bien que tu nous livrerais sans gêne
    Un concert privé.

FRANÇOIS
                                Avec un plaisir immense.
    Je parlais de regards, le tien est si intense
1575 Qu'on le croirait en provenance du soleil.
    Et sache que ce n'est pas rien qui m'émerveille.

GINA, *indécise*
    On dit que mes yeux ressemblent aux yeux des Renoirs,
    Qu'ils expriment le jour, mais seulement le soir.

FRANÇOIS, *se lavant derrière le paravent, puis s'asséchant*
    Parfaitement ! Tout à fait ! Magnifiquement !
1580 Un brin de nostalgie sur fond d'emportement.
    Mais aussi un reflet d'une grande richesse
    Qu'on ne retrouve que dans les yeux des altesses.

SYLVIE
    Quelle âme aperçois-tu dans les yeux de Francine ?

FRANÇOIS
    Je ne saurais dire combien ils me fascinent.
1585 Leur bleu est-il bonté ou est-il volupté ?
    On le croit venu tout droit de la voie lactée...

FRANCINE
    En rond, les filles !
    *Elles se regroupent. Il écarte le paravent. Est presque nu (en
bobettes). Attrape le rouleau de bouleau et se cache le devant.*
                                Il cherche à nous avoir.

CAROLE
                                Tu penses ?

FRANCINE

Il nous fait le tour des yeux avec sa fragrance.

Voie lactée, altesses, soleil, miroir, mets-en!

1590 Il cherche à nous séduire et se fait courtisan.

Soyons sur nos gardes.

François tend l'oreille, prend le rouleau et se le met sur l'oreille pour écouter, puis s'énerve, remet le rouleau vis-à-vis son sexe, puis sur les yeux, les oreilles, le sexe...

GINA, *naïve*

Il est peut-être sincère.

CAROLE

Pas du tout ! Mais il est si charmant, son concert

De beaux mensonges.

SYLVIE

Chantons-lui notre chanson !

FRANCINE

Bonne idée, allons-y !

Elles ôtent le paravent.

Couche, mon grand garçon !

François se couche et pose le rouleau en travers de son sexe. Elles vont prendre place chacune à un coin de lit.

GINA, *hésitante et timorée*

1595 Les filles et moi, on a écrit un petit air

Quelques rimes. Rien de bien extraordinaire...

FRANÇOIS, *d'abord inquiet puis se rassurant*

Ah! oui ? C'est bien. Et ça s'appelle ?

GINA

Hymne aux étoiles.

FRANÇOIS, *reprenant de l'aplomb*

Quoi de plus merveilleux pour couvrir une toile

Musicale ? *(Solennel)* Moi, je me ferai astronome

1600 Et je battrai le rythme comme un métronome...
   Il fait osciller le rouleau de bouleau sur son ventre...

FILLES ENSEMBLE, *dirigées par Francine à l'aide de la seringue en*
guise de baguette (air de Les Trois cloches)
   Une étoile brille, brille
   Tout là-haut dans le ciel noir
   Sa lumière qui scintille
   Dit au monde dans le soir:
1605 A genoux peuple fidèle,
   Mon coeur brûle de te voir;
   Sur le vol d'une hirondelle,
   Je voyage à tire d'ailes
   Pour te redonner l'espoir.

1610 Mirage au fond de la télé
   Comme ignoré, loin des humains,
   Au coeur de sa nuit étoilée,
   Le dieu emprunte son chemin.
   Voici qu'après quelques années,
1615 Son image enfin nous parvient.
   Les ondes se sont incarnées
   Et l'idole nous appartient.

   Les étoiles dansent, dansent
   Sur l'écran de nos amours
1620 Pour célébrer à distance
   La gloire à François D'Amours.
   Dans leur formidable ronde
   Elles s'unissent au vainqueur
   Pour annoncer à ce monde
1625 Sur la super super-onde
   Que Dieu bénit les rockers.

   Mirage au fond de la télé
   Loin des humains, comme ignoré...

FRANÇOIS, *les interrompant*
   Me laisserez-vous applaudir avec mes larmes ?

1630 Et cela n'est pas comme pour les femmes, une arme.
Je suis sincère, je suis tombé sous le charme
De la séduction de votre divin... vacarme.
Votre talent est simplement incomparable.
J'ai même envie de dire qu'il est comparable
1635 A quatre fois celui de Céline Dion.
Il ne vous manque qu'un peu de finition
(Peut-être laisser l'écriture à Plamondon
Accélérer, prendre un style plus rigodon...)
Pour former un quatuor de professionnelles.
1640 Vous possédez un grand talent, mesdemoiselles.

FRANCINE, *souriante*
C'était un hommage de tes admiratrices
Nous ne sommes rien de mieux que des amatrices.

FRANÇOIS
Voudriez-vous que dans les journées à venir
Je vous enseigne la façon de se tenir
1645 Devant une caméra pour faire un tabac ?

CAROLE
A la condition que tu ne t'évades pas.

FRANÇOIS
Mais non, car cet enlèvement est une chance.
Ma carrière connaissait des ratés en France.
Pourquoi pensez-vous qu'une star de mon calibre
1650 Vient ici ?

SYLVIE
                    Tantôt, tu as voulu être libre.

FRANÇOIS
Je savais bien que quatre femmes aussi brillantes
Me feraient contrôler par une surveillante.
Je resterai ici le temps que vous voudrez.
Et vous, j'y compte, n'allez pas me démembrer.

FRANCINE, *lui embrassant un bras*
1655 Non !

SYLVIE, *lui embrassant une main*
      Non, non!

CAROLE, *lui embrassant un pied*
         Non, non, non!

GINA, *le touchant au genou*
              Non, non, non, non!

FRANÇOIS
                        C'est bon !
    Aimez-moi et je vous donnerai des leçons.

FILLES ENSEMBLE
    On ne demande qu'à t'aimer depuis toujours
    Étant femmes, nous sommes faites pour l'amour.

Carole ouvre une boîte à musique et les notes se répandent. François ferme les yeux et se laisse caresser.

FRANÇOIS
    Cette fois, je crois que je vais me laisser faire
1660 Et entre vos mains émérites me complaire.

FILLES ENSEMBLE
    On va te faire visiter le septième ciel.

FRANÇOIS
    On dirait que déjà m'y porte un arc-en-ciel.

Les lumières s'éteignent.

Scène cinquième

FRANÇOIS, LA VOIX DE DIEU

Une lumière brillante tombe sur la personne de François. Au fil du discours de l'Éternel, François fait les moues de circonstance...

DIEU

Mon ami, mon fils, ouvre tous tes récepteurs
Et prête oreille à la voix de ton Créateur.
1665 D'abord, laisse-moi te dire mon cher François
Que je veille sur toi... ET QUE TU ME DÉÇOIS.
Je t'ai donné la force, tu montres ta faiblesse;
Je te surprends en train de vibrer aux caresses
De ces mains dangereuses qui te ramollissent.
1670 J'ai fait de toi Samson, tu cèdes aux séductrices.
Je sais, je sais, j'ai voulu te mettre à l'épreuve;
Il fallait que tu me redonnes quelques preuves
De ta demi-divinité. Je t'ai donné
La terre pour briller, comme à mon fils aîné.
1675 Tu t'en es bien tiré, je dois le reconnaître;
Mais te voilà à ficher tout par la fenêtre.
Tu n'appartiens absolument pas au public,
Et encore bien moins à quelques fanatiques,
Tu es l'enfant de la victoire et de la gloire,
1680 C'est pourtant clair. Alors qu'est-ce que cette histoire
De te laisser aller entre des bras de femmes
Aux plaisirs de bas étage ? Une seule flamme
Devrait pourtant brûler ton être, corps et âme :
Celle qui s'alimente au peuple qui t'acclame.
1685 Il est essentiel que je prenne une mesure,
Que je t'explique ce qui est ta vraie nature
Afin que tu saches les choses de la vie.
Écoute-moi et que la leçon porte fruit !
J'ai créé les hommes INÉGAUX, c'est évident.
1690 Des puissants, des faibles, des gagnants, des perdants.
Le loup mange l'agneau, le lion mange le zèbre.
La plupart restent nuls, d'aucuns seront célèbres.

Quelques-uns deviennent riches et ceux-là s'amusent
Loin des malheureux que par ailleurs ils abusent.
1695 J'ai créé des êtres supérieurs. Comme l'homme.
Et des inférieurs... Faudrait-il que je les nomme ?
Non, n'en parlons pas car le temps, même pour Dieu,
De nos jours, c'est quelque chose de fort précieux.
J'adore les étoiles : c'est pourtant chose claire.
1700 Suffit que le soir tu lèves ta tête en l'air.
Mais je les ai vues pendant des milliards d'années,
Et je commençais à en être un peu tanné.
Je me suis dit : mon gars, tu devrais inventer
Une patente semblable à la voie lactée,
1705 Remplie d'étoiles. Des étoiles avec image
Et pas rien que des immenses tas de nuages
De poussière qui se fuient les uns et les autres.
Mais dans le genre, j'avais quelque chose d'autre :
L'homme, petit tas de poussière avec une âme
1710 Et qui s'énerve et qui s'excite et qui s'enflamme.
En creusant bien dans mes cellules aux illusions,
J'ai trouvé la plus formidable invention :
La télévision. Yes sir, la télé, c'est moi.
Le roi-soleil, mon conseiller, te le dira.
1715 Ce nouveau médium, c'est tout un univers
Éclipsant ces astres qui au diable vauvert,
Foutent leur camp. Et qui nous propose à la place
Un produit qui plaît bien plus à la populace;
Et ce sont les étoiles télévisuelles.
1720 Moins nombreuses un petit peu que celles du ciel,
Mais ô combien plus éclatantes. Chaque jour,
Elles entrent dans les salons du coeur, et toujours
Après s'être fait annoncer. Elles sont polies.
Leur mot d'ordre, c'est Vox Dei, Vox Populi.
1725 Ah! si mon fils aîné avait eu la télé
En Judée, en Samarie et en Galilée,
Couvrant toutes ses apparitions publiques,
Mon cher, il ne serait resté aucun sceptique
Et tout le monde aurait compris ses paraboles;
1730 Ça, je peux te le garantir en saint sibole.
L'intelligence de l'homme étant ce qu'elle est,

329

La télé dans ses débuts fut un pur navet.
Sorte de sous-produit des collèges classiques.
Ordre, beauté, qualité, mais rien d'authentique.
1735 Téléthéâtres, concerts, hockey pas de casques.
C'est connu, qui veut faire l'ange fait des frasques...
Par bonheur, à petits pas, elle s'est adaptée
A la vraie nature de cette humanité
En se vidant de sa plus profonde SUBSTANCE
1740 Pour garder ce qui a la plus grande importance :
L'IMAGE... Mais pourquoi as-tu envie de rire ?
Ah! t'es d'accord avec ce que je viens de dire!...
Je n'ai pas créé l'homme selon ma SUBSTANCE
Mais bien à mon IMAGE et à ma ressemblance.
1745 La vocation de la télé s'est affirmée.
De plus en plus, elle est capable d'exprimer
Les différences tout en les favorisant,
Les différences tout en les banalisant.
Comment se dit l'expression par excellence
1750 De la différence ? Bien sûr, c'est la violence.
La télé aime les gagnants et les Rambo,
La performance, le défi et les flambeaux
De l'inégalité, des compétitions,
Et chérit ceux qui mentent aux populations.
1755 Je crois fermement que mon ami Lucifer
N'aurait jamais le génie de si bien y faire.
Et toi, François, qui fut bien plus choyé que tous
Par elle et par moi, ta mollesse me courrouce.
Je préfère les généraux, les forts, les chefs.
1760 Les grands noms comme Sainte-Marie, Saint-Joseph.
François, je t'ai procuré une catapulte,
Pour que tu puisses devenir l'objet d'un culte;
Garde donc la tête à la hauteur du défi
Tu en tireras d'incomparables profits.
1765 Laisse-toi guider par une immense fierté
Aux apparences bien sûr de l'humilité.
Que le mot fier, fier, fier, jalonne ton langage,
Et réduis le mot doute, doute, à l'esclavage !
Au vaste firmament de la célébrité,
1770 Une étoile qui brille ne peut s'arrêter

Qu'en implosant, devenant un trou de mémoire
Ou explosant pour s'atomiser dans le noir
De l'espace télévisuel mondial.
Je t'ai fait spécial afin que tu sois spatial.
1775 Dépêche-toi, sois le premier, prends de l'avance :
Tu seras plus vite au ciel avec de la chance.
Et si alors tu veux être une vraie étoile,
Il reste une place encore dans la queue de poêle.
Mais avant, tu devras encore traverser
1780 Ce qu'il te faudra faire sans tergiverser.
Tiens fort le volant comme Gilles Villeneuve
Sois le super champion de toutes les épreuves.
A fond le champignon, vitesse maximum.
C'est seulement alors que tu seras un homme,
1785 Mon fils. Je m'entoure de mégastars, de rois,
Empereurs ou dictateurs, gens de premier choix.
Et bien sûr de présidents même si je vis
En théocratie... Un nom connu à l'envi...
A mes côtés, le grand petit René Lévesque
1790 Brille pas mal; et il m'est fort utile avec
Son grand talent à négocier des ententes
Avec le monde infernal. Chaque lune, il tente
De souder la confédération céleste.
Faut du génie pour discuter avec la peste
1795 De Satan. Je me demande qui vous a dit
Et fait croire que le ciel, c'est le paradis.
Bon, je commence à avoir la voix fatiguée,
Si tu veux, on va cesser de dialoguer.
Je te dis à toi, mais pas aux gens ordinaires :
1800 Ce qui compte dans la vie, c'est avoir du nerf.
Regarde devant toi ces pourris sympathiques.
Privés d'image, à quoi ils servent, ces loustics,
Sinon pour applaudir devant les superstars ?
    A la foule à voix menaçante
Public, huez-moi et vous perdrez vos huards !
    A François, à voix rassurante
1805 En vérité, en vérité, je te l'affirme :
Il n'y a qu'au sommet où t'es jamais infirme.
    Toutes les lumières s'éteignent mais le dialogue s'engage...

FRANÇOIS

Seigneur, Seigneur, que la leçon est grande et belle !
Je me sens remué d'une vigueur nouvelle.
Mais vous comprendrez que je n'ai pas votre science
1810 Et encore beaucoup moins votre expérience;
Alors laissez-moi vous demander humblement
Un petit conseil ou deux relativement
A mes quatre kidnappeuses. Quelle conduite
Devrais-je adopter ? Le mieux serait-il la fuite
1815 Ou l'alerte tranquille en attendant la suite ?
De leur côté, espèrent-elles être séduites ?
Que dois-je faire, Seigneur et comment le faire ?
Avoir des mains de velours dans des gants de fer,
Je le veux sans broncher. Comment y parvenir ?

VOIX DE DIEU

1820 Tu me demandes comment les circonvenir.
C'est écrit dans ta nature de séducteur.
Il faut d'abord que tu racontes tes malheurs.
Vrais ou imaginaires : n'aie pas peur d'en mettre.
Enfant abusé, obligé de se soumettre
1825 Aux pires violences. Adolescent malheureux,
Rebelle, agressif pour cacher qu'il est peureux
Comme un poussin. Et fugueur. Et bien sûr drogué.
Par la suite, adulte tout à fait subjugué
Par plus d'une femme fatale et sans scrupules.
1830 Boxeur magané par de petites crapules.
Par boxeur, je veux dire quelqu'un qui se bat
Comme Dan Bigras, comme Rocky Balboa :
Un grand grand coeur avec un visage baveux.
Suis ma recette et t'auras tout ce que tu veux.
1835 A la condition que tu t'en sois sorti
Que le perverti soit maintenant repenti,
Que les problèmes graves soient enfin réglés,
Mais tu gardes au fond de toi un vide à combler !
Avec tout ça, je vais inspirer ton agent.
1840 Riche en talent, riche en souffrance et en argent.
Riche en gloire et en liberté... Les névrosées
Vont se garrocher à tes pieds pour les baiser.

FRANÇOIS

    Seigneur, pas une fois vous n'avez dit le mot,
    Mais si je vous comprends, vous me voulez macho ?...

DIEU

1845 Mais non, ça n'existe pas, les machos, mon fils.
    Un mot conçu par Ève avant que je la 'crisse'
    Hors du paradis avec son con de mari
    Qu'elle engueulait comme du poisson ben pourri.
    Comme le jour où il rapportait des bananes.
1850 "Je voulais des oranges, mon espèce d'âne."
    Le lendemain, il revint avec des oranges.
    "C'est pourtant des poires que je voulais, mon ange."
    Et mon Adam de retourner chercher des poires.
    "Je voudrais des prunes, tu devrais le savoir."
1855 Il a couru aux prunes, aux fraises, aux pamplemousses,
    Tant et si bien que j'ai volé à sa rescousse.
    Eve prenait son bain d'ombre au coeur du jardin
    Sous le plus grand pommier, un de ces beaux matins.
    J'ai soufflé... Toutes les pommes ont dégringolé
1860 Sur la pauvre dame qui fut très ébranlée.
    Et quelque chose s'est détraqué dans sa tête.
    C'est là qu'elle a commencé à avoir l'air bête.
    Tout s'est encore envenimé dans le ménage
    Lui s'est assis et m'a demandé du chômage;
1865 Elle a décidé de fonder un syndicat.
    Un bout de temps, je n'en faisais pas trop de cas,
    Mais il a fallu que je leur montre la porte.
    Entrés Jéhovah, ils ont fait du porte à porte.
    De bonne heure le matin, les fins de semaine.
1870 Eve étant génitrice de la race humaine,
    Tous les problèmes de son cerveau déréglé
    A toute sa descendance furent légués.
    Pour être exact, disons au côté féminin
    De sa descendance. Depuis, tu penses ben
1875 J'ai tâché de réparer les roues détraquées
    Mais la mécanique des femmes est compliquée.
    Je ne sais plus comment je l'avais patentée
    Ma mémoire vit de plus en plus de ratés.

Pas d'aide de Satan : il est bourré d'arthrite.
1880 Ah! on se fait vieux, nous autres itou, par icitte.
Bon, j'ai voulu réparer quelques exemplaires.
J'ai mis un peu de plomb dans madame Thatcher;
J'ai envoyé deux ou trois voix à Jeanne d'Arc
J'ai envoyé Brigitte Bardot dans un parc
1885 D'animaux, disant : Arrête ton cinéma,
Ma vieille et défends un peu leur anonymat !
Et dans la tête de madame Bombardier
Je me suis perdu dans un immense bourbier.
J'ai quitté sans rien changer à sa confusion,
1890 Pensant : elle est parfaite à la télévision.
Bref, pour en revenir à ce que nous disions,
Avec elles, joue le grand jeu des illusions
Sans chercher à les comprendre, ces chères femmes.
Sois ferme et fort; fais-les se sentir de vraies dames.
1895 Si j'étais donc un peu moins vieux et plus humain,
J'irais en bas t'aider à te faire la main.

FRANÇOIS

Je sais ce que vous voulez de moi, mon Seigneur.
Soyez assuré que je vous ferai honneur.

DIEU

Sois un homme, mon fils; sois un homme, mon fils!
1900 Ton image et ton bras seront tes artifices.
Parfois, je te donnerai des signes de piste;
Va ton chemin et sois un parfait égoïste !

Musique céleste

Scène sixième

FRANÇOIS, CAROLE, FRANCINE, SYLVIE

Elles entrent. François s'est rhabillé. Il tend les mains pour qu'on les menotte. Son visage rayonne.

FRANÇOIS

    Vous pouvez m'enchaîner si vous le désirez :
    Jamais plus qu'en ce jour, je ne fus libéré.

FRANCINE

1905 Il nous est apparu...

FRANÇOIS

              A vous aussi, les filles ?
    Je crois qu'au fond, il vous a trouvées bien gentilles.
    Je sens que je devine son vocabulaire.
    Belles et soumises, soyez-le comme vos mères !...

FRANCINE

    De quoi parles-tu ?

FRANÇOIS, *montrant le ciel*

           De Lui qui est apparu
1910 A vous et moi... Ne l'avez-vous pas entendu ?

FRANCINE

    Je voulais dire qu'il nous est apparu vain
    De te charger de chaînes.

CAROLE

           Il est entre tes mains
    Seulement, ton sort, désormais...

SYLVIE

           Le nôtre, lui,

335

Dépend de toi.

FRANCINE

On a rétabli le circuit
1915 Téléphonique. Tu appelles la police
Et quatre folles sont livrées à la justice.

FRANÇOIS, *impérial*

Je ne le ferai pas, je serai magnanime.
La victime ne fera pas d'autres victimes.
Je resterai tel que prévu jusqu'à lundi.
1920 Ce jour-là, vous me reconduirez loin d'ici
Et me relâcherez. Et je déclarerai
Toute la vérité, mais je me garderai
De révéler votre identité. Et c'est tout.

SYLVIE

Ne risque-t-on pas de remonter jusqu'à nous ?

FRANÇOIS

1925 J'ignore où nous nous trouvons et à mon retour,
J'aurai les yeux bandés : simple comme bonjour !

FRANCINE

Quelle motivation vas-tu nous prêter
Pour t'avoir enlevé, caché et ligoté ?
L'argent, le sexe ou une cause humanitaire ?

FRANÇOIS

1930 Je dirai : admiratrices célibataires
Et anonymes.

CAROLE

Toutes les quatre, on pensait
Que notre crime au bout de la ligne paierait
Bien tout le monde. L'intuition féminine
Nous approuvait. C'est une qualité divine.

FRANÇOIS
1935 Et Dieu est un sacré bon gars. *(Chantonnant)* Et maintenant
Que vais-je faire ?... *(Au public à part)* Je, le mâle dominant
Vous montre à traiter les femelles de l'espèce.
De la poigne, elles en réclament, les gonzesses.
Aux filles
Mes chéries, je consens à me faire embrasser.
1940 A tour de rôle, venez, approchez, passez
Pour me faire savoir votre reconnaissance
Et votre admiration.

FILLES ENSEMBLE
Nous tombons en transe.
Elles l'embrassent à tour de rôle...

FRANÇOIS
Mais vous n'êtes que trois. Où donc est Ananas ?

FRANCINE, *à moitié gagnée*
Pas ma nana, c'est ta nana du Canada.

FRANÇOIS, *enlevant le matelas du lit pour mettre à découvert le panneau de contre-plaqué le supportant pour le faire servir de scène*
1945 Inaugurons le quatuor par un trio.
Cette geôle va devenir un studio.
Il prend la guitare et fait monter les filles sur la planche...
Allez, mesdames, la leçon va commencer.
L'essentiel, c'est de bien savoir se trémousser.
Pistache, mets la guitare en bandoulière.
1950 Et toi, Francine, relève un peu ta crinière.
Au départ, on s'appuie sur ta voix, chère Harley.
Prêt ? Un, deux, trois...

SYLVIE
Mirage au fond de la télé.

FRANÇOIS
Stop ! Stop ! Il faut dans les gestes de la langueur.
Larges mouvements avec beaucoup de longueur.

337

Scène septième

LES MEMES, GINA

FRANÇOIS, *à Gina qui entre*
1955 On est en retard, hein ! Allez oust ! sur la planche !

GINA
    Je n'ai aucun talent et pour être bien franche
    Je n'ai aucune envie de faire du spectacle.

FRANÇOIS, *sur le ton de l'évidence et du reproche*
    C'est la seule façon d'accéder au pinacle.

GINA
    C'est la prison qui nous attend, pas les sommets.

FRANÇOIS
1960 Chérie, tout est arrangé.

CAROLE
                    François se soumet
    A nos volontés. Et quand il sera parti
    Il se fera muet comme un gagne-petit.

FRANÇOIS
    La tombe !

GINA, *s'asseyant*
        Tant mieux !

FRANÇOIS, *battant la mesure vers le trio*
            Et un, et deux, et trois...go...

SYLVIE, *en chantant*
    Mirage au fond de la télé...

338

FRANÇOIS

                    Coupez ! Frigo !
1965 L'image, c'est un visage et c'est une marque.
     Trouvons un nom.

CAROLE

                    Tu me permets une remarque ?
     Qu'il s'agisse de guitare ou d'accordéon,
     C'est pas trop notre truc... Mais cuillers, violon,
     Tape du pied, ça, nous, on connaît en câline.
1970 En plus qu'on peut jouer de la ruine-babines.
     Tu vois, on est plus dans le genre Edith Butler *(dire butlère)*
     Que dans le style de madame Yvette Horner.

FRANÇOIS

     Je veux bien, les nanas. Trouvez vos instruments
     Et on reprendra la leçon. Pour le moment,
1975 Trouvons un nom.

Les filles s'assoient sur la planche et François reprend la guitare.

FRANCINE

                    Je suggère les Policières
     En souvenir. Ou peut-être les Forestières
     Pour la même raison. Pis ça fait écolo.

CAROLE

     Les Rigolos, les Pédalos, les Dactylos...

SYLVIE

     Ça fait démodé. Pourquoi pas les Logicielles ?

FRANCINE
1980 C'est bien !

CAROLE

     C'est beau !

GINA

C'est ça !

FRANÇOIS

Ça va !

TOUS ENSEMBLE

C'est officiel ?

CAROLE

Venez, les filles, on va trouver nos instruments.

Elles quittent en courant, laissant seuls François et Gina.

Scène huitième

FRANÇOIS, GINA

FRANÇOIS

Enfin, nous pouvons nous parler isolément !

GINA, *intimidée*

Pourquoi enfin ? Ça ne fait même pas trois jours...

FRANÇOIS

Ce maître-mot ENFIN dit tout, même l'amour.

Il s'approche et met un genou à terre dans un style chevaleresque

1985   Il dit à une femme le plus doux secret :
Qu'avant son arrivée, tout n'était que regrets
Et tristesse dans votre vie.

GINA

C'est donc un mot
De séducteur et de macho.

340

FRANÇOIS

C'est le plus beau.
Il coiffe les espoirs, souligne les naissances;
1990 C'est le mot du mariage, et celui de la chance;
Enfin, c'est le mot du retour à la maison.
Et celui qu'on attend jusqu'à sa guérison !
Le mot d'un livre qui vient juste avant la fin.
Qui à sa graduation ne dit enfin ?
1995 Il est le grand éclat de son premier grand tube;
C'est celui du bonheur que vous promet la pub.
Le mot du départ, celui des aéroports.
Le mot des armistices et celui de la mort.
Enfin : qu'on lance en devenant millionnaire.
2000 Enfin : qu'on jette à son deux-millième vers.
Ce mot merveilleux belle dame du Québec
Ce mot de Noël, je te l'offre avec un bec.
Il est pour toi, mon Ananas du Canada.

GINA

Comme voyage de noce, je veux Cuba !

François adresse (à l'écart) un clin d'oeil complice à l'assistance.
Gina fait pareil.
Les lumières s'éteignent un moment.

Scène neuvième

CAROLE, FRANCINE, SYLVIE, GINA, FRANÇOIS

Ils sont réunis à la table (ronde) de la cuisine et font le point.

GINA, *en soupirant*
2005 Enfin dimanche !

FRANÇOIS

Tu as trouvé le temps long ?

GINA
	J'ai souffert.

CAROLE
		Pas nous !

FRANÇOIS
			Moi, pas beaucoup !

FRANCINE
				Et moi, non !

GINA
	De la peur. Peur de la prison, de la police...

FRANCINE
	De nos jours, la police se fait protectrice
	Du vrai monde. La peau d'un Noir, d'un Latino
2010	Deux fois par an, ça fait la une des journaux
	Mais ça fait exemple, ce n'est pas si terrible;
	Ça fait la promo des minorités visibles.

FRANÇOIS
	Ma petite Ananas, ça prend fin aujourd'hui.

CAROLE
	On va laisser François sur le coup de minuit
2015	Sur le bord de l'autoroute, mains menottées,
	Les yeux bandés...

GINA
			Mais il pourrait se faire heurter !

FRANÇOIS
	T'en fais pas, ma nana, je vais me démener.

CAROLE
	Il n'aura qu'à faire du pouce avec son nez.

FRANCINE

Le moment est bien choisi car les médias
2020   Ne parlaient plus beaucoup de l'affaire déjà.

SYLVIE

On aurait dû envoyer un communiqué
Pour en faire un enlèvement revendiqué.

CAROLE

Qu'on lise notre philosophie à l'écran.
Abrutir les gens entre deux téléromans...

FRANCINE
2025   De Lise Payette.

SYLVIE

                On eût dû se procurer
Un doigt chez Urgel Bourgie, à faire livrer
Via Purolator au grand Bernard Derome
En lui disant voici un des doigts de notre homme;
Fais-en une nouvelle et c'est ta récompense;
2030   Et tu pourras te le mettre là où on pense.

FRANÇOIS

Le ciel à cet effet ne nous a pas fait signe
Ou la télé eût programmé du Stephen King...

Un coup de klaxon se fait entendre...

FRANCINE

Dis, Carole, attends-tu de la visite ?

CAROLE

                      Non !...
Je vais voir...

TOUS ENSEMBLE

        Qui c'est ?

CAROLE

Pas possible !

TOUS ENSEMBLE

Qui c'est donc ?

CAROLE
2035   Madame Latache...

TOUS ENSEMBLE

Quoi, madame Latache ?

CAROLE

Elle en personne et il faut que François se cache
Au plus vite. Elle arrive, elle arrive...

*François hésite puis se glisse sous la table. La nappe le cache
sauf sur le devant vers le public.*

VOIX

C'est moi,
Claire Latache...

FILLES ENSEMBLE

Mais entre comme chez toi !
On est là, rien que nous quatre.

VOIX, *chantante*

Je vais entrer.

FILLES
2040   Entrez.

VOIX

J'entre là...

FRANCINE

Carole, fais-la entrer.

344

Scène dixième

LES MEMES, MADAME LATACHE

MADAME LATACHE, *mains levées*
>Je vous aime. Tirez pas. Je vous aime gros...
>Regardez : je n'ai pas d'arme, pas de micro.

CAROLE
>Si c'est pas Claire Latache, mais viens t'asseoir.
>On t'invite à rester ici jusqu'à ce soir;
>2045 Mais on sait que tu t'arrêtes juste en passant
>Et que tu repartiras dans quelques instants.

MADAME LATACHE, *prenant place à la table, zieutant partout*
>Autant vous dire tout de suite: 'je sais tout'.

FILLES ENSEMBLE
>Tout ?

MADAME LATACHE
>Je sais tout, je vois tout. Il est parmi vous
>Je le sens... Bien humblement, je suis une femme
>2050 Qui réunit le flair et la brillante flamme
>De l'intelligence et ça a du résultat.
>Où le séquestrez-vous? Mon nez fait un constat :
>François est dans la chambre ou bien dans les toilettes.

FRANÇOIS
>Tu brûles, tu brûles...

MADAME LATACHE
>Mais que je suis donc bête :
>2055 Je ne vous ai pas dit comment j'ai pu trouver
>Le clef de l'énigme pour ensuite arriver
>Jusqu'à ce chalet. J'ai réfléchi tout d'abord
>Sans dire un mot jusqu'à ce que là *(désignant sa tête)* s'élabore

345

Une théorie. Un : vos disparitions
2060 Longtemps avant la fin de notre émission.
Deux : quatre, quatre policiers pas trop bâtis
Qui du spectacle ne se font aucun souci.
Trois : j'avoue que j'ai nourri le même fantasme.
J'en aurais enlevé avec enthousiasme,
2065 Moi aussi des stars. Surtout les plus belles gueules.
Paul Buissonneau avec sa tête d'épagneul.
Dans le même genre, l'érotique Gainsbourg.
Et le bombardier sexuel : Charles Aznavour.
Bien sûr, je choisis des vedettes de mon âge,
2070 Mais admettez qu'elles ont gardé toute une image.
Pour finir, les ravisseurs n'ont rien réclamé
Il ne restait qu'une hypothèse à exprimer :
La rançon de la gloire. Et qu'une route à suivre :
Celle menant ici. J'ai pu voir dans les livres
2075 Du Centre sportif vos adresses personnelles.
La boucle fut bouclée après quelques appels.

FRANCINE
Tout ça est beau, mais on a un petit problème :
Bonne théorie n'est pas toujours théorème.

En se grattant un genou, Claire repère la face de François qu'elle tâte tandis que Francine ment...

Aimer François et le forcer à disparaître,
2080 C'est un peu jeter son bébé par la fenêtre...

MADAME LATACHE
Ou le mettre sous la table pour pas qu'il pleure.

FRANÇOIS, *se relevant péniblement*
C'est drôle, mais j'ai l'impression d'être un voyeur.
Il s'assied

GINA
Ça y est, on est bonnes pour plusieurs années
Derrière les barreaux. Ça devait mal tourner :

2085   On est dans la merde.

FRANÇOIS
                    Pourquoi donc cette crainte ?
        Puisque, tu le sais, je ne porterai pas plainte ?

MADAME LATACHE, *à Gina*
        Au contraire, voilà la chance de ta vie !
        Les filles, tant mieux si vous êtes poursuivies
        Parce que vous aussi deviendrez des vedettes
2090   Comme lui et moi. On nous verra la binette
        A tous les six dans le monde entier. Je m'explique.
        Un: nous allons obtenir un procès public.
        Deux: je serai votre avocate. J'ai mon droit.
Points d'interrogation sur les visages
        N'en doutez pas: je gagnais deux causes sur trois.
2095   Efficace comme Napoléon en marche.
        Quelqu'un m'a même surnommée Claire LaMarche :
        Tu parles d'un nom ! Je...

FRANÇOIS
                    Pas trop fort en effet !

MADAME LATACHE
        Demande au Procureur général un procès
        Devant les caméras de la télévision
2100   Comme aux États. Pour le Québec, quelle occasion
        De montrer une fois encore sa grandeur !
        Comment mon bon ami Serge, le Procureur
        Saurait-il résister à la tentation
        De voir la Terre branchée aux émotions
2105   Du canal québécois ? Mieux, je veux obtenir
        Un procès sur le lieu du crime. Et pour finir,
        Le frère de monsieur Planters, un bon garçon,
        Agira pour la Couronne. Que de leçons
        Pourront être tirées de cette douce affaire !
2110   Mesdames, sur un plateau d'or nous est offert
        Le monde.

347

GINA

Je ne veux pas aller en prison.

MADAME LATACHE

Bien sûr, quelques semaines comme de raison.

GINA

Pas un jour, pas une heure !

MADAME LATACHE, *en réfléchissant*

Disons acquittées !
Une plaidoirie est en train de mijoter.
2115 Là. Je vous prie, partagez ma conviction !
Condamne-t-on le crime d'admiration ?

GINA

Pas une seconde en taule !

MADAME LATACHE, *à Gina d'abord puis à François*

J'ai une idée...
Pour toi, ce n'est pas coupable qu'on va plaider
Mais innocente. On dira que tu as suivi
2120 Les autres pour protéger François. Pas sa vie
Ni sa santé que tu savais sauvegardées
A l'avance, connaissant toutes les visées
De tes compagnes, mais son âme et sa vertu.
Et c'est pour ça que tu n'es pas intervenue.
2125 Tu t'en sortiras blanche comme de la poudre
Aux yeux et alors frappée comme par la foudre,
Tu deviendras une superstar d'héroïne.
Et dans les yeux que vous vous faites je devine
Qu'entre vous, une chose belle grandira.

FRANÇOIS

2130 Et je t'épouserai devant les caméras.

MADAME LATACHE

Ah ! quelle magnifique demande en mariage !
Ah ! que ça fait du bien d'entendre ce langage !

348

SYLVIE, FRANCINE, CAROLE
　　Et pour nous trois, Claire, que se passera-t-il ?

MADAME LATACHE
　　Pour vous trois, nous allons dessiner le profil
2135　D'aliénées mentales. C'est très populaire,
　　Cette défense. Bien sûr : folie temporaire.
　　Nous démontrerons que c'est surtout la victime
　　Qui est la grande responsable de ce crime.
A François
　　Responsable, François, n'égale pas coupable.
2140　On te dira trop beau, trop grand, trop... agréable...
　　Le monde entier verra jusqu'où tu es aimé;
　　Tes chiffres de ventes partout vont s'enflammer.
　　Et vous, mesdames, pour un tel délit d'amour,
　　On vous donnera tout au plus quarante jours
2145　Avec sursis.

FRANÇOIS
　　　　　　　Une pensée fondamentale
　　Me turlupine un peu. Votre vie maritale
　　Dans tout ça ? Vos mecs, ils vont le prendre comment ?

GINA
　　Moi, je suis séparée depuis un bon moment.

CAROLE
　　Et moi, le mien, travaille toujours en Floride.
2150　Cette histoire ne lui fera aucune ride.

FRANCINE
　　Nos maris qui sont des pots nous ont conseillé
　　Souventes fois de nous laisser émerveiller,
　　De réaliser nos fantasmes jusqu'au bout
　　Pourvu que ça n'aille pas jusqu'au petit bout.

MADAME LATACHE
2155　Vous voyez bien que tout s'arrange pour le mieux.
　　On dirait que sur nous, veille la main de Dieu.

FRANÇOIS

Puis-je vous faire une grande suggestion ?
Ouvrez le procès sur une prestation
Par le trio que je vous présente, madame :
2160 Les Logicielles, un groupe déjà haut de gamme.

MADAME LATACHE, *se levant et parlant avec emphase*

Vous chantez ? Seigneur, tout devient... hollywoodien !
Ah! que je suis contente ! Ah! que ça fait du bien !
Et là, j'appelle un policier de mes amis
Qui va vous arrêter. Je lui avais promis
2165 De faire de lui une étoile policière.
Il pourra témoigner devant la terre entière
A ce qui deviendra un procès historique
Auquel on donnera une allure olympique.
On va l'appeler... laissez-moi penser un peu...
2170 Tiens, pourquoi pas Saint-Eustache 2002 ?

RIDEAU

CINQUIEME ACTE

CRIME D'ABSOLUTION

Le studio de Télé-Star monté au Centre Sportif sur le court de tennis numéro un sert maintenant de tribunal où commence le procès du siècle.

Carole, Francine et Sylvie sont accusées de crime d'enlèvement et de séquestration de François D'Amours, vedette internationale. Elles sont défendues par Claire Latache qui agit à la fois comme avocate de la défense et animatrice de son émission retransmise dans 130 pays.

Le frère jumeau du propriétaire du Centre, l'avocat Jean-Louis Planters, agit pour la Couronne.

La juge, Patricia Buteau siège à sa tribune.

Même décor que pour Acte 2. En plus, tribune du juge.

Le quatrième fauteuil, le plus près du juge, sert de fauteuil aux témoins.

Les accusées occupent les trois autres fauteuils au fond.

A leur gauche sont François, l'avocat Planters et madame Latache.

Un jury spécial fut nommé: il s'agit du peuple...

Les avocats et la juge portent la toge.

François est en costume de scène, style Elvis avec perruque etc...

Scène première

CAROLE, FRANCINE, SYLVIE
MONSIEUR PLANTERS (avocat)
MADAME LATACHE
JUGE PATRICIA BUTEAU
FRANÇOIS D'AMOURS

MADAME LATACHE, *à voix retenue à l'avant*
Bonsoir chers téléspectateurs de la planète !
Pour personne au monde, ce n'est chose secrète
Que le procès du siècle se tient aujourd'hui,
Que dans plus de vingt-deux langues il sera traduit
2175 Simultanément et diffusé en direct
—Et je ne parle pas de nombreux dialectes—
Télédiffusé donc dans plus de cent pays
Par cette émission dont je m'enorgueillis
A juste titre, car c'est la plus populaire
2180 Ici au Canada chez les gens ordinaires.
Je me présente: mon nom est Claire Latache
Vous êtes ici au Québec, à Saint-Eustache.
Récemment, ici même, dans cet édifice,
Etait enlevé sous nos yeux le fameux fils
2185 De la France, la mégastar François D'Amours
Dès son arrivée au Québec pour un séjour
Et sa tournée de concerts, de promotion.
Ce fut à son passage à mon émission
Que trois ou quatre admiratrices chaleureuses
2190 Ont kidnappé cette victime malheureuse
Et l'ont séquestrée une semaine en montagne :
Crime qui pourrait leur valoir la vie au bagne.
Par bonheur, François a pu être libéré
Grâce à moi et, bon, ce n'est pas exagéré
2195 De dire grâce au flair de berger allemand,
Et à la rare acuité de jugement
Dont je fis preuve, sans compter ma courageuse
Intervention ainsi qu'une astucieuse

353

Médiation. Et voilà que la Couronne
2200 Poursuit en Cour criminelle les trois personnes
Que vous pouvez voir assises dans les fauteuils
Des accusées. Ne jugez pas en un clin d'oeil
Carole, Francine et Sylvie. Les apparences
Sont souvent trompeuses. L'on sait en l'occurrence
2205 Qu'une quatrième personne présumée
Comparse fut blanchie. Après avoir clamé
Son innocence, la femme fut acquittée.
Bien mieux encore, son action s'est mérité
Le coeur de François. Et je peux vous révéler
2210 Que ces deux-là tout à l'heure vont convoler
En justes noces, et ce, devant les caméras.
De plus, à l'héroïne, l'on décernera
La médaille du courage et de la bravoure
Du lieutenant-gouverneur. Dieu! que je savoure
2215 Déjà ce moment historique ! Maintenant,
Je vais entrer dans ce tribunal imposant
En tant que défenderesse des accusées.
Et qui agira pour la partie opposée ?
Nul autre que Maître Planters, un avocat
2220 Qui remporte toutes ses causes avec éclat.
Il est le frère jumeau du propriétaire
De ce centre sportif où débuta l'affaire.
L'audience est présidée par Maître Buteau
Qui est la cousine de la juge Ruffo
2225 Une star du monde judiciaire local.
On a obtenu du Procureur Général,
Un bon ami à moi, l'autorisation
De tenir un procès devant la nation.
Le jury est formé du public de la salle :
2230 C'est lui qui devra rendre le verdict final.
Pas forcément des gens super intelligents;
Pas non plus des personnes paquetées d'argent;
Pas nécessairement des lecteurs du Devoir,
Mais du bon monde, c'est certain, rien qu'à les voir.
2235 Suivez-moi, car dans quelques petites secondes
S'ouvre le plus grand procès jamais vu en ondes.

354

JUGE, *frappant sa table du maillet*
Oyez, oyez, oyez, cette Cour est ouverte.
Et elle est présidée par une Juge experte :
Soit moi-même, Mon Honneur Patricia Buteau.

A la caméra avec un sourire
2240 Salut Occidentaux et vous Orientaux
Et les quelques autres de l'hémisphère sud
Sans oublier tous ceux atteints de négritude.
Le procès du siècle commence. La Couronne
Contre Harley, Pistache et... Quelle est donc la conne
2245 Qui a préparé ça ? Johnny Cur'-Dents, c'est quoi ?

FRANCINE, *le doigt levé*
Si je peux me permettre, Johnny, c'était moi.

JUGE, *avec un sourire à Francine*
Pourquoi c'était ? Et puis levez-vous pour parler.

FRANCINE, *se levant*
Madame la Jugeote, je vais démêler
Les noms.

JUGE, *avec un large sourire*
                    Pourquoi dire madame la Jugeote ?

FRANCINE
2250 Pour juge au féministe... Ou juge avec culottes...

JUGE, *sérieuse et sereine*
Que le juge et l'avocate de la défense
Soient des femmes ne fait aucune différence.
Vous, innocentes, serez jugées de façon
Impitoyable, tout comme de vrais garçons.

FRANCINE
2255 Elle, c'est Carole ou Pistache. Elle, Sylvie
Ou Harley. C'est bien certain que dans la vraie vie
On n'a pas de surnoms. Mais on forme un trio
De chanteuses. Et c'est ça qui crée l'imbroglio.

Au début, moi, je m'appelais Johnny Cur'-Dents;
2260 Mais j'ai changé pour Mélodie...

JUGE

Intéressant !

Vous chantez ?

FRANCINE

On s'est pratiquées cette semaine
Avec François qui nous a montré des rengaines
De toutes sortes.

JUGE

Quelques notes a cappella ?...

FRANCINE, *ordonnant du doigt*

Prêtes ?

SYLVIE, *entonnant*

Mirage au fond de la télé...

Me LATACHE, *se levant*

Wô-là !
2265 Objection votre honneur ! C'est prévu pour plus tard.

JUGE

Objection retenue !...

Me LATACHE

Un show, ça se prépare...

JUGE

J'ai dit objection retenue, Maître Latache.
Je m'adresse d'abord au jury pour qu'il sache
Que l'humanité tout entière le contemple.
2270 Son soin de la justice servira d'exemple.
Vous ne devrez jamais rire ou vous amuser.
Riez une fois et vous serez récusés
Et vous devrez quitter cette salle illico.

Votre verdict produira un puissant écho
2275 Dans l'avenir et modulera la pensée
Judiciaire. Ne soyez pas influencés
Par le fait que la victime soit une star,
Ce serait là une regrettable erreur car
Notre beau François D'Amours est bien plus encore
2280 Il est un Français prétentieux du sexe fort.
Accusées, levez-vous afin de déclarer
Que vous direz toute la vérité !

FILLES, *ensemble*

Juré !

JUGE

Maintenant, je lis l'acte d'accusation.
Le lundi vingt mai dernier, à l'émission
2285 Télévisée de Madame Claire Latache
Enregistrée ici au Centre Saint-Eustache,
Déguisées dans des uniformes de police
Utilisant et le mensonge et la malice,
Vous avez enlevé monsieur François D'Amours
2290 Ici présent, et après un fort long parcours
Jusqu'à un chalet de montagne appartenant
A l'une de vous, l'y gardant, le dominant,
Vous l'avez retenu six jours contre son gré
Et l'avez tripoté au deuxième degré.
2295 Coupable ou non coupable ? Comment plaidez-vous ?

Me LATACHE, *se levant*
Non coupable en leur nom.

JUGE

Mesdames, asseyez-vous !

Me LATACHE
Votre Honneur, l'avocat de la Couronne et moi
Nous avons convenu d'harmoniser nos voix
A propos des faits survenus dans cette affaire.
2300 Nous les reconnaissons tous, et je vous réfère

A notre document conjoint. En conséquence
Aucun témoin n'est appelé par la défense.
D'autant que nous disposons à peine d'une heure
Pour bâcler ce procès sans compter par ailleurs
2305 Le temps donné aux messages publicitaires
De même qu'à l'appel à tous. Je vais me taire
Pour écouter la Couronne et sa plaidoirie.
Et nous vous déclarons de même qu'au jury
Que nous plaidons l'aliénation mentale
2310 Temporaire, rendant l'état sentimental
De mes clientes excessif, incontrôlable,
Ce qui fit d'elles des êtres irresponsables...
"Pardonnez-leur car ils ne savent ce qu'ils font !"
Qui n'a jamais entendu ce discours profond ?
2315 Jésus-Christ demanda grâce pour ses bourreaux;
François D'Amours fut traité aux petits oiseaux.
Devrait-on condamner quelques admiratrices
Un petit peu bouillantes, un peu adulatrices ?
Poser la question, n'est-ce pas y répondre ?

JUGE
2320 A vous, Maître Planters...
         Et vers la caméra avec une moue de 'couru d'avance'
                              Il peut bien se morfondre...

Me PLANTERS
      D'abord, merci à la défense...

Me LATACHE
                              Objection !
      Me remercier porte à interprétation.
      Etant donné qu'on est à la télévision,
      Ces mots pourraient avoir odeur de collusion.

JUGE
2325 Retenue !

Me PLANTERS
                Bon, ces quatre femmes accusées...

358

Me LATACHE

Objection ! Il faudrait pas utiliser
Le mot femmes car il s'agit là de sexisme
Pur et durci.

JUGE

Retenue !

Me PLANTERS

Dans le christianisme...

Me LATACHE

Objection ! Utiliser une doctrine
2330 Contredit une loi de notre discipline.

Me PLANTERS

La défense elle-même dans son préambule
A cité Jésus-Christ afin de rendre nul
A l'avance l'ensemble des arguments de...

JUGE

Objection retenue !

Me PLANTERS

Mais, votre Honneur, je...

JUGE, *en frappant d'un marteau agressif*
2335 Re-te-nue ! Re-te-nue !

Me PLANTERS

Crime prémédité,
Veut dire médité avant coup, con-coc-té.
Lorsque les trois accusées ont discutaillé
Au long salon des bêtes fauves empaillées
Pour fonder le fan-club de leur super idole
2340 Ce n'était pas l'action de... personnes folles.
Elles savaient bien ce qu'elles faisaient alors.

Me LATACHE, *se levant vivement*
Votre Honneur... pas d'objection !

JUGE, *au public*

Hélas !

à Me Planters

Encore !

Me PLANTERS
Après une heure, elles ont pris la décision
D'enlever la victime, était-ce déraison ?
2345 Elles savaient bien ce qu'elles faisaient alors.
Elles se sont déguisées d'un commun accord.
Usurpant l'identité d'honnêtes agents,
Qualifie-t-on ces gestes d'inintelligents
Même s'ils ne sont pas brillants...

Me LATACHE

Objection !
2350 La Couronne insulte ces dames.

JUGE

Objection

Retenue !

Me PLANTERS
Elles ont caché dans les toilettes
Des costumes loués ainsi que des couettes
De cheveux à utiliser comme moustaches.
Etait-ce l'oeuvre d'esprits éblouis... de flashes ?
2355 Elles savaient bien ce qu'elles faisaient alors.
Ayant piqué leur victime, traîné son corps
En l'emportant tel un saucisson dans le nord :
Elles savaient bien ce qu'elles faisaient alors.
Puis elles ont enchaîné leur proie à un lit
2360 Pour ensuite la souiller, quel affreux délit !
De leurs mains impudiques et de leurs doigts retors.
Elles savaient bien ce qu'elles faisaient alors.
Dieu, donnez-moi la force d'aller jusqu'au bout

Et celle d'endurer cet ultime dégoût.
2365 Elles ont construit un instrument de torture
En écorce de... bouleau. 'Tiens, bats la mesure
De notre numéro', qu'elles ont ordonné
A ce pauvre homme triste et si... abandonné.
Voici Votre Honneur la pièce à conviction
2370 Le rouleau de bouleau dont on fait mention.
La victime pourrait montrer à cette Cour
Comment elle devait porter ce... compte-tours...

Me LATACHE
Objection ! Pareille démonstration
A la télé, ça dépasse sa mission...

JUGE
2375 Retenue !

Me PLANTERS
Elles ont libéré leur otage
De ses liens, mais pour mieux ériger une cage
Psychologique tout autour de sa personne,
Le menaçant à l'aiguille de cortisone,
Le retenant dans le chalet grâce à la peur.
2380 Elles n'écoutèrent jamais une des leurs
Qui les suppliait le visage tout en pleurs
De le relâcher sans lui infliger de heurts.
Elles savaient bien ce qu'elles faisaient alors.
Et au bout du compte, il faudra qu'on les implore
2385 Qu'on les gratifie de cette promesse expresse
D'obtenir les services de défenderesse
De Maître Latache, avocate, animatrice
Déjà appuyée par des millions de jocrisses.
Elles savaient bien ce qu'elles faisaient alors.
2390 Leur aveuglement amoureux ne corrobore
Nullement l'idée de la défense voulant
Que leur amour fût aveugle. Et au demeurant,
Elles sont assez 'fines' pour se faire prendre
Pour des folles. Jury, ne te fais pas surprendre
2395 Par des entourloupettes. Le verdict: coupables !

Voici en effet le seul verdict raisonnable !
Enlever une mégastar, c'est perpétrer
Un crime crapuleux contre l'humanité.
Afin que l'on n'oublie jamais sur cette terre,
2400 Le châtiment devra se montrer exemplaire.

Me LATACHE
Heu...heu...heu...heu... Pauvre, pauvre Maître Planters !
Vous auriez besoin de tout un cours sur les moeurs
Féminines de maintenant. Et moi, je pense...

Me PLANTERS
Objection ! Vous doutez de ma compétence !

JUGE
2405 Objection re-je-tée !

Me LATACHE
                              Vous pensez en homme...

Me PLANTERS
Objection ! Sexisme !

JUGE
                              Re-je-tée !

Me LATACHE
                                        Et comme
Je le disais, notre avocat de la Couronne
Met de côté ce qui est beau et il raisonne
Avec son côté bête...

Me PLANTERS
                              Objection ! Ceci
2410 S'avère une attaque personnelle.

JUGE, *regardant les deux avocats tour à tour*
                                        Merci !
Objection.. rej'-tée !...

Me LATACHE

                    L'amour des accusées
Pour François n'est pas coupable. Il n'est pas basé
Sur la jalousie, la guerre, la passion,
Les coups bas, la chicane, la suspicion.
2415 Pas le genre d'amour amoureux que l'on garde
Pour son conjoint... ou bien que l'on sert par mégarde
A l'amant. Non ! Mais un amour admiratif.
Projeté dans des paramètres excessifs.
Jusqu'à vouloir pour soi la chose désirée
2420 Même violant la loi pour se l'accaparer.
C'est une façon d'embrasser son appareil
De télévision. Ah! beaucoup d'hommes se payent
Cette fantaisie quand c'est mon show de vingt heures.
Je sens qu'à millions, les téléspectateurs
2425 Me baisent alors... Baiser au sens d'embrasser.
Ça ne m'use ni ne m'abuse... Bon, assez
De promo. Et comme la Couronne, suivons
Nous aussi le chemin des dames, mais lisons
Avec les yeux du 'caoeur'... –Quelle belle chanson !
2430 La connaissez-vous ?– Donc réunies au salon
Des bêtes empaillées, voyez ce qui les baigne,
Une étrange atmosphère où tout est sous l'enseigne
De péché écolo, de viol de la nature.
Un univers cauchemardesque où la culture
2435 Est le trophée. Plutôt d'un safari sanglant,
Elles ont choisi un safari non violent
Vers un grand panache de vedette. Phase un :
Obsession à type paranoïde qu'un
Environnement favorable infantilise.
2440 Qu'autour, une violence froide banalise.
Non, elles ne savaient pas ce qu'elles faisaient
Déjà là. Costumes cachés au cabinet :
On voit bien le refoulement scatologique.
Ça se sent d'ici. Et quand une accusée pique
2445 La victime pour la geler, cela indique
La peur du réel : une frayeur névrotique.
Enlèvement, séquestration dans le nord,
Patrie des maringouins, cousins et frappe-à-bord,

De Jean-Pierre Ferland, Dominique Michel,
2450 Pierre Péladeau, Yvon Deschamps et Michèle
Richard, de gens qui rient ou qui chantent, voilà
Encore un indice d'une fuite au-delà
Du réel. Non, elles ne savaient pas du tout
Ce qu'elles faisaient. Enchaîné, me dites-vous,
2455 Et touché par leurs mains impures : ce n'est pas
De l'inconscience. Mais quels gestes délicats,
Doux et mesurés. François ne s'en est pas plaint
Voyez ce visage pur au regard tout plein
De son esprit d'enfance et de belle candeur
2460 Aucune trace d'attentat à la pudeur.
Cette fois, je l'admets, elles savaient sans doute
Ce qu'elles faisaient. Phase deux : sur cette route
De l'irréel, un moment de lucidité.

JUGE
Soyez claire.

Me LATACHE, *prenant le rouleau de bouleau*
N'est-ce pas ma spécialité ?
2465 Cet objet a fait couler beaucoup de liquide.
Encre des journaux. Salive: ah! langues perfides !
Il vient tout droit du coeur, ce rouleau de bouleau
Pas de la raison. C'est un sublime cadeau
Fait à la pudicité d'un homme puceau
2470 Pour nier cela, il faut être un parfait sot.
Comme Dieu dans sa bonté divine donna
A Eve et Adam la feuille qu'on appela
Feuille de vigne, elles roulèrent de leurs mains
L'écorce protectrice du colosse nain.
2475 Elles savaient ce qu'elles faisaient cette fois
Mais quel respect de l'homme et de son quant-à-soi !
Libérer François de ses liens : une folie
Certes. Femme sait qu'un homme qu'elle délie
Prend aussitôt la clef des champs. On voit encore
2480 Qu'avec le réel, cela n'a aucun rapport.
Et cette fameuse cage psychologique
Inventée par mon collègue très prolifique...

Ce n'était pas lui, le prisonnier, c'était elles,
Captives d'une image télévisuelle
2485 Brillante qu'il emporte avec lui tout partout.
La victime au fond n'en est pas une du tout.
Elle a suivi les policiers sans résister.
Démontrant une incroyable naïveté.
S'est-elle battue un peu contre la seringue ?
2490 A-t-elle cherché à s'emparer d'un des flingues ?
Non ! J'ai beau être une grande fan de François,
Ma raison, pas mon coeur, me fait dire: "Je crois
Que c'est peut-être lui qui devrait se trouver
Dans un fauteuil d'accusé."

JUGE

Veuillez arriver
2495 A votre conclusion, je vous prie.

Me LATACHE

Oui, j'y viens.
J'étais là, ce fameux dimanche cornélien.
Je fus témoin de leur reprise de conscience
Lorsque guidée par ma suprême intelligence
Je les trouvai. Elles reprirent la vraie route
2500 Grâce à moi ainsi qu'au policier Ladéroute.
J'ai vu s'atténuer leur état psychotique,
Et mourir leur schizophrénie catatonique.
Phase finale ! Et quels sont donc les résultats
De cette aventure ? On a appris sur le tas.
2505 François a pu intérioriser, dénicher
En lui des faces nouvelles et très cachées.
Et les accusées, elles, ont appris à chanter.
Et forment un trio super décontracté.
Ainsi tous ont pu tirer le meilleur parti
2510 De l'affaire pour eux-mêmes mais le profit
Va à toute l'humanité. A ce propos,
Oui, je dis que c'est piétiner tous les drapeaux
Que de toucher aux cheveux d'une mégastar
Mais juger les accusées comme des lascars
2515 Serait condamner le coeur de toutes les femmes.

Planète, avec toi oui, maintenant, je réclame
Le seul verdict incontournable: l'innocence.

JUGE, *à voix mesurée et traînante*
Jury, elles sont là, toutes les évidences.
La faiblesse de la preuve de la Couronne,
2520 La force de celle de la défense donnent
A penser à ce qui s'impose. Entre les mains
De plusieurs d'entre vous se trouvent des dessins
Sur carton. Le signe du dollar équivaut
A innocentes; et l'oeuf, c'est coupables. A vos
2525 Images ! Dix secondes pour trancher cela.

Me PLANTERS, *calculant*
Trois douzaines d'oeufs: coupables, ha, ha, ha, ha.
Bravo populo ! Vive la démocratie !

JUGE
A l'ordre vieux fou ! Dis plutôt phallocratie !
Le verdict est stupide mais la sentence, elle
2530 Doit être exemplaire et ce sera sans appel.
Accusées, levez-vous. Vous êtes condamnées
Par cette Cour à effectuer la tournée
Des prisons du Québec afin d'y présenter
Un spectacle gratuit. Et vous irez chanter
2535 Aussi au Parlement. Quant aux quinze dollars
De cachet que vous toucherez un peu plus tard
Pour votre passage à la grande émission
De madame Latache, vous en ferez don
A une cause humanitaire. L'audience
2540 Est levée.

Scène deuxième

MADAME LATACHE

MADAME LATACHE, *revenue parler aux caméras*
  Et voilà qui met fin au suspense
Que nous avons tous traversé depuis un mois
Depuis l'enlèvement de notre ami François.
On a déjà reçu plusieurs milliers d'appels
De gens qui veulent engager les Logicielles
2545 Qui d'ailleurs feront l'Olympia très très bientôt
Et qui le lendemain feront le Tonight Show.
Quelles bonnes nouvelles. Ah! que ça fait du bien !
Le plus grand moment de l'émission s'en vient :
Le mariage promis. D'ici là, je voudrais
2550 Faire un appel à tous. Pour bientôt, on aurait
Besoin de personnes qui font l'amour avec
Leur tête. Des gens qui ont leur bibliothèque
Là... *(elle désigne sa tête)* et ailleurs... Par exemple, ils feront cela
En discutant d'existentialisme ou là,
2555 En faisant une dictée de Bernard Pivot.
On se pénètre et on s'amuse sur les mots
Guidés par la ponctuation. La virgule
Est un arrêt léger et doux. Un point-virgule
Demande un arrêt profond. Tantôt on s'échange
2560 Des points d'interrogation; puis on se mange
Sur des points d'exclamation. D'autres coquins
Drapent leurs fesses avec le Devoir : libertins !
La très cérébrale madame Bissonnette
Ne fait jamais l'amour sans avoir ses lunettes.
2565 Histoire de ne jamais perdre le contact.
Vous avez une grosse... tête bien compacte
Et vous aimez bien la couchette, appelez-nous !

Scène troisième

MADAME LATACHE, FRANÇOIS, GINA
CAROLE, FRANCINE, SYLVIE
VOIX

Les trois filles ont revêtu leur costume de policier et servent de garçons d'honneur. Musique de la Marche nuptiale

MADAME LATACHE
Les voilà, ils sont là, ils arrivent, j'avoue
Que j'ai des larmes plein les yeux de mon grand coeur
2570 Voyez les mariés suivis des garçons d'honneur.
Ah! la robe ! Ah! la robe !... Notre virtuose
Juste avant cette cérémonie, nous propose
Son succès mondial Un sentiment divin.
Ah! que ça fait du bien ! Ah! que ça fait du bien !

François entreprend sa chanson mais le son n'est pas là pour lui et on n'entend toujours que la marche nuptiale. Une voix s'exclame en conclusion...

VOIX
2575 Si Jean de La Fontaine vivait de nos jours,
Il écrirait devant ce jugement de Cour :
Grâce à la télé, bien des crimes punissables
Deviennent des affaires hautement profitables !

RIDEAU

Du même auteur

1978	Demain tu verras
1979	Complot
1980	Un amour éternel
1981	Chérie
1982	Nathalie
	L'Orage
1983	Le Bien-Aimé
	L'Enfant Do
1984	Demain tu verras (2)
	Poly
1985	La Sauvage
1987	La Voix de maman
1989	Couples Interdits
1990	Donald et Marion
	L'Eté d'Hélène
	Un beau mariage
	Aurore
1992	Aux armes, citoyen !
	Femme d'avenir
	La Belle Manon
1993	La Tourterelle triste
1995	Rose
	Présidence
	Le Coeur de Rose
	Le Trésor d'Arnold

Renseignements et commandes à 819-357-1940

371

COMMANDES POSTALES

(voir publicité dans les pages qui suivent)

Titre	Prix	Quant.	Montant	
Aurore, la vraie histoire	24,95 $			
La Tourterelle triste	24,95 $			
Rose	27,95 $			
Le Coeur de Rose	27,95 $			
Le Trésor d'Arnold	24,95 $			
Présidence	19,95 $			
Un sentiment divin	19,95 $			
Frais de port inclus Pas de taxe provinciale	Total			
Payez par chèque à l'ordre de **André Mathieu, éditeur**	TPS (7%)			
Ou commandez sur papier officiel si vous êtes d'une institution scolaire et nous facturerons.	A payer			

Votre nom

Adresse   Ville

Code postal   Téléphone

Postez à :
A. M. éditeur -- C.P. 55, Victoriaville, Qc G6P 6S4

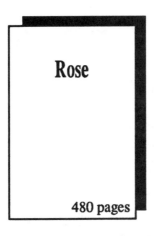

Rose

480 pages

Elles ont beaucoup en commun: paroisse, époque (1950), culture, besoin d'amour... Mais elles sont fort différentes par l'âge, le caractère, le physique...

Voici Rose, 49 ans, séparée, aux prises avec son curé et sa chair... Et Rachel, 19 ans, maîtresse d'école qui hésite entre l'amour et le voile... Et Jeannine qui veut se caser. Et Éva, marchande et mère de grosse famille... Voici également Marie, veuve qui mange de la misère et qu'on cherche à damner. Et combien d'autres dont la vie anime le coeur du village !

Comment vit-on dans un monde fait par et pour les hommes quand on est femme et que c'est l'année sainte ?

Car dans *Rose* évoluent aussi les prêtres, le forgeron bougon, le maire-hôtelier, le marchand général, les jeunesses qui jouent du coude en faisant semblant de jouer au hockey, les gamins venimeux forgés à devenir des 'hommes'. Et l'aveugle, le professeur, le cultivateur, l'embaumeur, le tuberculeux, le quêteux...

Voici un roman qui plonge son lecteur dans un univers joyeux sans télévision où les valeurs humaines et villageoises comptent pour presque tout dans la vie de tous les jours.

Le Coeur
de Rose

480 pages

A cinquante ans, Rose Martin craint l'âge mûr et voudrait vivre à sa manière les années devant elle. C'est 1950, l'année sainte. Une jeunesse s'invente, des coeurs battent et les jours coulent. Voici un village et tout son monde coloré...

Rachel Maheux, 20 ans, maîtresse d'école dont le fiancé a disparu. La belle Ti-Noire Grégoire et son rêve américain. Jeannine Fortier qui sort avec le beau Brummel du coin. Éva Maheux, marchande et mère de grosse famille. Marie Sirois, pauvre veuve qu'on cherche à damner. Et combien d'autres dont la vie anime le coeur du village !

Et le monde masculin : le curé Ennis qui surveille tout, Ernest, le forgeron bougon qui critique tout, Lucien Boucher qui voudrait la séparation de la paroisse, Gilles Maheux, gamin venimeux qui organise des apparitions de la Vierge. Et l'aveugle, le professeur, l'embaumeur, le tuberculeux, le quêteux...

Mais voilà qu'un étrange personnage arrive dans la paroisse, un jeune homme de pas trente ans, mystérieux et fascinant, et qui change considérablement le cours des choses.

Voici un roman qui plonge le lecteur dans un univers joyeux sans télévision où les valeurs humaines et villageoises comptent pour presque tout dans la vie de tous les jours.

Le Trésor d'Arnold

480 pages

Un amour sauvage.
Des femmes soldates.
Un trésor caché.
Des faits authentiques.

Automne 1775. Jemima Warner, Susan Greer et l'Indienne Jacataqua, trois femmes soldates, font partie d'une armée de plus de 1.100 hommes, lancée sur le Canada par la sauvagerie du Maine, le lac Mégantic et la Chaudière.

Le colonel Benedict Arnold, "Aigle noir dont le coeur sera transpercé d'une flèche"* dirige ces troupes et il connaît alors la plus formidable aventure de sa vie. Il cache un trésor et rencontre l'amour.

Basé sur la légende du trésor d'Arnold, ce récit relate le quotidien de l'armée, tout juste derrière les lignes de l'Histoire à laquelle il reste rattaché par d'innombrables fils.

Ce trésor pourrait valoir aujourd'hui jusqu'à **50 millions** de dollars américains, et c'est pour ça qu'on en voit d'aucuns parfois, 'marchant' la Chaudière avec un détecteur de métal.

Voici donc un roman d'aventures contenant tous les ingrédients du genre: amour, humour, guerre, argent, jolie femme audacieuse... Et pourtant, tout ça s'est vraiment passé... ou presque.

La vérité cachée que l'auteur poursuit sur 480 pages avec intuition et raison donne le goût de participer à l'excitante course au trésor... ou à l'amour !

Présidence

Enfin le résultat du référendum sur la souveraineté est connu: le OUI l'emporte sans évidence.

Les gagnants se ramassent avec un immense problème sur les bras : un pays à enfanter. Et ils ne savent pas comment accoucher. Mais cette fois, la tête du bébé est sortie et ils n'ont plus le choix de se faire avorter... comme ils l'ont fait en secret en 1980.

La tâche est trop lourde pour le chef du gouvernement qui est lui-même beaucoup trop lourd. Crise cardiaque. Il meurt content. Crise politique...

On change de régime et la veuve du P.M. devient présidente de la nouvelle république. La guerre civile éclate, mais elle se fera par des batailles d'ondes, pas par les armes conventionnelles.

Voici un roman de fiction politique dont le message est clair: il faut surveiller cette joyeuse bande de fous dépourvus de conscience sociale qui nous gouvernent comme on joue aux cartes. Un jeu de poker dont la règle de base appelée démocratie est une carte frimée...

Les gouvernements se mêlent de nos affaires tant qu'ils peuvent, c'est pourquoi —mince retour des choses— ce livre va jusque dans l'intimité de ces couples drôles qui mènent vers le pire province et pays...

Un 26e roman (non subventionné) pour **André Mathieu**, auteur de *Aurore, Rose, Nathalie, Un sentiment divin...*

La Tourterelle triste

480 pages

La violence faite à une femme

Plus dur que le marbre, le granit forge les hommes qui le façonnent. Mais aminci, ce matériau devient plus fragile que du verre.

Une femme qui y trace les arabesques de ses amours, croyant leur donner une apparence d'éternité, se trompe, ignorant que certains hommes manipulent sans précaution les coeurs trop vulnérables, les laissent tomber et se briser, et marchent dessus... Jusqu'au jour où la vie leur rend la monnaie de leur pièce !

Voici la vie passionnée d'une Québécoise dans la quarantaine: rares victoires, nombreuses défaites, espoirs et deuils, enchantements et peurs. Fait du pire d'abord et du meilleur ensuite, son destin lui prépare les couleurs de l'automne.

Une histoire vraie de sentiments bousculés au bout de laquelle s'élance par delà l'horizon, la magie de la maison du granit. Le grand amour né un matin d'enfance aura pris quarante ans avant de prendre son envol.

377

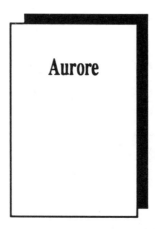

Aurore

Aurore Gagnon mourait à 10 ans le 12 février 1920 après un martyre cruel. L'histoire fait partie du légendaire national.

Cet ouvrage situe l'événement dans une fresque d'époque allant de 1905 à 1923. Et pour la première fois, l'âme de chacun des acteurs de la tragédie est explorée en profondeur.

Loin de l'aride compte-rendu judiciaire, et au-delà de la seule torture physique, ce livre porte un regard nouveau sur le drame le plus pathétique de notre passé collectif. Et le côté souriant de la vie de la fillette fait aussi partie de cette histoire.

Jamais ouvrage sur le sujet ne fut plus complet et documenté. Et on y trouve plusieurs photos qui parlent.

Voici un livre qu'on relit plusieurs fois dans sa vie, et que toute famille veut posséder et garder.

Message aux nouveaux auteurs

Vous avez écrit un livre? Votre manuscrit fut peut-être refusé par un ou même des éditeurs. Votre confiance en vous-même est ébranlée. Saviez-vous que la plupart des grands auteurs dans le monde entier sont passés par là eux aussi?

Surtout ne jetez pas la serviette. Le patrimoine a besoin de votre travail. Mais les éditeurs ne veulent qu'une chose, des sous, encore et toujours des sous. Ce sont des gens d'argent qui pour la plupart exploitent voire vampirisent les créateurs avec la complicité des gouvernements et des médias.

Malgré cela, la voie de l'avenir, c'est l'auto-édition qui est favorisée par les progrès de la technologie et de la communication de même que la baisse des subventions à l'édition traditionnelle.

Je suis auteur-éditeur depuis 1979 et mes ouvrages sont parmi les plus lus au Québec; même que les sondages au niveau du prêt public me placent toujours en tête depuis 15 ans, ce qui m'a valu une nomination par Radio-Québec pour le Signet d'Or, catégorie auteurs populaires.

Bien sûr, l'auteur-éditeur doit affronter les préjugés. Par exemple, jamais il ne remportera de prix littéraires qui sont décernés par des chapelles à des créateurs intégrés. Par exemple les médias nationaux refusent toute demande émanant d'un auteur-éditeur sauf exception. Encore pire si les journalistes ou recherchistes sont du sexe féminin car elles ont peur de prendre des risques et préfèrent courir les têtes connues pour leur papier ou leur émission.

Mais vous aurez l'immense réconfort de savoir que votre livre fait son chemin par ses propres qualités sans être imposé par les prix et les médias. Facile de vendre un livre quand on s'appelle Denise Bombardier, Michel Tremblay ou Nathalie Petrowski; on lève le petit doigt et tous les médias applaudissent. Mais on ne sait jamais vraiment ce que ça vaut, ce qu'on a enfanté. Tandis que l'auteur-éditeur le sait et n'est pas laissé dans le doute, croyez-moi. Les gens ne se gênent pas pour vous dire ce qu'ils pensent de votre livre et vous ne faites jamais un succès d'image, ce qui d'ailleurs relève le plus souvent de l'imposture.

Appelez-moi et je vous donnerai toute la marche à suivre; et c'est sans frais sauf celui de votre appel.

A.M.